Tous Continents

Collection dirigée par
Isabelle Longpré

De la même auteure

Adulte

SÉRIE GABY BERNIER

Gaby Bernier, Tome 1 – 1901-1927, Éditions Québec Amérique, 2012.

SÉRIE DOCTEURE IRMA

Docteure Irma, Tome 3 – La Soliste, Éditions Québec Amérique, 2009.
Docteure Irma, Tome 2 – L'Indomptable, Éditions Québec Amérique, 2008.
Docteure Irma, Tome 1 – La Louve blanche, Éditions Québec Amérique, 2006.

SÉRIE LA CORDONNIÈRE

Les Fils de la cordonnière, tome IV, VLB éditeur, 2003.
Le Testament de la cordonnière, tome III, VLB éditeur, 2000.
La Cordonnière, tome II, VLB éditeur, 1998.
La Jeunesse de la cordonnière, tome I, VLB éditeur, 1999.

Je vous ai tant cherchée, avec Normay Saint-Pierre, VLB éditeur, 2012.
Évangéline et Gabriel, Lanctôt éditeur, 2007, Typo, 2012.
Marie-Antoinette, la dame de la rivière Rouge, Éditions Québec Amérique, 2005.
Et pourtant, elle chantait, VLB éditeur, 2002.
Guide pour les aidants naturels, CLSC Longueuil, 1999.
Le Château retrouvé, Libre Expression, 1995.
Les Enfants de Duplessis, Libre Expression, 1991.
    Cet ouvrage a dépassé les frontières québécoises et canadiennes et circule en Europe, en Australie et aux États-Unis.
La Porte ouverte, Éditions du Méridien, 1990.

Jeunesse
Samuel chez les Abénakis, Éditions Cornac, 2011.
Le Miracle de Juliette, Éditions Phoenix, 2007.
Dans les yeux de Nathan, Éditions Bouton d'or d'Acadie, 2006.

TOME 2

ROMAN HISTORIQUE

Catalogage avant publication de Bibliothèque et Archives nationales du Québec et Bibliothèque et Archives Canada

Gill, Pauline
Gaby Bernier : roman historique
(Tous continents)
L'ouvrage complet comprendra 3 v.
Sommaire: t. 2. 1927-1940.
ISBN 978-2-7644-2248-9 (v. 2) (Version imprimée)
ISBN 978-2-7644-2359-2 (PDF)
ISBN 978-2-7644-2360-8 (EPUB)
1. Bernier, Gabrielle, 1901-1976 - Romans, nouvelles, etc. I. Titre.
II. Collection: Tous continents.
PS8563.I479G32 2012   C843'.54   C2011-942609-9
PS9563.I479G32 2012

Conseil des Arts du Canada   Canada Council for the Arts

SODEC
Québec

Nous reconnaissons l'aide financière du gouvernement du Canada par l'entremise du Fonds du livre du Canada pour nos activités d'édition.

Gouvernement du Québec – Programme de crédit d'impôt pour l'édition de livres – Gestion SODEC.

Les Éditions Québec Amérique bénéficient du programme de subvention globale du Conseil des Arts du Canada. Elles tiennent également à remercier la SODEC pour son appui financier.

Québec Amérique
329, rue de la Commune Ouest, 3e étage
Montréal (Québec) H2Y 2E1
Téléphone: 514 499-3000, télécopieur: 514 499-3010

Dépôt légal: 1er trimestre 2013
Bibliothèque nationale du Québec
Bibliothèque nationale du Canada

Projet dirigé par Isabelle Longpré
    avec la collaboration de Anne-Marie Fortin
Révision linguistique: Sabine Cerboni et Annie Pronovost
Mise en pages: Andréa Joseph [pagexpress@videotron.ca]
Conception graphique: Nathalie Caron
Photographie en couverture: Getty Images
Illustrations intérieures: Anouk Noël

Imprimé au Canada
Version 1.1

PAULINE GILL

GABY BERNIER

TOME 2
ROMAN HISTORIQUE

Québec Amérique

*Ouvrir un livre, c'est ouvrir une porte
vers la connaissance et l'enchantement.
Gaby vous y invite.*

PREMIÈRE PARTIE

CHAPITRE 1

J'ai appris à ne jamais fermer ma porte aux personnes qui me semblent les plus exécrables. Elles pourraient bien devenir celles qu'on remercie à genoux dans quelques années. L'épouse de Me Leblanc, l'avocat de maman, et Patricia, la capricieuse du bal au Château Frontenac, m'ont donné cette leçon. La première a indirectement nourri mon admiration pour Coco Chanel en rapportant des magazines français qui parlaient d'elle. La deuxième me fait plus de publicité qu'aucune autre de mes clientes. Je n'aurais pu rêver mieux. Ou, plutôt, je me donne désormais le droit de viser encore plus loin. Et si la cible n'est pas atteinte, j'aurai la consolation d'avoir tout fait pour y arriver.

Gaby fermait les yeux pour mieux se remémorer cette soirée du bal masqué au Château Frontenac en décembre 1927. Quel plaisir que celui de pouvoir tout observer sans être vue ! Ce bonheur, elle le devait à Molly, cette amie et cliente, déguisée en Cendrillon, qui l'avait finalement convaincue d'y assister.

À deux jours de cet événement mémorable, Gaby avait enfin pris sa décision. Mais que d'objections étaient venues de sa mère et de sa sœur !

— C'est une injure, Gaby, de jouer à mère Bourgeoys à une soirée de danse. Tu sais bien que les religieuses ne dansent pas. Les langues vont se délier jusqu'à leur couvent et…

— Elles ne sauront jamais que c'est moi qui porte leur costume, Éva. Je vais sortir de la salle de bal aussi incognito que j'y serai entrée.

— Mais pourquoi avoir choisi ce déguisement ? avait demandé Séneville.

Avant que Gaby n'eût le temps de s'expliquer, Donio, jusque-là discret, avait déclaré en riant :

— Quand elle m'a parlé de cette idée, je l'ai mise au défi de passer à l'action…

— C'est à Gaby que je pose la question, avait rétorqué sa mère.

Le mécontentement de Séneville avait peiné Gaby. Faire marche arrière ? Elle s'y était refusée, préférant s'expliquer davantage.

— J'avais peu de temps pour me trouver un déguisement qui ne fasse pas ombrage à Patricia… tout en m'amusant. Celui-là, je le connais bien et j'ai des chances d'être la seule à le porter !

— J'ose croire que ce n'est pas pour ridiculiser les sœurs. Ce serait très injuste de ta part, avait repris Éva. Nous sommes tellement redevables à ces religieuses de l'éducation qu'elles nous ont donnée et de tout ce qu'elles nous ont appris à faire.

— Loin de vouloir les ridiculiser, je fais référence à la grande ouverture d'esprit de Marguerite Bourgeoys. Tu te souviens de sa biographie qu'on nous lisait au réfectoire tous les midis ? Ses recrues sont bien plus austères qu'elle ne l'était.

Connaissant son espièglerie, Donio avait ajouté :

— Avoue, Gaby, que ça te fait plaisir de les égratigner.

— Mais si peu ! Avec le caractère que j'ai, c'est sûr que je les trouvais trop austères, mais elles ont fait leur devoir.

Alors que les deux aînés échangeaient des regards moqueurs, Séneville et Éva avaient maintenu leur contestation, espérant que Gaby se raviserait. Mais, à voir son empressement à boucler sa valise, elles avaient compris qu'elle n'en ferait qu'à sa tête…

— Comme par le passé, avait marmonné Séneville.

Gaby l'avait entendue. Lui déplaire l'affligeait d'autant plus que ses fredaines passées n'avaient jamais porté atteinte à sa relation avec sa mère. Ce qu'elle aurait donné pour voir un sourire se dessiner sur son visage avant de partir pour Québec ! Mais il n'en fut rien.

Pour clôturer ce grand bal, M. Pérodeau, libéré de son masque d'empereur, était sorti de l'anonymat. Avec une grande dignité, il avait souhaité la bienvenue aux invités et à sa petite-fille, Yvette McKenna, somptueusement présentée à la société ce soir-là. Son regard tendre et sa voix chaude avaient troublé Gaby. Ce que cet homme dégageait allait à l'encontre de l'image qu'elle s'était faite de tous les membres du conseil d'administration de la *Montreal Light, Heat and Power Company* dont il faisait partie. « Seuls des êtres bruts et sans cœur ont pu nier la responsabilité de leur entreprise dans la mort de mon père », s'était-elle imaginé au moment du drame. Près de vingt ans plus tard, elle nuançait son jugement.

En sa qualité de lieutenant-gouverneur du Québec, M. Pérodeau avait fait monter sur scène l'élue de cette soirée et en avait fait l'éloge avec des mots qui avaient tiré des larmes à de nombreux invités. À cette demoiselle McKenna, il avait cédé l'honneur de présenter les gagnants des costumes les plus élégants et les plus originaux de cette fête. Comme il était de mise, elle avait d'abord annoncé le deuxième prix :

— Sa Majesté Diane de France est priée de venir sur la scène.

Les minutes avaient semblé des heures pour Gaby qui, le cou étiré, avait promené son regard au-dessus des têtes à la recherche de Patricia Deakin. « Je ne peux pas croire qu'elle a tourné les talons. Girouette comme elle est… il faut s'attendre à tout…» Mais son cœur s'était emballé lorsqu'elle l'avait enfin vue gravir les marches avec grâce. Puis, avec une égale fierté, Patricia avait révélé son identité.

— À Mlle Patricia Deakin, nous avons l'honneur de remettre ce prix pour l'originalité de son costume, son élégance et pour la fidélité au personnage illustré, avait clamé Mlle McKenna.

Patricia fut priée de parader sur scène pendant qu'une description détaillée du costume était faite par un expert en la matière.

— Cette magnifique robe de satin blanc, brodée de délicates perles et enrichie d'une longue traîne, est l'œuvre de madame Gaby Bernier de Montréal, avait déclaré le juge.

Au milieu des applaudissements, Gaby s'était faite toute petite.

— Pourvu qu'on ne m'invite pas à rejoindre ma cliente, avait-elle soufflé à l'oreille de Molly, qui se limita à hausser les épaules.

«S'il fallait qu'on m'y oblige, je m'en voudrais toute ma vie de ne pas avoir suivi les conseils de ma mère.»

Au grand soulagement de Gaby, Mlle McKenna avait aussitôt annoncé le premier prix; il était remis à une jeune fille de Québec incarnant Jeanne d'Arc, la pucelle d'Orléans canonisée au début des années vingt. La salle avait vibré sous les applaudissements des danseurs. Il allait de soi que la créatrice de ce costume soit appelée à monter sur la scène pour partager les hommages.

— On m'apprend que la créatrice du costume «Diane de France» serait elle aussi parmi nous, avait ensuite déclaré Mlle McKenna. Nous la prions de venir nous rejoindre.

Les jambes en chiffon, le cœur en épouvante, Gaby avait cherché la main de Molly.

— Tu es capable, ma Gaby, lui avait-elle chuchoté, néanmoins ravie de ne pas être à sa place.

Piégée comme jamais dans sa vie, Gaby avait cherché une issue. Sortir de la salle sans être remarquée? Impossible! Faire la sourde oreille, comme si on eût été mal informé? Une lâcheté qu'elle ne se serait pas pardonnée.

— Qu'est-ce que tu attends? Avance! l'avait contrainte Molly, forçant son passage vers la scène.

«Mon Dieu! Mon Dieu! Qu'est-ce que je vais dire? Aidez-moi, grand-maman Louise-Zoé.»

Comme elle s'était fait attendre, «Mère Bourgeoys», les lorgnons sur le bout du nez, la cornette si avancée sur le visage qu'elle ne dévoilait que son menton! De toutes parts, des chuchotements venaient à ses oreilles, alors qu'elle tentait de se frayer un chemin parmi les invités. «Quel mauvais goût!» «Faut-il être effrontée pour oser se déguiser en religieuse pour une soirée de bal!» «Je ne peux pas croire que c'est elle qui a confectionné le costume de Diane de France!»

À peine la pseudo-religieuse de la Congrégation de Notre-Dame avait-elle amorcé sa montée sur la scène que les éclats de rire avaient fusé de partout dans la salle. Mlle McKenna, incapable de reprendre contenance, avait fait signe à Gaby de se présenter elle-même.

— Je me nomme Marguerite Bourgeoys. Pour ceux qui ne me connaîtraient pas, je suis la fondatrice de la Congrégation de Notre-Dame. Ce sont mes recrues qui ont appris aux bonnes filles de notre société à développer leurs talents. Ce sont elles qui ont enseigné à Gaby Bernier les rudiments de la couture. Elle profite de cette belle fête pour les en remercier publiquement.

Une salve d'applaudissements retentit dans la salle. Des «Bravo!» furent projetés jusqu'à la scène.

Une semaine plus tard, la poste avait livré à Gaby une carte signée de la main du lieutenant-gouverneur du Québec:

Faut-il croire que les Bernier sont des gens de talent et de déter-mination! Je présume que vous connaissez les exploits de notre grand capitaine Bernier... Peut-être vous est-il apparenté, même.

Mes vœux de succès et de bonheur pour l'an 1928 et pour tous ceux que vous aurez la chance de vivre, mademoiselle Bernier.

Ces quelques lignes du lieutenant-gouverneur du Québec éveillè-rent un grand sentiment de fierté chez tous les membres de la famille Bernier.

— On a travaillé très fort pour les semences, le temps est venu de récolter, s'était écrié Donio.

— Mon Elzéar doit être fier de ses enfants, avait clamé Séneville.

Les contrats de couture affluant après le bal au Château Frontenac, et ce, jusqu'au printemps 1928, il avait fallu ajouter une douzaine d'ouvrières et chercher de plus grands locaux. Le moment tant attendu d'y rassembler toute la famille était enfin venu. Les appartements Drummond, au 1316 de la rue Sherbrooke Ouest, non loin du *Ritz Carlton*, offraient à louer trois spacieux étages, de quoi loger le salon de couture et les quatre Bernier. Âgée de soixante ans, Séneville pre-nait sa retraite et Marcelle Couillard, une des premières femmes employées par Gaby, comme petite main, quittait les ateliers pour devenir la domestique de la famille.

— Cet appartement répond à mes goûts, comme s'il avait été construit juste pour nous, déclara Gaby.

Le bonheur semblait au rendez-vous.

À l'étage, Gaby fit entrer le piano de ses rêves: un *Baby Grand* tout neuf. Sitôt ses doigts posés sur le clavier, elle les y laissa courir au grand ravissement de ses proches. Elle n'avait pas oublié ses pièces favorites.

Dans le grand salon, future salle d'exposition, un foyer de marbre noir, entouré de miroirs, donnait le ton. Gaby meubla cette pièce de fauteuils de velours vert forêt et habilla la fenêtre de tentures de la même teinte. Dans la salle d'essayage, des murs pareillement couverts de miroirs reflétaient les touches dorées des meubles. L'élégance appelait l'élégance. Au nouveau *Salon Gaby Bernier*, tout comme chez Mlle Jamieson, les boissons chaudes allaient être servies dans un service à thé en argent et les petites bouchées dans de la porcelaine anglaise.

L'aisance financière inspira à la veuve Bernier le goût de revoir Chambly.

— C'est comme si ça me permettait d'enfermer dans une bouteille qu'on jette à la mer les épreuves vécues après la mort de votre père et de les faire disparaître à tout jamais, expliqua Séneville.

— J'avais l'impression que ces années nous avaient déjà quittés… en nous laissant le meilleur, la relança Gaby.

Sa mère hocha la tête. Éva approuva les propos de sa sœur et accorda les mérites de leur réussite à son défunt père, Gaby à sa grand-mère Louise-Zoé et Séneville à sainte Fabiola.

— J'ai de la place pour tout ce beau monde dans ma nouvelle Ford, annonça Donio. Tes vingt-sept ans et tes succès, ma Gaby, c'est à Chambly qu'on ira les fêter.

Tous convinrent de s'y rendre le 23 juin pour les fêtes de la Saint-Jean devancées au samedi cette année-là. « Le Jour du Seigneur ne doit pas être assombri par des célébrations profanes », avait déclaré M. le curé.

— Ça nous donne juste le temps de terminer la nouvelle robe de bal de notre belle Patricia, fit remarquer Gaby.

Plus que flattée des honneurs cueillis au Château Frontenac l'année précédente, Mlle Deakin avait adopté le *Salon Gaby Bernier* « à tout jamais ». À preuve, elle lui avait aussi commandé, un an à l'avance, son trousseau de mariée.

— Je veux une robe de bal unique en son genre, avait-elle exigé, sans égard au prix.

Gaby était sûre de ne pas la décevoir en lui confectionnant une tenue en lamé or, de quoi subjuguer la haute société et les autres créateurs de mode de Montréal.

Le trousseau de mariée devait aussi jumeler glamour et originalité. À la future épouse d'Edwin John Carsley, Gaby suggéra du crêpe de Chine blanc et, pour ses demoiselles d'honneur, des robes bleues taillées aux genoux. Du jamais vu à Montréal. Le nom de la couturière serait sur toutes les lèvres.

— C'est une belle économie de tissu et de temps, avait noté Éva, toujours à l'affût du moindre gain.

Les regards moqueurs échangés entre Gaby et Donio dessinèrent une moue sur ses lèvres.

— Admettez que sa bonne administration n'est pas étrangère au succès du *Salon Gaby Bernier*, nuança Séneville.

Dès cinq heures, ce 23 juin, les Bernier n'eurent aucun mal à sortir du lit. Éva vibrait à la pensée de revoir les Taupier. Gaby avait dans sa mire l'écurie des Bartolomew et l'usine *Segal Shirts*. Donio, la ferme des Lareau.

— Qui aimeriez-vous visiter, Maman ? s'enquit sa benjamine.

Le regard nostalgique, Séneville avoua ressentir une émotion étrange : la hâte de revoir Chambly, la rue Bourgogne, les gens connus… et la crainte d'en revenir avec un bleu au cœur.

— Votre père, répondit-elle. Dieu seul sait combien de temps je mettrai à aller le rejoindre. On l'a laissé seul là-bas.

— Maman ! Vous savez bien qu'il est toujours avec nous. Ce n'est que son enveloppe qui a été déposée en terre, lui rappela Éva.

Les échanges entre les trois femmes faisaient sourire Donio qui, ce jour-là, portait avec une fierté inégalée sa casquette de chauffeur de taxi.

À l'approche de Chambly, la reconnaissance des lieux et l'affluence des piétons vers le Grand Hôtel sema chez les Bernier une excitation agréable à vivre. Ils prenaient plaisir à voir les cous s'étirer, les fronts se rider. Il leur semblait entendre certains Chamblyens dire :

— As-tu vu le beau char ?

— T'as remarqué le garçon qui le conduit ?

— On dirait bien le Donio à Elzéar Bernier.

Tel que promis à Séneville, le premier arrêt se fit au cimetière avant d'aller à pied rejoindre la parade de la Saint-Jean.

La balade le long du canal Chambly souda les quatre Bernier dans la même béatitude qu'avant 1909. Parmi les piétons croisés, quelques visages inconnus, mais plus encore, des retrouvailles émouvantes : professeurs, compagnons et compagnes de classe. Des parents évoquèrent avec humour ce spectacle de fin d'année où Gaby s'était présentée en tenue d'amazone. Plusieurs avouaient :

— Je n'aurais pas pu reconnaître Gaby et sa sœur si elles n'avaient été avec vous, Séneville.

Certains osèrent manifester leur étonnement en apprenant que Donio était encore célibataire.

— Faut-il que les filles soient aveugles pour laisser passer un beau garçon travaillant et honnête comme lui !

De fait, Donio avait fréquenté Lizette Garceau, une jeune Chamblyenne de bonne famille qui, après deux ans de correspondance, l'avait laissé sans nouvelles. Vexé, il avait déduit qu'il devait y renoncer définitivement. Mais voilà donc qu'elle s'approchait timidement de Séneville, assurée qu'elle la reconnaîtrait.

— Vous êtes bien Mme Elzéar Bernier…

— Oui. Mais vous ? Désolée, je ne vous replace pas.

— J'ai peut-être changé plus que vous… Lizette, mon nom. J'aurais pu être votre bru, vous vous souvenez ? J'ai fait une grave erreur en laissant tomber Donio. L'homme que j'ai marié m'a abandonnée à la naissance de notre premier enfant… parce qu'il avait un bec de lièvre. Je ne m'en suis pas encore remise.

Déconcertée, Séneville resta sans voix.

— Il a trouvé, Donio ?

— Dans un sens, oui. Plus ça va, moins il semble attiré par le mariage, répondit la mère.

— Ah, bon ! fit Lizette, visiblement déçue.

Un sentiment de profonde tristesse et d'impuissance poussa Séneville à lui fausser compagnie.

— Excusez-moi, lui dit-elle, je dois retrouver mes filles. Je vous souhaite bon courage et meilleure chance.

La veuve Bernier fut aussitôt interpellée par sœur Sainte-Madeleine qui, engloutie dans sa cornette, clopinait vers elle.

— Votre petite dernière n'est pas avec vous, Mme Bernier ? demanda-t-elle.

Éva, naguère si timide, s'avança, amusée. Son aisance et sa jovialité avaient déjoué la religieuse. De belles retrouvailles pour Éva, qui avait beaucoup apprécié sœur Sainte-Madeleine. Elles échangeaient quelques bons souvenirs lorsque sœur Saint-Sauveur, ex-préfète de discipline, s'approcha, examinant ses anciennes élèves de la tête aux pieds.

— Bonjour, mesdames Bernier ! C'est Gaby qui a le moins changé. Les mauvaises influences de la ville ne semblent pas l'avoir trop pervertie, dit-elle, s'adressant à Séneville.

— Je l'étais déjà, blagua Gaby avant d'entraîner sa famille à l'écart.

Éva, contrariée, se fit attendre.

— Si on s'arrête comme ça au premier bonjour, on n'aura pas le temps de voir les personnes qui nous intéressent, fit valoir Gaby.

Sur la place publique, des tables bondées d'articles en tout genre faisaient l'objet d'une criée.

— De vraies broutilles de campagne, nota Gaby.

— Vous avez entendu? s'écria Éva, venue rejoindre sa mère et sa sœur.

Du porte-voix, une annonce tonitruante vint couper l'air au couteau. «Un petit chef-d'œuvre musical, Messieurs, Mesdames. À qui la chance?»

— Allons voir! suggéra Séneville, marchant déjà en direction du kiosque.

Elle ne fut pas surprise d'entendre les propos de M. Bartolomew qui, debout derrière le comptoir de vente, arborait une feuille noircie de portées musicales.

Des gens l'ayant devancée, il était difficile pour Gaby de se frayer un chemin jusqu'au vendeur. Lorsqu'il l'aperçut, il pointa son gros index sur le bas de la page titrée *La marche de Galopine*, là où se trouvait la signature *Gaby Bernier, 1911*. Gaby reconnut aussitôt le nom de la jument qu'elle avait dressée à l'époque. Une fierté empreinte de nostalgie la laissa sans paroles.

— Quelle belle cavalière vous auriez fait, mademoiselle Bernier! dit M. Bartolomew en lui tendant la main. Vous souvenez-vous de m'avoir vendu cette composition? lui demanda-t-il, heureux de l'exhiber à l'occasion de la criée annuelle de Chambly. Ma femme vous a vue arriver au cimetière… Je l'ai vite envoyée chercher votre petite création…

— Est-ce que je pourrais vous la racheter?

— Il n'y a pas de prix pour me l'enlever. C'était pour vous attirer ici que je l'ai annoncée, expliqua-t-il. Regardez comme elle a été précieusement protégée.

Sous les regards admiratifs de ceux qui s'étaient rendus au kiosque, Gaby, émue, avait retrouvé son cœur d'enfant. L'habitaient encore les regards sympathiques des donateurs et les cliquetis des pièces de monnaie au creux de leurs mains lorsqu'elle les sollicitait. Le temps n'avait en rien altéré le sentiment de ces moments où l'argent se faisait rare dans leur maison. « C'est donc cette émotion-là que je revis quand une cliente me paie sa facture », reconnut Gaby.

Séneville sentit quelqu'un venir derrière elle.

— Comment allez-vous, lui demanda-t-elle en apercevant le Dr Taupier, qui semblait avoir beaucoup vieilli. La tristesse avait sillonné son visage.

— Une bien grande épreuve frappe notre famille…

— Votre épouse ? demanda Séneville.

— Non, Corinne ne va pas si mal.

— Votre fils Henri ? avança Gaby.

— Oui. Décompté.

— Ses poumons ? présuma Séneville.

Un signe de la tête le lui confirma.

— Deux petits garçons qui vont grandir sans leur père… ajouta le Dr Jean-Salomon Taupier, d'une voix hachurée.

— Ils vivent ici, à Chambly ? questionna Éva.

— Hélas, non ! Vous ne savez donc pas qu'ils habitent sur la rue Sherbrooke, à Montréal ?

Gaby fut estomaquée. On ne peut plus troublée, Séneville baissa les yeux. Éva offrit de venir en aide à la famille du malade.

Reconnaissant, le Dr Taupier leur apprit qu'une servante travaillait chez son fils et qu'un médecin le visitait régulièrement.

— Mon épouse aimerait sûrement votre visite.

— Nous ne partirons pas sans passer la saluer, lui promit Séneville.

Leurs minutes étaient comptées. Pour cause, en cette veille de la Saint-Jean, la *Segal Shirts*, une manufacture de couture récemment ouverte à Chambly que Gaby tenait tant à visiter, fermait ses portes à midi. Il fallait s'y rendre sans trop tarder, en empruntant la rue Bennett à quelques pas de l'avenue Bourgogne.

Dans cet édifice de deux étages, les employés confectionnaient quotidiennement plus de cinq cents chemises et près de huit cents pantalons pour hommes. Cette production nécessitait deux cents machines à coudre, des dizaines de fers à vapeur, des presses et un entrepôt pour faire l'emballage. Plus de deux cents personnes s'affairaient aux diverses tâches sur le modèle du travail à la chaîne. Notant que la braguette des pantalons était munie de boutons, Gaby ne s'expliquait pas l'absence de petites mains dans cette manufacture. M. Segal, d'origine juive et propriétaire de l'entreprise, expliqua :

— Nous avons pour principe d'engager des personnes, hommes ou femmes, même si elles n'ont aucune expérience dans la couture. Nous les formons à la condition qu'elles travaillent cinquante-cinq heures par semaine.

— Serait-ce indiscret de vous demander quel salaire vous leur versez chaque semaine, M. Segal ?

— En quoi cela vous intéresse-t-il ?

— Je dirige aussi un salon de couture.

— De haute couture, corrigea Éva.

— Tout près de quatre dollars pour la moyenne et jusqu'à quatorze dollars pour les ouvrières assignées à des tâches plus complexes, comme les boutonnières, révéla Mme Littlefied, la contremaîtresse qui se tenait derrière M. Segal.

Une dame dans la quarantaine se leva pour vanter la simplicité de l'organisation du travail :

— Quand on arrive ici le matin à sept heures, les ballots de tissus sont déjà à notre poste de travail. Avec un bon coussin sur notre chaise de bois, on réussit à coudre sans arrêt jusqu'à midi et sans commettre trop d'erreurs.

— La rapidité et la précision sont de rigueur, reprit la contremaîtresse.

— Vos employés sont-ils tenus au silence ? s'inquiéta Gaby.

— Oui. De toute façon, le ronronnement continu des machines ne leur permettrait pas de s'entendre parler, riposta Mme Littlefied, affichant un air agacé.

Gaby sortit de l'usine, remuée.

— C'est de l'exploitation, il me semble.

— Tu ne peux pas comparer cette *shop* à ton salon, lui fit remarquer Séneville. Les gens de Chambly semblent très heureux de pouvoir travailler. Un gagne-pain à sa porte, ce n'est pas donné à tout le monde, surtout pas à la campagne.

— Je serais incapable de travailler ici, admit Gaby. J'aurais l'impression de faire partie de l'armée.

— On est privilégié, dit Éva. Il faut en remercier le bon Dieu chaque jour.

— Puis remercier nos parents aussi, d'ajouter sa sœur avec une pointe d'humour.

En route vers le domicile des Taupier, Gaby traînait les pieds, prenant conscience d'avoir jadis souhaité ne jamais quitter le sol qu'elle foulait. « J'y ai vécu de si belles années, du vivant de papa. Mais jamais je n'aurais pu exploiter ma passion pour la mode, ici, à Chambly. Adieu la richesse et la notoriété, à la campagne! Le père d'Emma Lajeunesse l'avait probablement constaté pour décider d'emmener sa jeune fille faire une carrière de chanteuse aux États-Unis. »

De fait, cet exode vers l'étranger avait été une rampe de lancement formidable pour Emma comme pour d'autres gens aux talents exceptionnels. Mais Gaby se réjouissait d'avoir trouvé sa place à Montréal. « J'aime la mentalité de cette ville ; celle des résidents du *Square Mile*, particulièrement. » Leur ouverture et leur générosité avaient balayé tous les préjugés répandus à leur sujet. Usage de la langue anglaise, protestantisme et enfer ne faisaient qu'un pour bien des catholiques, sauf pour les Bernier. À preuve, ils fréquentaient et appréciaient les Bartolomew, de religion protestante.

Passant devant l'ancien domicile d'Emma Lajeunesse, Gaby fit une offre à sa sœur :

— Éva, aimerais-tu qu'on achète cette maison et qu'on vienne y demeurer quand on sera trop vieilles pour travailler ?

— Si on en a les moyens, rétorqua sa ministre des finances.

— On les aura, voyons ! Tu imagines notre fortune après vingt autres années de succès ?

— Si Dieu veut bien nous les accorder.

— Tu en mets un peu trop sur le dos de ton bon Dieu, Éva. S'il nous a donné l'intelligence, c'est pour que nous organisions notre vie sans toujours le déranger.

— Tu me déroutes avec tes drôles de raisonnements au sujet de la religion, Gaby ! Je ne sais jamais si tu blagues ou si tu fardes tes croyances.

— C'est amusant, non ?

— Bof !

À quelques pas de la résidence des Taupier, Gaby ressentit un malaise. Le même qu'elle perçut dans la démarche alanguie de sa mère. Les rapports de Séneville avec M. Henri avaient été si troublants, bien qu'agréables pour ses filles.

L'accueil de Mme Taupier fut bouleversant. Après une longue accolade, Corinne épongea ses joues et invita son ancienne voisine à passer au salon. Présumant qu'elles étaient les bienvenues, Gaby et sa sœur les suivirent. Deux bambins ne tardèrent pas à venir timidement se coller à leur grand-mère, chez qui ils demeuraient de temps à autre pour permettre à leurs parents de prendre un peu de repos. Âgé de trois ans, le cadet affichait déjà les traits de son père.

— C'est son père tout craché, dit Corinne en désignant la photo d'Henri à peine plus âgé que Jean.

L'enfant jeta un œil coquin sur Gaby.

— Voulez-vous nous montrer vos jouets ? demanda-t-elle.

Les deux garçons entraînèrent les demoiselles Bernier au bout du couloir, à leur salle de jeux. Le plus jeune sortit d'un coffre outils miniaturisés et soldats de plomb. À l'aube de ses cinq ans, Charles les observait. Leur complicité lui décrocha un sourire.

— À quoi aimes-tu jouer, toi ? s'informa Éva.

— À rien. Je veux m'en aller chez papa.

Seule avec lui dans la cuisine connexe à la salle de jeu, Éva crut qu'il serait plus facile de le faire parler et de le réconforter.

— Il faut qu'il se repose, ton papa.

— Je veux rester toujours avec lui.

— Si ton papa ne guérit pas c'est parce que Jésus ne veut plus qu'il souffre. Il lui prépare une belle place dans le ciel, lui dit-elle.

Charles ne dit mot et, accablé, il se blottit dans un coin de la cuisine.

À voix basse, Corinne confiait son inquiétude à Séneville.

— Notre bru n'a guère plus de santé que son mari. Quand je pense à ses enfants qui grandiront sans la présence de leur père, dit-elle, étouffant un sanglot.

— J'en sais quelque chose, Corinne. Mais je peux vous dire, par expérience, que les enfants ont une capacité d'adaptation exceptionnelle. Jamais je n'aurais cru que les trois miens s'en sortiraient aussi bien. Puis, à entendre rire le tout-petit, je trouve ça rassurant. Il semble avoir un très bon tempérament…

— C'est la première fois, depuis que son père est alité, qu'il se montre aussi joyeux. Vos filles sont sûrement entraînées à s'occuper des jeunes enfants.

— Pas du tout, Corinne. Je crains même de ne jamais devenir grand-maman, dit-elle, visiblement attristée. Elles sont si passionnées pour leur travail… Puis, Donio prend de plus en plus goût au célibat.

Le regard de Mme Taupier se rembrunit. Ses doigts tapotaient sur le revers de sa main. Une vive appréhension gagna Séneville. Elle n'avait qu'une idée en tête: «Partir avant que ne soit formulée la rumination de Corinne. M'excuser d'être attendue ailleurs. Obtenir, pour ce faire, la complicité de mes filles.»

— Je pense, ma bonne amie, que vous devinez le désir de mon fils… dit enfin Mme Taupier.

Sa voix tremblait. Son regard cherchait celui de la veuve, qui demeura de marbre.

— Il sait que vous habitez sur la même rue que lui.

Séneville sourcilla et baissa la tête.

— Il pourrait partir en paix si vous acceptiez de lui rendre visite.

Le regard de Corinne mendiait une réponse positive.

— Je vais faire mon gros possible, promit-elle, troublée par la pensée qu'elle serait devenue veuve une deuxième fois si, après le décès d'Elzéar, elle avait accepté d'épouser Henri.

Son cœur se serra. « Nous aurions quand même pu vivre de belles années ensemble, lui et moi. Mes filles l'aimaient tant. Il était si attentionné, intelligent et affectueux. Je n'arrive pas encore à voir clair dans les sentiments que je ressentais pour lui. Comme s'ils me faisaient peur. Comme si je ne m'étais pas donné le droit de l'aimer. N'était-ce qu'à cause de notre différence d'âge? De notre voisinage? Des mauvaises langues? Un peu de tout ça, je pense, mais il y avait plus. Une gêne… inexplicable. »

La pendule sonna quatre coups. Séneville annonça qu'elle et ses filles devaient se rendre chez les Lareau, où Donio les attendait pour rentrer à Montréal.

Les bambins tentèrent de les retenir, mais en vain.

Gaby et Éva promirent de les revoir. À Chambly ou à Montréal? Elles devaient en discuter selon l'état d'Henri.

Le calendrier 1928 avait été relégué aux oubliettes avant que Séneville ne trouve le courage de rendre visite à Henri Taupier. Par respect, Gaby avait cessé de l'inviter à l'y accompagner. Sur le plan professionnel, la nouvelle année s'annonçait riche en défis.

Pour la première fois, l'opportunité était offerte à Gaby de créer pour le théâtre. Le *McGill Players's Club* lui demandait d'habiller les principales actrices de la pièce *Dear Brutus* de James Barrie. Gaby jubilait.

— Du travail aguichant pour tout le printemps!

— Combien de costumes? s'enquit Éva.

— Trois.

— Combien nous offre-t-on pour chacun ?

Gaby retint sa réponse, le temps de préparer sa sœur à une déception.

— Le club n'a pas de budget… mais chaque comédienne promet de payer le matériel pour ce costume qu'elle pourra conserver et porter en d'autres occasions.

Éva ne put cacher sa désapprobation.

— Tu sais comme moi qu'on ne s'enrichit pas à faire du théâtre. Si la pièce ne rentre pas dans ses frais, avec quoi les actrices vont-elles nous payer ? Autre chose, on ne peut se permettre de différer ou de refuser des affaires rentables parce qu'on travaille sur les costumes de *Dear Brutus*.

Gaby jeta sur sa sœur un regard qui se voulait apaisant.

— Éva, écoute-moi bien. Avec les contrats entrés depuis six mois, on pourrait habiller gratuitement cinq fois plus de comédiens sans que nos finances en souffrent.

La trésorière ne se dérida pas. Cette controverse incita Gaby à recourir aux services d'un comptable chargé de vérifier les livres de l'entreprise et de conseiller les sœurs Bernier. M. Bourque, jouissant d'une bonne réputation, entreprit cette tâche avec bonheur. L'étude terminée, il souligna la méticulosité des rapports financiers, offrit un soutien ponctuel à l'entreprise et encouragea Éva à accepter les conditions du contrat présenté par le *McGill Players's Club*.

— C'est un des procédés publicitaires les plus lucratifs, lui appritil. À la condition que chaque costume soit griffé et que le nom de votre salon soit mentionné devant le public avant chaque représentation.

Éva rassurée, les ouvrières accueillirent la nouvelle avec enthousiasme. Leur attitude consolida la confiance de Gaby, qui devait d'abord se lancer dans l'étude de la pièce. Cette comédie fantaisiste, créée par un Écossais, mettait en scène des gens qui croyaient qu'en changeant d'emploi ils changeraient de personnalité, et pourraient récupérer leur passé par des moyens magiques. Cette croyance amusait Gaby et ses couturières. Au fil de ses lectures, elle trouva l'inspiration nécessaire à la création du costume de chacune des trois comédiennes. Pour celle qui jouait une dame âgée, riche et désinvolte, elle irait dans le chic, alors que pour l'épouse d'un alcoolique dans la quarantaine, elle fabriquerait une tenue très sobre, sans être guenilleuse. Un tissu transparent pour les manches et un décolleté audacieux siérait parfaitement à la jeune solitaire excentrique. Un air de Bizet sur les lèvres, Gaby alluma une cigarette, qui se consuma dans le cendrier pendant que sa craie tailleur courait sur l'envers de tissus chatoyants. La couturière découvrait tout l'espace que ce nouveau créneau de création offrait à la fantaisie et à l'innovation. Elle y prit un tel plaisir qu'elle ne sortit de sa salle de coupe qu'après avoir tracé le patron de chacun des trois costumes.

Les croquis présentés au metteur en scène surprirent, puis charmèrent. Il n'avait pas imaginé qu'on puisse habiller des comédiens avec des tenues qui ne sont pas réservées qu'à la scène. Une première à Montréal. Il louangea Gaby pour son ingéniosité et son sens pratique. Présente, Éva fit de même.

— Tu n'auras jamais fini de m'étonner, lui avoua-t-elle.

— Il suffit qu'on me mette au défi pour que les idées me viennent.

— Je n'ose imaginer ce que nos nouveaux compétiteurs vont en dire…

Logée au 1324 de la rue Sherbrooke Ouest, à deux maisons des Bernier, Ida Desmarais menaçait, depuis cinq ans déjà, de réduire la clientèle du *Salon Gaby Bernier*. Couturière dans la tradition des grands couturiers français, Mlle Desmarais était reconnue pour la perfection de son travail et sa capacité d'adapter la mode aux femmes de toutes tailles. Par contre, ses prix n'étaient pas à la portée de tous les budgets. Sur cet aspect, Gaby marquait des points. « Je n'ai rien à envier aux confections de Mlle Desmarais. À sa réputation ? Oui. Mais avec le temps, les rôles seront renversés. Parole de Gaby Bernier. »

Installé depuis deux ans à Montréal, Raoul-Jean Fouré aussi avait un avantage sur Gaby : Français, il avait travaillé à Paris et fréquenté de grandes vedettes. D'abord créateur de modèles de chaussures pour Sacha Guitry, Mistinguett et les sœurs Dolly, il avait ensuite trouvé un emploi dans une maison de couture place Vendôme, tout près du salon de Coco Chanel. Le mariage avait fait basculer ses projets. En épousant Margaret Mount, une Montréalaise issue d'une famille bien établie de Québec, il avait cédé à l'insistance de son épouse et avait quitté Paris en 1927 pour démarrer sa propre entreprise de couture à Montréal. Son premier salon se situait sur la rue Université, au nord de Sherbrooke. Tout comme Gaby, il effectuait lui-même la création et la coupe de ses confections. Par contre, sa méthode de travail n'avait rien de comparable à celle de Gaby et il n'avait que deux employées, une jeune fille et sa femme, qui avait la dextérité des petites mains. L'année suivante, une parente de son épouse se maria. Fouré fut chargé de l'habiller ainsi que les demoiselles d'honneur et les mères de ces dernières. Gaby Bernier craignit alors que sa réputation de «meilleure créatrice de robes de mariée à Montréal» soit minée par celle du Français. Célèbre, particulièrement à Outremont et à Laval, M. Fouré ne tenterait-il pas de recruter la clientèle du *Golden Square Mile*?

Consciente de cette compétitivité accrue, Gaby se vit dans l'obligation de miser sur l'originalité. «Sans négliger la confection des trousseaux de mariées, je devrais apporter quelque chose d'inédit dans la couture. Une tendance que personne n'a encore osé mettre en vedette au Québec», pensa-t-elle. L'expérience lui avait appris que ses meilleures initiatives lui étaient inspirées particulièrement après une rafale de pièces musicales qu'elle jouait sur son *Baby Grand* ou après une soirée de danse. Le *Samovar*, sur la rue Peel, demeurait son club préféré. Ce premier samedi soir de juillet, elle fit sensation en y mettant les pieds. Un rouquin irlandais, envoûté par son élégance, lui demanda la première danse avec la ferme intention de ne céder sa jeune comparse à aucun autre danseur. Il n'avait pas soupçonné que la possessivité puait au nez de sa partenaire de danse. Après avoir dû refuser cinq ou six invitations, Gaby s'extirpa de son emprise et partit dans les bras d'un autre beau danseur aux rythmes enlevants.

L'Irlandais tenta-t-il de l'accaparer de nouveau qu'elle lui fit comprendre vertement qu'il perdait son temps. Après une longue valse dans d'autres bras que les siens, Gaby le vit venir vers elle. Fou de jalousie, il la menaça à la pointe d'un couteau. Le choc fut tel qu'elle détala à toutes jambes, en quête d'un taxi qui la conduirait immédiatement chez elle. Par bonheur, son frère était là, attendant des passagers.

— Donio! Oh! Donio! Partons vite, le supplia-t-elle, à bout de souffle.

— Mais j'ai deux clients à prendre dans dix minutes.

— C'est une question de vie ou de mort. Filons vite. Il ne faut pas qu'il sache où j'habite.

Jamais Donio n'avait vu sa sœur dans une telle panique.

— Je te raconterai tout quand je serai bien à l'abri de ce fou.

— Tu veux que je prévienne la police?

— Non, non. Je veux seulement m'enfermer dans la maison, toutes les portes verrouillées. Va plus vite, Donio!

— Calme-toi, Gaby! Il ne peut pas nous rattraper à pied, voyons!

Gaby se blottit sur le siège jusqu'à ce que la voiture s'arrête, que Donio en sorte et qu'il l'accompagne jusqu'à la porte d'entrée. Tremblante comme une feuille sous un vent automnal, Gaby se précipita dans l'escalier qui menait au logis des Bernier. Par bonheur, sa mère et sa sœur dormaient. Elle s'affala dans un fauteuil, se couvrit du châle de Louise-Zoé et ferma les yeux, s'efforçant de ne penser à rien. Son rythme cardiaque modéré, elle se servit une boisson chaude et reprit le fil de sa soirée pour en comprendre le dénouement. Peine perdue. Rentré une heure plus tard, Donio en écouta le récit avec stupéfaction.

— Pourquoi ne s'en est-il pas pris au gars qui lui a damé le pion?

— Par crainte de se faire écrabouiller, j'imagine.

— Tu devrais te méfier davantage des inconnus, Gaby.

— Ça paraît que tu n'as jamais mis les pieds dans une salle de danse, toi. Si on y connaît quatre personnes sur cinquante, c'est beau.

— Tu devrais y aller avec une amie… ou avec ta sœur, ajouta-t-il, railleur.

À l'instar du clergé, Éva condamnait la danse.

— Il faut lui donner du temps, elle commence tout juste à flirter avec la possibilité d'être courtisée, dit-elle, condescendante.

Tous deux étouffèrent des rires libérateurs. Ils allaient gagner chacun leur chambre quand Gaby retint son frère.

— Je viens de la trouver, Donio.

— Trouver quoi? rétorqua-t-il, fourbu, sur le point de s'impatienter.

— Mon idée de génie.

— Cesse tes plaisanteries. Je suis fatigué, moi.

— Je suis sérieuse, Donio. Des pantalons chics pour les dames de chez nous. Comme ceux que porte Coco Chanel.

— Tu sais bien que personne ici ne voudra t'en acheter.

— Moi! Et je te parie que si je dis à certaines de mes clientes que des actrices aussi célèbres que Marlène Dietrich et Greta Garbo en portent, dans moins de trois mois, elles vont m'en demander.

— Bonne chance, Gaby! Bonne nuit!

Surexcitée, Gaby ne s'endormit qu'au petit matin.

— Dépêche, Gaby ! Il est sept heures. Je vais aller ouvrir le Salon, mais fais vite, lui ordonna Éva, mécontente de la trouver encore au lit.

La démarche somnambulesque, l'esprit brumeux, Gaby se servit un thé et quelques biscuits, juste ce qu'il lui fallait pour retrouver le fil de la soirée précédente. « Créer des pantalons de sortie pour dame, quel beau défi. Mais est-il aussi insensé que mon frère le prétend ? Avec qui d'autre en discuter ? » se demandait-elle quand, à peine entrée dans son salon de couture, elle croisa Margot Vilas, une bonne cliente, une charmante Française enjouée et pleine d'humour qui visitait son Paris natal tous les deux ans.

— Tu as une minute ? J'ai vraiment besoin de tes conseils, Margot.

Les confidences de Gaby avaient toujours dégagé un parfum irrésistible pour Margot. Elle la suivit dans la salle de coupe avec empressement. Étonnée de voir son amie si préoccupée, Margot risqua une question espiègle :

— Le ragot de l'heure ?

— Pas tout à fait. Une nouveauté dans la mode qui pourrait bien faire scandale dans la société des bien-pensants de chez nous.

— Encore plus croustillant ! s'écria Margot. Une autre de tes inventions, je parie.

Silencieuse, une cigarette à la main, Gaby dessina son premier modèle de pantalon et le lui exposa.

— Ça ? Pour les femmes ? Ici à Montréal ?

Gaby s'inquiétait, sur le point de regretter sa démarche auprès de sa bonne amie quand cette dernière, les bras levés vers le ciel, cria sa jubilation.

— Sensationnel ! Un tabac dans tout Montréal. Je suis ta première cliente.

— La deuxième, Margot. Je veux être la première à porter ce pantalon.

— Tu n'es pas un peu trop arrondie pour porter ça, ma belle Gaby ?

— Tu oublies que ça fait des années que j'adapte les patrons à l'avantage de mes clientes, petites, moyennes ou corpulentes. Je peux le faire pour moi.

— Je le sais bien. Tu fais des miracles dès que tu prends les ciseaux.

Gaby préférait tracer son patron directement sur sa cliente, dispersant des épingles et des tissus dans toutes les directions, donnant simultanément des conseils à une habituée du salon sur sa vie amoureuse, s'exprimant sur la situation politique ou recommandant les meilleurs restaurants de Paris à celles qui projetaient de traverser le continent. Avec un certain flair, elle pouvait dire : « J'ai vu ça à Paris ! » Puis elle se précipitait dans l'arrière-boutique, ramassait un rouleau de soie française à 75 dollars la verge, et snip snip snip, elle arrivait à faire ce qu'elle avait en tête.

Margot avait été subjuguée de la voir créer directement sur ses clientes. Sa technique épatait celles qui la visitaient pour la première fois. Chaque confection était unique et produite sur mesure.

— Tu as appris que le pantalon se porte à Paris ? Si on y allait toutes les deux…

— Je n'aurais pu souhaiter mieux, Margot !

Dès lors, une entente fut prise : toutes deux s'embarqueraient pour la France au début du mois d'août de cette année 1929.

Comme après chaque voyage, ravie, mais exténuée et plus arrondie, Gaby flottait sur son nuage jusqu'à la salle de couture, racontant à ses proches, à ses ouvrières, à ses clientes et à quiconque voulait l'entendre : « C'était fabuleux ! C'était magnifique ! Margot m'a fait découvrir tant de belles choses ! »

Avant de partir pour Paris, les deux amies s'étaient promis de ne jamais se marcher sur les pieds, spécialement en ce qui concernait les hommes. Elles respectèrent leur engagement.

Au premier jour de leur tournée des maisons de couture, Margot et Gaby constatèrent que le pantalon pour dames commençait à s'imposer à Paris et ailleurs. Tout récemment, Coco Chanel en avait lancé la mode en le portant elle-même sur les plages de Deauville et de la Côte d'Azur. On lui confirma qu'à Hollywood, Marlène Dietrich avait été une des premières à s'en revêtir pendant qu'à Beverly Hills, Greta Garbo causait tout un émoi en portant un pantalon avec une braguette.

— Tu as tout un flair, ma chère Gaby, avait reconnu Margot.

— Les revues de mode parisiennes m'en apprennent beaucoup et ça, depuis que je sais lire ! riposta Gaby.

Ce voyage avait été l'occasion pour Mlle Vilas de découvrir chez son amie une curiosité insatiable, un instinct infaillible pour repérer les nouveautés, mais aussi une solide propension à la gastronomie. Aussi l'avait-elle guidée vers le sud de la France pour y faire la connaissance des vedettes de la « toque blanche », les plus grands chefs et restaurateurs du monde, dont Fernand Point, le propriétaire du restaurant La Pyramide à Vienne. M. Point était un véritable créateur. Ses mousses étaient des plus délicates, ses pâtisseries des plus feuilletées et des plus imaginatives. Gaby avait été renversée d'apprendre que les fournisseurs de partout en France lui envoyaient leurs produits de saison. Même son café, moulu et mélangé à son goût, sortait de l'ordinaire. Ce grand chef savait allier nourriture et bons vins. Il s'approvisionnait de champagnes spécialement préparés pour lui par les propriétaires des meilleurs vignobles en France. Son cellier était réputé dans tout le pays.

— Ce restaurateur me donne le goût de tenter une expérience semblable au Québec… dans un endroit de villégiature, confia Gaby après son dernier repas chez M. Point.

— Je ne savais pas que tu avais le don d'ubiquité, s'écria Margot, moqueuse.

— Je ne connais pas ce mot-là…

— C'est la possibilité d'être à plus d'une place en même temps.

— Qui sait? J'y arriverai peut-être un jour, avait rétorqué Gaby, qui éprouvait un réel plaisir à repousser toute frontière.

Au cours de cette tournée en Europe, Margot Vilas avait présenté Misia Sert à Gaby.

— C'est elle qui a ouvert tant de portes à Coco Chanel.

— Dans quel sens?

— Misia est une musicienne d'une beauté exceptionnelle. Elle a inspiré de nombreux peintres français et des écrivains à succès, comme Mallarmé, Proust et Colette.

La rencontre avait été brève, mais assez longue pour que Gaby constate que Margot jouait un rôle similaire auprès d'elle, arrivant aux moments cruciaux de son existence, lui présentant des gens excitants, des endroits et des possibilités insoupçonnés.

Ce voyage scella une grande amitié entre Margot et Gaby. Toutes deux s'étaient mises en valeur mutuellement : la fort jolie Canadienne, avec ses cheveux foncés et ses yeux verts; l'élégante Parisienne aux cheveux blonds et aux yeux bleus qui guidait Gaby sans ostentation.

À l'occasion de son spectacle de collecte de fonds annuelle, la troupe de danse les *Follies* du *Montreal's Junior League* sollicita Gaby pour créer les costumes de sa prestation de 1929. Elle devait concevoir un costume à la fois classique et attrayant… avec une touche d'originalité. Le côté pratique n'était pas à négliger, l'aspect économique non plus.

Éva fut consultée.

— Je ne suis absolument pas chaude à cette idée, Gaby. Travailler pour les pauvres, d'accord, mais pour un organisme qui quémande pour entretenir les privilèges de la classe bourgeoise, non.

— Mais cet argent sert aussi à venir en aide aux démunis.

Éva fit la moue.

— Les vêtements que je vais tailler pour ces demoiselles pourront être portés en d'autres occasions.

— Ah! Une économie pour elles.

— Pour nous aussi, Éva. Une publicité gratuite, comme nous le recommandait notre comptable.

— J'ai l'impression que ton idée est déjà toute faite et que tu me consultes pour la forme, Gaby Bernier.

Deux petits coups d'index sur sa cigarette qui grillait dans le cendrier, un sourire réprimé sur les lèvres, la couturière leva le papier qui cachait son croquis.

— Ça! s'écria Éva, déstabilisée.

Un cuissard noir coupé aux genoux sur lequel tombait une robe-chasuble à mi-cuisse, portée sur un corsage de satin chatoyant, voilà ce que Gaby avait imaginé pour cette soirée des *Follies* du *Montreal's Junior League*.

— Où as-tu pêché cette idée-là?

— Là-dedans, répondit Gaby, deux doigts pointés sur sa boîte crânienne.

— C'est bien trop particulier!

Gaby reprit sa cigarette, en tira une bouffée et mit sa sœur au défi:

— Tu me gages combien que la responsable de la Ligue en sera enchantée?

— Je n'ai tellement pas peur de perdre mon pari… Tiens, dit Éva, déposant un billet de cinq dollars sur la table à tailler.

— Regarde-le bien, ton billet, parce que tu ne le reverras plus.

Des plus sceptiques, Éva, sur le point de quitter sa sœur, revint sur ses pas.

— Combien nous coûterait chaque costume ?

— Tel quel ? Une vingtaine de dollars.

Le mécontentement d'Éva se passait de mots.

— Ne m'attendez pas pour souper. Trop de travail à finir pour demain… déclara Gaby, désolée de devoir contrarier sa sœur.

Le costume proposé à la *Montreal's Junior League* ravit la responsable, qui s'empressa de fournir les mensurations de chacune des figurantes et de réserver au *Salon Gaby Bernier* la confection des costumes pour ses autres soirées-bénéfices.

Gaby guettait le moment propice pour en informer Éva. Lui emboîtant le pas à la sortie du Salon, elle dit, le ton faussement léger :

— Je vais prendre une bouchée et je redescends. Les couturières doivent se mettre à l'œuvre demain matin et je n'ai pas fini de tailler les patrons…

— Ce qui veut dire que j'ai perdu mes cinq dollars ?

— Oui, ma chère Éva. Tu peux les garder, mais à une condition.

Éva la gratifia d'un regard suspect.

— Que tu me fasses davantage confiance à l'avenir.

— Je vous salue bien bas, Miss Bernier, clama Éva en lui faisant la révérence.

Des éclats de rire clôturèrent cette mémorable journée.

Les ailes du moulin Bernier tournaient à plein rendement. Donio faisait désormais partie de la flotte de taxis Lasalle et il en était très fier. Gaby et Éva voyaient la liste de leurs clientes s'allonger et leur Salon gagner en popularité. D'autre part, Séneville avait trouvé dans son bas de laine suffisamment d'argent pour offrir à ses filles leur première voiture : une Dodge noire usagée, mais en bon état.

— Enfin libre d'aller où je veux et quand je veux, s'exclama Gaby qui, contrairement à sa sœur, brûlait d'impatience d'en prendre la conduite.

La famille vivait un bonheur « paradisiaque », au dire d'Éva, qui jamais ne l'eût cru possible sur Terre, surtout après avoir quitté la vie religieuse.

— Il ne manquerait plus que les Canadiens gagnent la coupe Stanley cette année, dit Gaby, friande non seulement de danse, mais aussi de hockey.

— Avec des étoiles comme Howie Morenz, Georges Hainsworth, Aurèle Joliat et Sylvio Mantha, ils ont une chance de la remporter, estima Donio.

— Tu oublies le plus important de l'équipe, lui fit-elle remarquer.

Donio fronça les sourcils.

— Bien voyons, notre « beau Brummel ».

— Pit Lépine ? Le joueur de centre ? C'est bien ça, vous, les filles. Vous craquez bien plus pour la beauté d'un joueur que pour son talent.

— Mais il a un talent fou ! Il jouait pour les Yellow Jackets de Pittsburgh quand les Canadiens lui ont fait signer un contrat pour la saison 1925-1926. Il est l'un des meilleurs de l'équipe en plus de ressembler comme deux gouttes d'eau à Gary Cooper.

— Gary Cooper… D'où sort-il, celui-là ?

— Tu es bien ignorant, Donio Bernier ! C'est un des plus grands acteurs d'Hollywood. Il a joué des rôles importants dans *The Winning of Barbara Worth*, dans *Wings*, puis dans *The Virginian*.

— Tu as vu ces films, toi !

— Non, mais toutes les revues en parlent. Je te montrerai les belles photos en couleur. Tous les deux ont mon âge et tous les deux sont riches. Je serais embêtée si on me demandait de choisir entre Pit Lépine et Gary Cooper, avança Gaby, sur un ton narquois.

— On ne peut pas dire que tu manques d'ambition, dit Séneville, qui se plaisait à assister aux échanges entre ses enfants, n'intervenant qu'en de rares occasions.

— Ça frôle l'orgueil, ajouta Éva.

— Voyons donc, tite sœur ! Vas-tu finir par nous laisser tranquilles avec tes péchés capitaux ? la pria Donio.

— J'ai seulement dit que ça frôlait le péché… Admets qu'elle rêve grand, notre Gaby, riposta-t-elle.

— Il n'y a pas de réalisations qui ne soient nées d'un rêve.

La riposte de Gaby la cloua au silence.

Pendant que les Bernier savouraient leur aisance financière, le marché boursier s'écroulait. Quand les journaux leur en portèrent la nouvelle, ils furent saisis de ce vent de panique qui soufflait de New York jusqu'à Montréal. Au déjeuner du dimanche 27 octobre, alors qu'Éva réclamait plus d'informations, Gaby cherchait un moyen de contourner cette crise, Séneville tremblait, Donio collectionnait les articles de journaux.

— Comment a-t-on pu en arriver là sans que personne intervienne à temps ? se demandaient les deux sœurs.

Donio en avait une petite idée :

— À écouter les gars qui s'y connaissent, il semble que depuis la fin de la Grande Guerre, les gens voulaient tellement faire des profits avec leur argent qu'ils seraient allés jusqu'à emprunter des milliers de dollars pour les placer à la Bourse.

— C'était prometteur, supposa Gaby.

— Ils ont pensé tripler leur mise en peu de temps. Mais il a suffi que les investisseurs en moyens perdent confiance et retirent leurs placements pour que toute l'économie dégringole. La peur serait la cause de cette crise.

— Seulement la peur ? s'étonna Éva.

— Les journaux rapportent que des milliers de gens auraient déjà commencé à retirer leur argent de peur de le perdre.

— Tu crois que les commerces vont en souffrir ? demanda sa mère.

— C'est ce qu'on prédit. Les Américains se sont tellement endettés qu'ils ne pourront plus acheter. Puis quand l'offre dépasse la demande, la crise se répand dans tout le pays et attaque ceux avec qui il a des liens commerciaux.

— Je comprends. Non seulement nous sommes proches des États-Unis, mais nous dépendons d'eux pour exporter et importer, reprit Gaby.

— Autrement dit, ils achèteront moins de nous ; par contre, ils nous vendront leurs produits plus cher, appréhendait Éva.

— Il faut s'attendre à ce que plusieurs producteurs déclarent faillite, d'ajouter Donio.

— On a eu bon nez de payer nos dettes dès qu'on a pu le faire, hein, Gaby ?

— J'ai eu raison de te faire confiance, p'tite sœur.

Et se tournant vers Donio, Gaby dit, soucieuse :

— Maintenant, je dois repenser mes créations et m'organiser pour que l'offre ne dépasse pas la demande, comme tu nous l'expliquais tout à l'heure.

En ce même automne, après une décennie de jupes au-dessus du genou et de taille à la hanche, les collections de Jean Patou et de Coco Chanel avaient baissé l'ourlet jusqu'au plancher et réintégré la taille. Gaby se promit d'en tenir compte lors de ses futures créations.

Au-delà de toute espérance, entre la fin novembre et Noël, deux nouveaux contrats fort lucratifs lui furent présentés. Les clientes qui voulaient un trousseau de mariage griffé *Gaby Bernier* devaient le commander six mois à l'avance. Le premier vint d'une des plus grandes amies de Gaby, Molly Meigs, fiancée à un riche Écossais nommé James Ballantyne, petit-fils de James R. Ballantyne, bibliothécaire et auteur d'une grammaire en sanscrit. Gaby lui proposa une robe longue avec traîne, en satin blanc, enjolivée d'une encolure en V et de manches en pointe. Pour les demoiselles d'honneur, elle suggéra d'utiliser un nouveau tissu, économique mais non moins approprié : du chiffon de soie imprimé, une première à Montréal. Molly en fut ravie. De par sa souplesse, sa légèreté et sa fraîcheur, cette mousseline, imprimée bleu sur fond blanc, épousait parfaitement la personnalité de la future dame Ballantyne. Par contre, le défi était de taille pour les petites mains, dont Gaby devait doubler le nombre. Coudre de la mousseline exigeait épinglage, faufilage et couture à points très serrés. Éva s'en inquiéta.

— Je ne suis pas sûre que nous fassions une bonne affaire. Tu as pensé au nombre d'ouvrières à payer et au temps qu'elles vont passer sur ce trousseau ? Il va nous rester des miettes…

— Pas avec Molly. Je sais qu'elle nous paiera grassement. En plus d'être riche, elle est généreuse.

— On a un bon Dieu pour nous autres, répliqua Éva, les mains croisées sur la poitrine. Pendant que la crise provoque des suicides aux États-Unis, notre compte de banque gonfle à vue d'œil. C'est presque gênant !

— Je sais ce que tu ressens… Mais la culpabilité n'apporte rien de plus dans l'assiette des pauvres. Si chacun avait agi avec honnêteté, les États-Unis n'en seraient pas là.

— Tu as peut-être raison, Gaby. Je t'envie d'avoir si bon caractère.

Les ouvrières du *Salon Gaby Bernier* s'estimaient fort privilégiées d'avoir non seulement conservé leur emploi, mais de voir la réputation de l'entreprise prendre du galon. Le contrat de couture pour le mariage de la riche Barbara Henderson à Richard Harcourt Price, fils de Sir William et Dame Amélia Blanche Price de Québec, avait été signé juste avant Noël. Toutes s'enthousiasmèrent pour la tenue des demoiselles d'honneur : des robes en dentelle rose, très légère et tombant juste au-dessus des orteils. Bien qu'il fût son compétiteur, Gaby confia au chapelier Émile Phaneuf la tâche de confectionner les chapeaux, les délais serrés et la complexité des modèles commandés par Barbara, qui les voulait à la gypsie, attachés par-derrière, ne lui en laissaient pas le temps. Ce chapelier avait son atelier sur la rue Mackay et trimait fort pour ne pas péricliter.

La Dépression touchait nombre d'entrepreneurs et de commerçants. Rares étaient les commerces qui, à l'instar du *Salon Gaby Bernier*, continuaient de progresser comme si rien n'était arrivé. Ce salon de haute couture devint un club où les gens se rencontraient, prenaient une tasse de thé, échangeaient des potins en fumant une cigarette, apprenaient qui s'était fiancé à qui et qui s'était enfui avec qui. En cette période particulièrement morose, les clients adoraient la compagnie de Gaby pour sa vivacité d'esprit, son humour, son entregent et son accent à la française plus prononcé après chacun de ses voyages à Paris.

Avril se prêtait bien aux défilés de mode. En compagnie de sa grande amie Margot Vilas, Gaby prit le train pour assister à celui qui se préparait au Château Laurier, à Ottawa. Une première visite dans cette grande ville valait bien que les deux demoiselles s'accordent une journée supplémentaire pour en visiter les principaux édifices.

— Et le marché By, enchaîna Gaby. On dit qu'il est le berceau du Canada. J'ai hâte d'en connaître l'histoire.

Arrivées juste à temps à la gare, elles furent dirigées par pur hasard vers une banquette placée face à celle de M. Bourque, le comptable du *Salon Gaby Bernier*. Informé de leurs projets de visites à Ottawa, ce dernier offrit de leur faire visiter ces lieux.

— Je les connais très bien. Mon épouse est native de Hull, dit-il, entamant le récit des circonstances de leur rencontre quand la vue d'un voyageur, venant vers lui, le laissa sans voix. Il s'empressa d'épousseter les revers de son veston, se leva et fit quelques pas vers le passager. Brûlante de curiosité, Gaby se retourna et crut reconnaître l'homme.

— Margot! chuchota-t-elle, le regard flamboyant, la voix chevrotante, regarde. Je pense que c'est Pit Lépine.

— Pit Lépine…

— Bien oui, le grand joueur de hockey des Canadiens. Ayoye! Il est encore plus beau que sur la glace. Je n'en reviens pas.

Peu intéressée au hockey, Margot nota toutefois que ce gaillard à la chevelure généreuse, aux yeux conquérants et qui semblait mesurer près de six pieds, avait de quoi séduire.

Les deux hommes s'arrêtèrent devant Gaby et Margot.

Le célèbre joueur des Canadiens demanda à M. Bourque, son comptable :

— Mais qui sont ces jolies demoiselles ?

— Mlle Gaby Bernier, créatrice de mode à Montréal, et son amie Margot Vilas.

Pit les salua avec courtoisie avant de relancer Gaby :

— Créatrice de mode ? Mlle Bernier. Sur la rue Sherbrooke Ouest, pas très loin de l'hôtel *Ritz Carlton* ?

— C'est bien ça, oui, répondit Gaby, le cœur en folie.

— Ma mère a une amie qui s'habille chez vous. Une vraie carte de mode.

— Merci, M. Lépine. Laissez-moi vous dire que rien ne pourrait me faire manquer une de vos parties de hockey.

Le regard de cet homme dans le sien, un faisceau lumineux en plein cœur. Sa main sur la sienne, le plus sensuel des velours. Sa crinière, de quoi donner le vertige.

Un préposé lui ordonna de se diriger vers son siège et de préparer son billet.

— On va se revoir, Mlle Bernier. Mes hommages, Mlle Vilas.

UNE INDISCRÉTION DE DONIO

Gaby aimait travailler rapidement. Elle disait exceller quand quelque chose devait être fait en peu de temps. Lorsqu'elle se vantait de toujours finir à temps, je me pinçais les lèvres pour ne pas lui rappeler que ses clientes, qui étaient souvent les miennes aussi, pouvaient être laissées des heures en sous-vêtements à attendre la robe qu'elles allaient porter pour souper ou pour un bal le soir même. C'était pour moi une occasion en or de me rincer l'œil avant que l'une ou l'autre soit prête à se faire reconduire chez elle. Bien affalé dans un fauteuil de la salle d'exposition, j'arrivais à faire oublier ma présence. Rien ne m'amusait autant que de voir déambuler ces dames de la salle de couture à la salle d'essayage. Plus Gaby était nerveuse, plus elle fredonnait des airs d'opéra. Maudit que ça me tapait sur les nerfs.

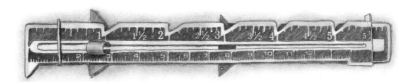

CHAPITRE II

S'il est un auteur de la littérature française que je n'ai pu oublier, c'est Voltaire. Parmi toutes ses réflexions philosophiques, deux sont demeurées gravées dans ma mémoire. La première, que j'ai toujours détestée : « Le malheur des uns fait le bonheur des autres. » La deuxième, que j'adore, surtout depuis la crise : « Le bonheur est souvent la seule chose qu'on puisse donner sans l'avoir et c'est en le donnant qu'on l'acquiert. » Pendant que les riches économisent au lieu de dépenser pour faire rouler l'économie, le reste de la population, appauvrie, en paie la note. Ça me révolte. Ces gens-là n'ont pas de conscience. Puis, on dirait que personne n'a assez d'autorité pour les brasser. Même pas le président des États-Unis, le pays où tout a commencé. S'il est vrai que l'exemple entraîne, je vais faire tout ce qui est en mon pouvoir pour abolir les classes sociales de la mode. Je suis prête à sacrifier ma réputation pour y arriver. Si, selon Voltaire, il est vrai qu'on peut donner du bonheur sans en avoir, imagine quand on en a ! La promesse que m'a faite Pit Lépine pourrait bien m'en apporter encore plus... pourvu que ce ne soit pas que des paroles de vedette.

Il était difficile, même à Montréal, de se laisser charmer en toute quiétude par les prodigalités de la nature en ce printemps 1930. Le climat social était si morose. En cette période de dépression économique, nombre de créateurs de mode s'ingéniaient à trouver des tissus à prix plus abordables. Gaby était du nombre. De son côté, le maire de Montréal travaillait à minimiser les ravages causés par le chômage qui ne cessait de croître. À son conseil municipal, Camillien Houde avait proposé de distribuer cent mille dollars pour venir en aide aux familles dans le besoin. Et pour éviter qu'une part de cet argent soit utilisée pour couvrir des frais administratifs, il avait décidé d'en confier la répartition à la société de Saint-Vincent de Paul. Séneville appréciait ce geste, mais elle reprochait au gouvernement fédéral d'offrir, non pas de l'argent, mais des bons pour le loyer, l'alimentation, le chauffage et l'habillement.

— Quelle humiliation pour la personne qui en a besoin et qui doit présenter le bon avec son nom et son adresse.

— Si vous saviez le nombre de gars qui ne gagnent pas plus de vingt cents par jour, sans parler de ceux dont on se débarrasse en les envoyant sur des terres ou en les forçant à devenir marins de Sa Majesté, ajouta Donio, non moins indigné.

— Je me demande si les familles qui vivent sur une ferme sont moins touchées.

— Pour autant que ces fermiers n'aient pas emprunté pour acheter leur terre à gros prix juste avant le krach. Sinon, tout est saisi et vendu pour une bouchée de pain.

— Les gens de Chambly ne devraient pas trop en souffrir, murmura Éva, bouleversée par la pauvreté qui sévissait plus encore dans les grandes villes.

Ces considérations avaient fait leur chemin dans l'esprit de Gaby. Refusant de sacrifier le côté esthétique des vêtements féminins, elle résolut de consulter certaines clientes, dont Mlle Constance. Rentrée tout récemment des États-Unis, cette dernière pourrait lui apporter des échos de la mode new-yorkaise en ces années difficiles.

Non seulement Constance ne se fit pas prier pour venir au *Salon Gaby Bernier*, mais elle y fit une entrée fracassante la journée même.

— Devinez de quoi elle est faite, lança-t-elle, déployant au regard des ouvrières sa jupe aux reflets lumineux et aux plis permanents.

Invitées à la palper, les couturières et leur patronne, éblouies par le moiré de ce tissu et son infroissabilité, présumèrent un composé de soie et d'une autre fibre… Mais laquelle ?

— Ouvrez grand vos oreilles, mesdames : vous avez là du simple coton marié à de l'acétate de cellulose.

— De l'acétate ? Jamais entendu parler de ça ! reconnut Éva.

— C'est une fibre de cellulose de qualité supérieure, tirée de la pulpe d'arbres, leur apprit Constance, dont l'imposante stature n'avait d'égale que son assurance.

— On ne peut en trouver qu'aux États-Unis ? s'inquiéta Gaby.

Constance la rassura.

— Une entreprise établie pas si loin de Montréal en produit depuis trois ou quatre ans.

— Où donc ? demanda Gaby, impatiente.

— À Drummondville. À la *Canadian Celanese Limited*. Mais la fibre aurait été découverte par deux médecins au début des années 1900 : le Dr Camille Dreyfus et son jeune frère Henri. Ils travaillaient sur des recherches chimiques dans un abri de la propriété familiale quand c'est arrivé.

— Deux frères ! s'exclamèrent à l'unisson Éva et sa sœur.

— Faut croire que les associations fraternelles portent chance, d'ajouter Gaby.

— Leur succès nous en donne la preuve, confirma Constance. Leur trouvaille les a amenés à ouvrir des usines où on fabriquait de l'indigo synthétique, qu'on appliquait sur des fibres textiles. De découverte en découverte, ils ont fabriqué des laques à base d'acétate.

Une merveille pour le cinéma et l'aéronautique. Pour revenir à la couture, c'est également aux frères Dreyfus que l'on doit le fil d'acétate.

— Il sert à quoi ? demanda l'une des couturières.

— En Europe et aux États-Unis, on l'utilise pour le tricot au crochet, les doublures et le faufilage.

Et se tournant vers Gaby, elle ajouta avec insistance :

— Combiné au coton, l'acétate revient beaucoup moins cher que la soie.

— Les soieries ont dû hurler…

— Et comment ! Elles ont tellement dénigré ce textile que les marchés ont mis du temps à en admettre l'utilité et les qualités. Les frères Dreyfus ont dû trimer une bonne quinzaine d'années avant de connaître le succès avec leur invention.

Pour la créatrice de mode, une visite de l'usine *Canadian Celanese* à Drummondville s'imposait. Éva et Constance allaient l'accompagner.

Quelle ne fut pas la surprise des sœurs Bernier de découvrir l'environnement de cette usine. Située dans l'axe sud-ouest du secteur Sainte-Thérèse, la *Canadian Celanese* était entourée de maisons fort luxueuses.

— Mais ils sont bien riches, les gens d'ici ! s'étonna Éva.

Pour cause, ces maisons avaient été construites par les Vassal et les Mercure, les propriétaires du moulin à scie qui fut rentable au point de valoir à Drummondville son statut de ville. Gaby aurait aimé le visiter, mais il avait dû fermer à la suite de la construction d'un barrage de deux kilomètres en amont de la scierie. Depuis ce temps, la ville devait sa richesse aux entreprises manufacturières. On en comptait plusieurs dont, parmi les plus prospères, la *Dominion-Silk-Dyeing-and-Printing*, spécialisée dans la teinture des tissus, la *Butterfly Hosiery*, manufacture de bas de nylon sans couture, la *Dominion Silk*

Dyeing and Finishing, qui imprimait la soie, la *Drummondville Cotton Company Ltd* et la *Canadian Celanese*, créatrice de la combinaison de soie et d'acétate dans les tissus.

— Tant de manufactures dans une ville aussi éloignée de Montréal ! s'exclama Éva.

— À mon avis, c'est la *Canadian Celanese* qui est la plus rentable et la plus attirante.

— Une vraie reproduction du *Golden Square Mile* à cent vingt-cinq miles de Montréal, dit Gaby, impressionnée.

Une mine d'or pour les trois Montréalaises que ce secteur Sainte-Thérèse. Une source d'inspiration pour la créatrice de mode, qui rapporta de la *Canadian Celanese* des rouleaux de soie artificielle de toutes les teintes.

Le lendemain de cette découverte, recluse dans sa salle de coupe, Gaby concevait et taillait divers modèles de jupes et de robes dont elle confia la couture aux plus douées de ses ouvrières. Moins de deux semaines plus tard, elle en exposait une demi-douzaine dans la salle d'exposition, juste à l'entrée du Salon. Le lustré de ce tissu se mariait harmonieusement au foyer de marbre noir encadré de miroirs.

Les clientes trépignaient devant cette nouvelle production, impatientes de palper ce tissu qui chatoyait derrière la vitre de la salle d'exposition. Du coup, elles étaient invitées par Éva à se rendre à la salle de coupe, là où Gaby se ferait un plaisir de les informer des vertus de ce tissu.

— Cette soie artificielle n'a que des qualités. Touchez ! Elle ne se froisse pas ! En plus, elle ne rétrécit pas, ne pâlit pas et tombe mieux en plus d'offrir une plus grande résistance à la transpiration. Vous voyez qu'elle est bien supérieure à la rayonne et aux autres tissus synthétiques.

— C'est la trouvaille du siècle ! ajouta Éva, anticipant que le chiffre d'affaires du *Salon Gaby Bernier* allait déjouer toutes les conjonctures du contexte économique des années trente.

L'euphorie n'habitait pas que les sœurs Bernier et leurs collaboratrices en ce 4 avril 1930.

— Les Canadiens de Montréal ont gagné la coupe Stanley hier ! s'écria Donio, les bras levés vers le ciel.

La nouvelle valait la peine qu'il passe à la maison avant que Gaby ne commence sa journée de travail. Occupée à parfaire sa coiffure, elle laissa tomber son peigne et sa broche et sortit de sa chambre en toute hâte.

— Ce n'est pas une blague, ça, Donio, hein ?

— Je te jure que non, ma Gaby.

Une page du journal *La Presse* en main, Donio pointa le titre de l'article et lut à voix haute :

« Alors qu'il ne restait moins d'une minute à jouer, le Boston réussit à loger le disque dans les buts de Hainsworth et la lumière rouge s'alluma, mais les arbitres refusèrent d'accorder le point vu qu'il y avait eu un "off side", et que le sifflet s'était fait entendre.

Lorsque la cloche sonna finalement après des minutes angoissantes au possible, la multitude, oubliant son anxiété, fit entendre un tonnerre d'acclamations et se livra à une démonstration d'enthousiasme délirant. La foule se leva comme un seul homme, acclamant les nouveaux champions du monde et lançant en l'air programmes, chapeaux et autres articles. C'était le glorieux couronnement d'une belle saison. »

— Pit doit être au septième ciel, dit Gaby, en liesse.

— Nos joueurs sont maintenant reconnus comme des « surhommes du hockey ».

— T'exagères pas un brin?

— Non, non. C'est écrit un peu plus loin. Tu sais qu'avant de battre les Bruins de Boston en grande finale, les Canadiens ont défait les Blackhawks de Chicago avant de remporter leur série contre les Rangers de New York. Ils la méritent bien, cette coupe.

— Tu connais le décompte des points de Pit?

— Pas mal, mais on ne dit pas *décompte des points*, Gaby, on dit *statistiques*.

L'allégresse qui illuminait le visage de Gaby toucha le cœur de Donio.

— Je vais essayer de te trouver d'autres journaux qui en parlent, promit-il avant de regagner sa voiture.

De retour devant son miroir, Gaby se trouva plus belle, plus radieuse que jamais. La montée du désir avait enflammé son regard, empourpré ses joues. «On se reverra, Mlle Bernier.» «Ce pourrait être ces jours-ci… dès qu'il sera en vacances», soupira-t-elle. Cent fois, elle referma les yeux pour mieux entendre sa voix et se remémorer son regard.

Gaby descendit l'escalier menant au Salon de couture avec l'impression de glisser sur un tapis de nuages. Sa joie avait quelque chose de trop intime pour qu'elle lui laisse libre cours devant ses employées. Toutefois, elle prit le temps d'accueillir chacune d'elles avec une jovialité toute particulière. Lui en fit-on la remarque qu'elle attribua son bonheur à ses nouveaux projets.

Entre les quatre murs de sa salle de couture, la chanson de Jean Lenoir qu'elle fredonnait ce matin-là, en glissant son crayon sur la soie artificielle, la trahissait:

— On dirait bien qu'il y a de l'amour dans l'air, dit l'une des demoiselles Landreville, espérant qu'Éva, qui passait près d'elle, lui en glisse quelques mots.

— On n'adopte pas une chanson comme celle-là sans soupirer d'amour, renchérit sa sœur, qui se permit d'entamer le refrain en même temps que Gaby.

Parlez-moi d'amour,
Redites-moi des choses tendres,
Votre beau discours,
Mon cœur n'est pas las de l'entendre…

Avant qu'elle n'ait terminé ce refrain, cinq ou six autres voix s'étaient jointes à la sienne. Gaby les entendit. Elle entrouvrit sa porte, se présenta devant ses choristes, radieuse.

— C'est pour moi que vous chantez de si belles paroles? leur demanda-t-elle, une espièglerie dans l'œil.

— Bien sûr! Et vous, Mlle Gaby, pour qui les chantez-vous? Peut-on savoir? osa Mme Landry.

— Un jour, peut-être… si je suis chanceuse, confia-t-elle avant de refermer sa porte et de reprendre la chanson là où elle l'avait laissée.

Après une journée à dessiner, à tailler et à fredonner, Gaby allait mettre la clé dans la serrure quand le téléphone sonna. « Passé six heures, qui peut bien avoir l'audace de téléphoner? »

— …

— Moi-même.

— …

— Si je vous reconnais? Bien sûr! Mes félicitations!

— …

— Le 3 mai?

— …

— Je peux m'organiser… Bon retour… à Montréal.

Comment le nommer ? Monsieur ? Pit ? M. Lépine ? Déstabilisée, Gaby n'avait utilisé aucun de ces vocables. Il lui restait quatre jours pour trouver une appellation appropriée. Tout comme la fatigue, l'appétit avait fui sous l'effet de la surprise et de l'excitation. « Pas de souper pour ce soir ! » Gaby retourna dans sa salle de coupe, poussée par l'envie de se confectionner une nouvelle robe. La plus belle qu'elle n'ait jamais portée pour ses sorties d'été. « Et pourquoi pas dans la soie rapportée de Drummondville ? Pit n'a peut-être jamais vu ce tissu ? » Toujours attirée par le rouge, elle se tailla une robe à la jupe amincissante et au corsage ajusté à sa poitrine, avec des pinces qui la mettaient en valeur. Un décolleté en V, juste assez prononcé pour exciter les désirs du hockeyeur, conviendrait, selon elle.

— Mais qu'est-ce que tu fais ? Il est bientôt minuit…

— Tu m'as fait peur, Donio. Je voulais finir ma robe.

— Encore une autre ? En quel honneur ?

— Une grande sortie.

— Je peux savoir ?

— Mon joueur de hockey préféré.

— Pit ?

Un signe de la tête le lui confirma.

— Pas vrai ! Le *jack-pot*, ma noire !

Informé de la date de ce grand événement, Donio prédit :

— Comme je te connais, t'en dormiras pas !

Mère, frère et sœur attendaient ce grand jour avec une joie teintée d'appréhension. À voir l'effervescence de Gaby, tous pouvaient prédire que l'échec de cette rencontre risquerait de laisser des cicatrices sur son cœur.

— Au *Café Martin*, vers la fin de l'après-midi. Il paraît qu'on y mange d'excellentes pâtisseries, lui avait dit Pit Lépine.

«Quelle coïncidence! Moi qui adore ce café», se dit Gaby.

La fébrilité causée par ce premier rendez-vous galant la ramena vers son miroir. «Mieux comme ça, je crois», songea-t-elle en déplaçant une mèche de cheveux, en pendant à son cou un autre collier… plus discret, pour le remplacer aussitôt par celui qui attirerait les regards de Pit sur le galbe de sa poitrine.

— Qu'est-ce que tu en penses? demanda-t-elle à la servante, pivotant sur elle-même dans sa magnifique robe rouge.

— Absolument ravissante, Gaby.

— Et vous, Maman?

— Rien à retoucher. Mais tu vas être en retard! Va!

Gaby trouva Pit assis à une table quelque peu en retrait, à proximité d'une fenêtre qui donnait sur une ruelle. Dès qu'il la vit entrer, il se leva, alla vers elle et, de la main, lui désigna la table réservée. Sa démarche était digne, mais décontractée. Il portait avec élégance une chemise blanche de style western et un pantalon en toile beige. Sa chevelure aux boucles à peine dessinées relevait l'éclat de son regard. «Dieu qu'il est beau!» se dit Gaby, confiante qu'il n'en pense pas moins d'elle. Avec grâce, il tira sa chaise et, de nouveau, lui désigna la place d'un signe de la main.

— Racontez-moi l'exploit de la coupe Stanley, le pria Gaby, pour voiler sa nervosité.

Pit s'exécuta avec enthousiasme. Chaque parole qui sortait de sa bouche avivait son admiration. Sobre dans ses réponses, elle souhaitait l'écouter plus que de lui parler. Vint un moment où les propos de l'homme assis devant elle se perdirent dans un couplet qu'elle avait fredonné à en abuser depuis son appel téléphonique.

Mais cependant je veux encore
Écouter ces mots que j'adore
Votre voix aux sons caressants
Qui les murmure en frémissant
Me berce de sa belle histoire
Et malgré moi je veux y croire.
Parlez-moi d'amour.

— Vous aimez danser, Mlle Gaby? demanda Pit avant d'avaler sa dernière gorgée de café.

— J'en raffole, répondit-elle, prête à acquiescer à une invitation… qui ne vint pas.

Visiblement transporté par la pensée de la tenir dans ses bras, de la faire valser sur des airs enivrants, debout près de la table qu'ils allaient quitter, il lui accorda le temps de suggérer…

— À la salle de bal du *Ritz Carlton*, ça vous plairait, M. Lépine?

— Parfaitement. Donc, dans deux semaines.

— Vers huit heures?

— À votre convenance, Mlle Gaby, murmura-t-il d'une voix feutrée, sa grande main posée dans le dos de Gaby jusqu'à la sortie du restaurant.

Entrée incognito dans son salon de couture, Gaby avait l'impression de sentir encore sur elle la chaleur de la main de Pit dans son dos. Son regard pénétrant l'avait hypnotisée.

Toutes lumières closes, elle se laissa tomber dans un fauteuil de la salle d'attente. Un impérieux besoin de revivre cette soirée et d'anticiper la prochaine dans la solitude la garda loin des siens jusqu'à ce que tous se soient endormis. Une fièvre courut dans tout son être à la pensée de mouler son corps à celui de ce galant homme. Le souvenir de James la tira des bras de Pit pour la ramener plus de dix ans en arrière. L'exaltation de ses premières valses dans les bras d'un homme avait été soumise à quelques réserves, vu son âge et la courte durée de son passage dans cette région américaine. « Avec Pit, je n'aurai pas à mettre un frein à mes sensations. J'avais dix-huit ans, j'en aurai bientôt vingt-huit. Je pourrai jouir de tous les plaisirs qui me seront offerts… »

Un rêve la sortit brusquement du sommeil. Un petit garçon, ressemblant en tous points au jeune Jean Taupier, la priait de prendre sa main. Comme elle s'apprêtait à lui donner, l'enfant disparaissait dans un épais brouillard. « J'ai vraiment négligé de prendre de leurs nouvelles », se reprocha Gaby.

Le lendemain, au hasard d'une course à faire, elle bifurqua vers leur domicile, mais ne put y faire une visite, car un homme, une mallette à la main, l'avait devancée de quelques pas. « Ce doit être un médecin », présuma-t-elle, déterminée à prendre des nouvelles dès son retour à la maison.

— Je suis Gaby Bernier, une amie de la famille Taupier. Pourrais-je parler à Madame ?

— Elle se repose actuellement, dit l'étrangère qui prit l'appel.

— Pouvez-vous me dire comment se porte monsieur Henri ?

Tout de go, son interlocutrice lui annonça que monsieur Henri recevait les soins réguliers d'un médecin, qui venait le visiter chaque semaine ou selon les besoins. Madame avait obtenu le soutien financier du couple Salomon Taupier pour engager une servante, ce qui permettait aux fils Taupier de revenir habiter la maison familiale dès la fin des classes.

Gaby la pria de prendre ses coordonnées en note.

S'adressant à Séneville, après cet entretien téléphonique, elle l'incita fortement à rendre visite à ce pauvre homme chez qui l'espoir d'une guérison s'effritait au fil des jours.

— Les Taupier nous ont rendu tellement de services…

Séneville quitta brusquement sa chaise pour aller s'enfermer dans sa chambre.

Gaby eut du mal à trouver le sommeil, ce soir-là. Un imbroglio d'émotions se disputait son attention. L'euphorie de sa jeune relation avec Pit s'émoussait sous l'impact des inquiétudes causées par Henri et Séneville. Reprendre cet échange avec sa mère demandait énormément de respect et beaucoup plus de doigté que de créer une nouvelle collection de vêtements. L'inciter à se confier était de mise, mais Gaby craignait les réponses… des aveux qu'une mère ne fait habituellement pas à sa fille.

Au petit matin, la fatigue avait eu raison de ses tergiversations. Le cadran indiquait huit heures dix minutes lorsqu'elle se réveilla en sursaut. « Pourquoi personne n'est venu frapper à ma porte ? » se demanda-t-elle, outrée. Adieu petit-déjeuner, il restait juste assez de temps pour se préparer et descendre au Salon avant l'arrivée des clientes.

Surprise de trouver la salle à manger déserte, elle conclut que Donio avait regagné son poste, qu'Éva était déjà auprès des ouvrières, que la servante était sortie faire des courses et que Séneville dormait encore. Après avoir frappé à la porte de sa chambre, elle l'entrouvrit. Le lit, vide ; le sac à main de Séneville, disparu du placard. « Éva doit savoir où elle est passée », présuma Gaby, s'empressant de nouer ses cheveux en chignon, d'enfiler un chemisier de soie bleue sur ses pantalons de rayonne gris et de dévaler l'escalier qui menait au Salon.

— Je croyais qu'elle dormait quand j'ai quitté le logement, vers sept heures, dit Éva, alertée. Marcelle doit être au courant…

Gaby n'avait pas le temps de remonter à l'étage et d'y attendre le retour de la servante. Elle en confia la tâche à sa sœur.

— Reviens me donner des nouvelles au plus vite, la supplia-t-elle.

La voix claironnante de Margot Wait dans la salle de couture prévint Gaby de son arrivée.

«Elle ne quittera pas mon salon sans avoir commandé une tenue d'acétate», se jura-t-elle.

Étonnamment, l'opération charme échoua.

— Pour être franche avec toi, Gaby, je ne suis pas venue pour acheter, mais pour offrir.

Gaby laissa tomber son crayon et son carnet de commandes sur la table, porta sa cigarette à ses lèvres, posa son poing sur sa hanche et attendit la déclaration de Mme Wait.

— Tu ne devines pas ?

— Tu sais que je n'aime pas les devinettes…

— Un jour, tu m'as suggéré d'ouvrir…

— Une boutique d'accessoires de mode ! Et puis ?

— L'idée m'intéresse. J'en ai causé avec Philip, mon mari, et il consent à ce que je l'aménage dans mon boudoir. Tu crois que c'est une bonne idée ? Que ça va marcher ?

— Tu vas vendre, Margot ! Je vais te faire de la publicité. Grâce à tes accessoires, je pourrai offrir des tenues plus simples et moins chères à mes clientes.

L'enthousiasme gagna les deux aventurières.

— Par quoi devrais-je commencer ? demanda Margot.

— Dis-moi d'abord ce que tu avais l'intention d'exposer.

Cette nouvelle preuve de confiance et de respect de la part de Gaby la toucha.

— Pour compléter tes créations, j'offrirais des foulards, des ceintures, de faux bijoux qui ressembleraient à des vrais, des sacs à main…

— C'est parfait, Margot. Tu as trouvé un nom pour ta boutique?

— Pas encore.

— J'en ai un à te proposer, s'écria Gaby, avec une assurance qui excita la curiosité de Margot.

— Dis! Dis!

— *Etcetera*!

Un scintillement dans le regard, un éclat de rire tonitruant et Margot se lançait dans les bras de Gaby, l'entraînant dans un swing pour célébrer la trouvaille. À leur tour, les ouvrières virent leur curiosité comblée et s'engagèrent à diffuser la nouvelle.

— Laissez-moi une couple de semaines, les supplia Margot, pressée de partir à la cueillette d'accessoires de mode.

Elle allait franchir la porte du Salon lorsque Gaby la retint.

— J'aurai une autre suggestion à te faire… Quelque chose à t'offrir, moi aussi.

— Pourquoi ne pas me la faire maintenant?

— Quand j'aurai ma propre maison, je mettrai un local à ta disposition. Mes clientes n'auront qu'un pas à faire pour trouver chez *Etcetera* les accessoires qui leur manquent.

— Ensemble, on va faire un pied de nez à la crise économique, lui assura Margot.

Éva apparut alors, pressée d'informer sa sœur des allées et venues de sa mère:

— Très tôt ce matin, Donio serait allé conduire maman à la gare; elle aurait pris le train pour Chambly. As-tu une idée de ce qu'elle allait y faire?

— Vraiment pas, mentit Gaby, presque certaine que sa mère se rendait chez les Taupier pour se confier à Corinne et du coup, consulter le docteur sur la santé de son fils Henri.

— Donio aurait dû la conduire lui-même à Chambly. Quelle idée de la laisser partir seule !

— S'il ne l'a pas fait, c'est qu'elle tenait à prendre le train comme une grande fille.

Éva s'indigna du manque de préoccupation de Gaby.

— Maman est une femme intelligente et indépendante. Elle n'est pas moins fiable à soixante-trois ans qu'elle l'était à quarante ans. Elle a bien le droit de faire ses affaires sans nous consulter.

— Il y a une différence entre consulter et prévenir.

Gaby resta bouche bée. Il lui tardait de questionner son frère qui, sur le fait, revenait de déposer une cliente à son domicile.

— Elle m'a paru très calme, mais déterminée, déclara Donio. Elle m'a dit avoir deux ou trois choses à régler et préférer les faire à sa convenance. Je ne lui ai pas posé d'autres questions, sauf sur le moment de son retour.

— Et c'est quand ?

— Elle va me rappeler pour que je la prenne à la gare… dans quelques jours.

— Tu ne te fais pas de souci pour elle ?

— Pas du tout !

Plus intense que le brouillard qui planait sur la vie des Bernier depuis le départ de Séneville, une flamme ardente brûlait dans le cœur de Gaby. Le rendez-vous avec Pit Lépine à la salle de danse du *Ritz*

Carlton était arrivé. Cette fois, sans tergiverser, elle tira de son placard une robe de bal noire dont le corsage d'organdi se mariait parfaitement à son buste et mettait le galbe de ses épaules en valeur; la jupe de velours, portée sur une crinoline, lui donnait un air princier qu'une broche sertie de perles sur un chignon minutieusement sculpté par Marcelle consacra.

— Tu trembles, Gaby, nota Donio, qui la conduisait à l'hôtel.

— Y a de quoi, il me semble.

— T'inquiètes pas. Tu as tout pour l'impressionner, ton hoc-keyeur. À moins que tu en sois amourachée au point d'avoir peur de perdre les pédales…

L'insinuation déplut à Gaby et elle la lui reprocha.

— Je reviens te chercher à minuit?

— Pas nécessaire!

Trop curieux, Donio se stationna tout près du *Ritz Carlton*, espé-rant happer sa sœur à la fin de la soirée. Il dut se satisfaire de la voir monter dans la luxueuse voiture de Pit en direction du 1316, rue Sherbrooke. Gaby mit du temps à en descendre… Pour ne pas être soupçonné de l'avoir épiée, il fit le tour du quartier et revint à la mai-son, assuré d'y trouver sa sœur empressée de se confier. Il alla d'abord cogner à la porte de sa chambre, testa la poignée pour constater que Gaby n'y était pas. Il descendit au rez-de-chaussée, certain de la trou-ver au Salon de couture. Cette fois, la porte lui résista. Donio comprit qu'il n'était pas bienvenu.

En quittant Pit, Gaby s'était vite enfermée dans sa salle de coupe pour ne pas perdre l'arôme de son parfum sur sa peau, sur son corsage, et surtout pour s'enivrer de la sensation de leur premier baiser. L'empressement de Pit à chercher sa bouche avait pris une allure de passion sauvage. Sa capitulation avait tenu Gaby prisonnière d'une avidité insatiable. Le harcèlement d'un klaxon de voiture les avait tirés à regret du délire qui les enchaînait l'un à l'autre. Recluse dans sa salle de coupe, Gaby s'offrait à cette volupté qu'elle eût voulue sans fin.

Après quatre jours d'absence, accueillie par ses filles et son fils, Séneville rentrait à Montréal, apparemment plus dégagée qu'avant son départ, mais non moins discrète. Ce midi-là, tous s'attardèrent à la table. Au grand dam de sa sœur aînée, Éva ne tarissait pas de questions. Son acharnement, né d'une candeur presque enfantine, permit toutefois à Gaby d'apprendre que son intuition ne l'avait pas trompée. Sa mère avait passé de bons moments chez le Dr Jean-Salomon Taupier.

— J'en ai profité pour aller prendre des arrangements avec M. le curé… pour nos places au cimetière.

Devant l'inquiétude manifeste des siens, elle précisa :

— Il vaut mieux y voir quand on a toute sa tête. J'ai payé notre lot pour cent ans. Vous n'aurez jamais un sou de plus à verser… sauf pour faire graver mon nom sur la pierre tombale, à côté de celle de votre père.

Son regard se voila au souvenir de la visite faite à Corinne. Dans l'intimité du salon des Taupier, les deux femmes s'étaient confiées l'une à l'autre avec courage et humilité. L'une intercédant pour son fils Henri, l'autre avouant son inconfort à la pensée de le revoir… si souffrant.

— Vous dites que votre fils souhaite me voir pour me demander pardon des tracas qu'il m'a causés, mais il pourrait le faire dans une simple lettre. Je n'ai pas le courage de me présenter à son chevet. À vous, Corinne, qui avez été au courant de mes états d'âme comme des siens, je demande une grande faveur : trouvez une raison acceptable qui m'exempte d'aller près de lui. Et dites-lui qu'il n'a rien à se faire pardonner. Qu'il peut partir en paix.

Cet entretien allait compter parmi les secrets de Séneville. Marcelle en connaissait-elle quelques-uns ? Gaby le prétendait.

Séneville quitta la table, prit la dernière parution de *La Patrie* et commença à la feuilleter.

— On rapporte que dans les années vingt, le marché agricole était si florissant que les producteurs ont jeté des quantités incroyables de leur stock. Quel scandale !

— Heureusement que le secteur industriel s'en sort mieux que l'agriculture, fit remarquer Donio.

— Pour le moment, oui. Mais rien ne garantit qu'il soit à l'abri de la même dégringolade. On est collé aux États-Unis.

— Maman ! Vous ne devriez pas lire les journaux. En plus de vous être dommageable, ça ne règle rien. Il faut vous changer les idées, lui recommanda Gaby.

Bien campée dans sa chaise berçante, Séneville fit la sourde oreille et poursuivit sa lecture, la commentant à voix haute. La peur colorait ses propos.

— Vous devriez consulter un médecin, Maman. Je ne vous ai jamais vue aussi pessimiste, dit Éva. Un mal sournois pourrait bien…

Sa mère l'interrompit :

— Mon mal n'est pas sournois et il n'a rien à voir avec la médecine.

— On ne vous reconnaît plus depuis quelques semaines. Qu'est-ce qui vous tourmente comme ça ?

Séneville quitta sa chaise berçante et retourna à sa chambre. Chez Éva, l'inquiétude montait et les reproches de Gaby l'affectèrent.

— Tu as sans doute remarqué toi aussi, Gaby, que maman est d'une tristesse inhabituelle depuis quelque temps.

— Oui, mais je ne pense pas qu'il soit utile de s'acharner à lui faire dire des choses qu'elle veut garder pour elle. Puis, je suis tellement occupée au Salon avec mes nouvelles productions que…

— Chose certaine, notre mère a besoin de toi comme de moi et de Donio.

Gaby opina de la tête et promit de s'en occuper.

Le soir même, elle attendit que toute la maisonnée soit présente pour proposer un congé en famille :

— Si on prenait une fin de semaine pour se reposer tous les quatre dans un bel endroit paisible, loin de la ville ? suggéra-t-elle, avec l'intention inavouée d'amener sa mère à lever le voile sur son passé.

— On n'a jamais fait ça, encore ! applaudit Éva. Où irions-nous ?

Pendant que Gaby et sa mère énuméraient différentes destinations à proximité de Montréal, Donio se languissait.

— Si vous me laissiez parler deux minutes, vous cesseriez de chercher.

— Nous t'écoutons, révérend Donio, promit Gaby, un genou sur le sol, les mains jointes sur la poitrine.

— Je l'ai, la place idéale. C'est à Poisson-doré !

Toutes s'esclaffèrent.

— On cherche sérieusement, nous, rétorqua sa mère.

— Je n'en ai peut-être pas l'air, mais je suis très sérieux. J'ai dit Poisson-doré pour rire, mais aussi parce que c'est la traduction algonquine du nom de la localité où je vous emmènerais. Je l'ai appris d'un client que je suis allé conduire là, la semaine dernière.

— Qu'est-ce qui te permet de penser que cet endroit nous plairait ? questionna Gaby.

— Trois chapelles sur une butte…

— Veux-tu arrêter tes folies, réclama sa jeune sœur.

— C'est la vérité, Éva. On peut même y faire un genre de pèlerinage.

— Ce n'est pas le but de notre séjour, corrigea Séneville.

— Je sais. Je sais. Mais vous trois n'êtes jamais allées vous balader sur les rives du magnifique lac des Deux-Montagnes.

— Tu sais bien que non, répliqua sa mère.

— Vas-tu nous le dire enfin, où tu nous emmènerais, réclama sa sœur, impatiente.

— À Oka.

— Ce n'est pas dans ce village qu'il y aurait une importante abbaye? soupçonna Éva.

— Une abbaye, une immense pinède, un traversier et… Je ne vous en dis pas plus. Je veux vous réserver d'autres surprises. L'idéal serait d'y aller à la fin août ou en septembre, conseilla-t-il. Vous verriez Oka à son meilleur et ça me donnerait le temps de trouver un hébergement pour une fin de semaine.

Après avoir exposé sa première collection de soie artificielle au réputé magasin *Eaton* qui venait de passer de six à neuf étages, Gaby fut approchée par la direction de *Canadian Celanese* pour créer une quinzaine de vêtements en *celasoies*. Ces productions allaient faire l'objet du défilé d'automne organisé par la *Garment Retailers of America*. Du coup, informées par la jeune dame et collaboratrice, Molly Ballantyne, de nouvelles clientes furent attirées au Salon de Gaby : les Bercovitch, les Molson, les Ducharme et les Yule commandèrent des robes en soie artificielle.

— Que demander de plus à la vie! s'exclama Gaby, sur le point de quitter la maison pour rejoindre son beau Brummel qui l'invitait à souper dans un chic restaurant dont il lui réservait la surprise pour son vingt-neuvième anniversaire.

— Il te manque une p'tite chanson, s'empressa de lui annoncer Donio, qui ne ratait aucune occasion de la taquiner au sujet de Pit Lépine.

Sans attendre la permission de la maisonnée, il se leva pour mieux mimer *Le Grand frisé*, un succès de Damia, une chanteuse française :

Quand j'danse avec le grand frisé
Il a une façon d'm'enlacer
J'en perds la tête
J'suis comme une bête

Je suis sa chose à lui
J'l'ai dans l'sang, quoi, c'est mon chéri
Oh ! si je l'aime, je l'aime, mon grand frisé

Il m'cogne, il m'démolit, il m'crève
Mais que voulez-vous, moi j'aime ça
Après je m'endors dans un rêve
En me pelotonnant bien dans ses bras

Ses éclats de rire étouffés, Gaby partit à la poursuite de son frère pour le rouer de coups de poing ; mais sa robe de soirée la força à renoncer à sa vengeance.

— Veux-tu me dire où tu as pêché cette chanson-là ? lui demanda sa mère. C'est plutôt vulgaire.

— Moi, je la trouve drôle, répliqua Gaby. On la faisait jouer dans un petit café de Paris.

— Tu peux t'empresser de l'oublier, lui conseilla sa jeune sœur.

Aux dires de ses proches, l'attrait de Gaby pour son hockeyeur avait tout d'une passion naissante. À quelques minutes de leur énième rendez-vous, elle aurait pu leur avouer que son physique, ses gentillesses, sa jovialité, son intelligence et sa sensualité la faisaient crouler d'admiration. Que sa voix feutrée l'enveloppait d'assurance et d'estime d'elle-même. «Un homme complet, presque parfait», se disait-elle, à deux doigts de s'en trouver indigne.

Cette fois, Pit avait offert de l'attendre devant son domicile pour l'emmener sur la rue Saint-Laurent au *Cabaret Frolics*. Ce choix allait emballer Gaby, croyait-il. Pour cause, ce cabaret était pourvu d'une immense salle de danse et d'un éclairage exotique. S'y produisait nulle autre que la grande vedette des clubs de nuit new-yorkais qui avait donné le ton à l'ouverture du *Cabaret Frolics* l'année précédente.

— Tu connais Texas Guinan? demanda Pit, en ouvrant la portière de son automobile pour y laisser entrer Gaby.

— Son nom, oui, mais pas plus, déclara-t-elle, fascinée par la galanterie de Pit.

— Tu devines qu'elle est née au Texas, mais son amour pour Montréal est dû au fait que ses parents sont natifs de Sherbrooke.

— Comme c'est intéressant!

— Texas Guinan est une artiste un peu vulgaire, mais complète; elle chante, elle danse et elle a fait du cinéma aux États-Unis. C'est là que j'ai assisté pour la première fois à son spectacle.

La soirée s'annonçait paradisiaque pour celle qui adorait la musique, la danse et la compagnie de Pit Lépine. Son émerveillement se décupla lorsqu'elle aperçut la quinzaine de musiciens sur la scène. Elle n'était pas encore au sommet de son enchantement: un serveur allait déposer une bouteille de champagne sur leur table.

— Mais combien ça coûte, ça?

— Quinze piastres, mademoiselle.

— C'est trop! Trop à boire pour deux personnes et beaucoup trop cher.

Un sourire narquois sur les lèvres, Pit posa une main sur celle de Gaby, et de l'autre, il présenta un billet de vingt dollars au serveur.

— À ce que je sache, tu ne bois pas de bière, Gaby.

Le rideau s'ouvrit et la « reine de l'Ouest » lança son cri de ralliement :

— *Hello Suckers* !

Son fidèle public l'accueillit avec un enthousiasme que Gaby ne partagea pas. « Quel manque de classe ! » se dit-elle, imaginant l'indignation d'Éva s'il avait fallu qu'elle entende ça. Sa main blottie dans celle de Pit lui inspirait des scénarios combien plus enivrants ! Elle n'hésita pas à suggérer qu'ils délaissent leur table pour aller danser. Sentir le souffle chaud de Pit dans son cou, sa main robuste posée sur son dos, l'aisance de ses pas, une ivresse à nulle autre pareille. Pit épousait si parfaitement le rythme de l'orchestre qu'elle s'y abandonna sans le moindre effort. L'euphorie la porta jusqu'à la dernière danse, jusqu'à ce baiser brûlant qui porta ses rêves et ses fantasmes.

L'été avait offert ses plus belles journées sans que Séneville manifeste un véritable intérêt pour le voyage à Oka.

— J'aimerais mieux qu'on remette ça à plus tard. Je ne me sens pas en très grande forme, avait-elle justifié.

— Y a rien comme une belle sortie au grand air, Maman, pour redonner du pep, avait riposté Donio.

— On a eu un gros été, il me semble. Je n'ai pas le goût d'aller si loin…

Aux premiers jours d'octobre, Séneville, conquise par une nouvelle proposition des siens, empruntait le pont du Havre, érigé au printemps 1930, et allait pique-niquer avec eux sur l'île Sainte-Hélène.

Un décor des plus enchanteurs. Des arbres regorgeant de fruits non loin de champs de blé ondoyant sous la caresse de la brise fluviale.

— Hélène… que c'est beau, ce prénom. Beaucoup plus qu'Éva, dit cette dernière.

— L'épouse de Samuel de Champlain a été plus chanceuse que toi, rétorqua Gaby.

Éva grimaça.

— Tu ne te souviens pas de tes cours d'histoire du Canada?

— En grande partie, oui. Mais ce n'est pas le genre de choses que j'ai retenu.

— Les saints martyrs canadiens, oh oui! lança Donio, se plaisant à la taquiner.

Une couverture étendue sur le sol, la famille Bernier s'était regroupée autour d'un panier de victuailles soigneusement préparé par Marcelle.

L'atmosphère se prêtant à la gaieté, Donio interpella Gaby:

— Puis, toujours à la hauteur de tes attentes, le beau Pit?

— Je ne peux pas demander mieux, répondit-elle, les joues empourprées.

— Des détails, Gaby.

— Je ne suis quand même pas au confessionnal, répliqua-t-elle, provoquant les éclats de rire de Séneville.

— Tu as raison de garder pour toi tes histoires d'amour, lui conseilla sa mère, sitôt approuvée par Éva.

— J'ai hâte de voir quand ton tour va venir, ma belle Éva. Tu t'en vanteras à tout vent. Je pourrais t'en gager cinq dollars… devant témoin.

— Si jamais il vient, ce jour… murmura-t-elle, le vague à l'âme.

Les encouragements de sa mère et de sa sœur lui redessinèrent un sourire sur le visage. Les trois femmes dirigèrent ensuite leurs plaisanteries vers Donio, «le coureur de jupons» qui fit la sourde oreille, impatient d'amener la famille visiter les fortifications.

Pour y avoir conduit des clients à deux reprises et avoir assisté à la visite guidée, il pouvait livrer nombre d'informations. Empêché d'être soldat, il n'éprouvait pas moins une réelle passion à examiner la structure de ces bâtiments de pierres rouges, atteignant plus de dix pieds d'épaisseur, ainsi que les munitions et les fusils qui y étaient conservés. Après avoir vu l'arsenal et le corps de garde, Éva renonça à poursuivre.

— Je vais vous attendre ici. C'est trop lugubre.

— Il ne reste que la poudrière. Les casernes n'ont plus que leurs voûtes, plaida Donio.

Rien à faire, sa jeune sœur jugeait de mauvais goût, en cette journée de détente en famille, de visiter des lieux qui commémoraient la violence.

— Notre prochaine sortie se fera à Oka. Un endroit qui te plaira bien plus que tu ne peux l'imaginer, lui promit-il.

Tout au long de cette journée, Séneville s'était montrée sereine, mais peu loquace.

«Elle nous parle trop peu d'elle-même et lorsqu'elle le fait, ces mots ont un parfum de testament. Je vais trouver du temps pour elle», se jura Gaby, malgré ses visites ponctuelles chez Henri Taupier et ses rendez-vous de plus en plus rapprochés avec son amoureux. Pourtant, même si ces sorties grugeaient sur le temps disponible après son travail, elle ne pouvait renoncer ni à l'une ni à l'autre. Sa relation avec Pit lui apportait un juste équilibre entre ses obligations et son dévouement auprès des Taupier, chez qui la détresse prenait toute la place. Trop souvent, Gaby en revenait accablée d'impuissance. Avec une lucidité navrante, Henri assistait à sa propre décrépitude physique.

Le saut en l'an 1931 fut ressenti au rythme des personnalités et des priorités de chacun. Séneville l'avait trouvé long à venir alors que ses filles, débordées de contrats, avaient été bousculées par son arrivée. L'un d'eux les avait à la fois stimulées et contrariées. Après de longs pourparlers, Gaby avait convenu avec Barbara Henderson de sa tenue pour ses épousailles avec Richard Harcourt Price. Mais voilà que Betty, une autre des sœurs Henderson, réclamait qu'elle fasse davantage pour son mariage avec le noble Balfour Paul. La jeune fiancée exigeait non seulement une tenue plus chic et plus originale que celle de Barbara, mais elle insistait pour se marier en rouge. En l'entendant clamer cette volonté, Gaby faillit faire tomber sa cigarette sur la soie blanche qu'elle voulait lui proposer.

— J'adore le rouge, mais pas pour une robe de mariée ! Vous n'avez jamais entendu la chanson américaine qui condamne à mort celle qui se marie en rouge ?

— Je ne la connais pas, et ça m'indiffère, lança Betty, désinvolte.

— Écoutez…

Puis Gaby la lui chanta :

Married in white, you have chosen a right;

Married in blue, your love will always be true;
Married in pearl, you will live in a whirl;
Married in brown, you'll live out of town;

Married in red, you will wish yourself dead.

— Qui chante ça ?

— Je n'en ai aucune idée.

— Ce n'est qu'une chanson! Moi, je veux briser les coutumes et oser… C'est pour ça que j'ai choisi cette couleur, clama Betty, les mains sur les oreilles pour ne plus entendre ces paroles.

— Oser… choquer?

— Tout à fait! N'est-ce pas ce que vous avez fait quand vous et une de vos amies avez paradé en pantalon, ma chère Gaby?

— Peut-être, mais…

— Je sais ce que vous pensez. Vous avez peur de perdre votre réputation de meilleure créatrice de robes de mariée de tout Montréal, si vous m'habillez en rouge.

Au hochement de tête de Gaby, Betty crut avoir visé juste.

— Je suis prête à ce qu'on ne révèle pas votre nom, si ça vous met plus à l'aise.

Sourde à la proposition de sa cliente, Gaby se planta devant son étagère bondée de rouleaux de tissu, reporta sa cigarette à sa bouche, en tira une bouffée et dit:

— Accepteriez-vous que j'agrémente le rouge flamboyant d'un peu de blanc?

— Hum… à la condition que le rouge domine, consentit Betty.

— Bravo! Comme ça, vous aurez la certitude d'avoir choisi le bon parti même si vous deviez mourir ensemble.

— Vous jouez à la sorcière, maintenant, Mlle Gaby?

— Non, Betty! Je vous ramène seulement aux paroles de la chanson:

> *Married in white, you have chosen right;*
> *Married in red, you will wish yourself dead.*

— Si vous saviez comme je ne suis pas superstitieuse!

Résignée, Gaby tira trois rouleaux des étagères et les aligna sur la table : un de satin rouge, un autre de dentelle blanche et un troisième de voile blanc. Devant sa cliente fébrile, elle explorait en silence. « Le corsage de satin ressortirait bien sous cette dentelle blanche tandis que sur la jupe, je n'ajouterais qu'un léger voile blanc jusqu'à la mi-jambe. J'utiliserais le même pour la coiffe... Je suis sûre que Betty va exiger du rouge pour la traîne », se dit-elle.

— Que diriez-vous si on mariait le rouge et le blanc de la tête aux pieds, lui proposa-t-elle, pointant de son index chacun des jumelages imaginés.

— On peut regarder ce que ça donnerait, mais la traîne ?

— Elle pourrait être faite d'un satin rouge aux imprimés de fleurs blanches.

— J'aimerais le voir, la pria Betty.

— Je ne l'ai pas en stock, mais je connais un fournisseur à Drummondville qui m'en enverrait. Cet imprimé ressemble un peu au corsage que je vous ferais, répondit Gaby en superposant de nouveau ces deux tissus.

Le regard songeur de sa cliente l'incita à un compromis :

— Si nous n'aimez vraiment pas mon travail, je ne vous facture-rai rien pour cette tenue et je vous en referai une autre telle que vous l'imaginez.

— Je l'aurai pour la mi-août ?

— Promis, jura Gaby en toute aisance.

Betty quitta la salle de couture, presque satisfaite. Constance avait été chargée de se rendre à Drummondville pour acheter de *Canadian Celanese* le satin nécessaire à la confection de la traîne. À Simone Landreville, une des plus habiles petites mains du Salon, fut confié l'assemblage de la robe sitôt les morceaux taillés. Huit jours plus tard, la création pouvait passer à l'essayage. Jointe par téléphone,

Betty n'en croyait pas ses oreilles. Le rendez-vous fut fixé le lende-main en fin d'après-midi. L'effet fut magique. Quelques petits ajuste-ments s'imposaient, mais le concept charma la future mariée. Il ne fut pas question de la griffe *Gaby Bernier* et la créatrice, déterminée à ne pas se révéler, s'en trouva fort aise.

Séneville retint un sanglot, couvrit sa bouche de ses deux mains pour ne pas crier. Ses filles et son fils accoururent. Éva vérifia son pouls. Donio offrit de la conduire à l'hôpital, mais Gaby, soupçonnant la cause de tant d'émoi, en susurra quelques bribes à son oreille. Le jeune Dr Henri Taupier était décédé dans la soirée du 28 mars 1931.

— Je sais que ce n'est pas juste, Maman. Mais vivre lui était devenu un calvaire.

Un hochement de tête vint lui donner raison. Gaby demanda à son frère et à sa sœur de les laisser seules.

— Je regrette tellement de ne pas être allée le voir une seule fois, confessa Séneville, doutant que Corinne lui ait trouvé une excuse valable auprès de son fils.

— Il ne vous en aurait jamais blâmée, Maman. Je lui ai fait croire que vous n'aviez cessé de travailler que tout récemment et que, pour vous, visiter des malades, c'était comme reprendre le travail que vous avez mené à bout de bras pendant vingt ans. Il pensait que vous aviez cessé tout ça depuis une bonne dizaine d'années.

Séneville ne savait si elle devait se réjouir de l'intervention de Gaby.

— Tu l'as donc visité plus d'une fois ? lui demanda-t-elle pour faire diversion.

— Plusieurs fois, Maman. Je suis tellement attachée à ses fils… à Jean, surtout.

Un ressac d'émotions prit Séneville à la gorge. Ce qu'elle donnerait pour qu'en toute discrétion, sa fille lui révèle leurs échanges. Comment ne pas soupçonner Gaby d'avoir flairé les sentiments d'Henri à son égard ? À plus d'une reprise, ses réflexions, même en bas âge, le lui avaient fait craindre. Le regard cloué sur ses mains jointes, Séneville aurait voulu tout lui avouer pour se libérer de ce fardeau lourd de vingt ans de secret. Mais elle n'en trouva pas le courage.

N'eût été ce bleu à l'âme persistant, causé par la crainte d'avoir une certaine responsabilité dans la maladie du jeune médecin, Séneville se serait rendue à son chevet au moins une fois. Aussi craignait-elle de l'entendre chuchoter :

— Je vous ai toujours aimée…

La fidélité d'Henri à lui adresser ses vœux du Nouvel An, sa générosité et, surtout, son déménagement à Montréal en 1927, sur la même rue que la famille Bernier, constituaient autant d'événements venus troubler la quête de sérénité de la veuve Bernier. À quelques reprises, Gaby avait tenté d'aborder le sujet, mais l'hostilité de sa mère l'avait chaque fois rebutée. De quoi étoffer les vagues soupçons entassés dans sa mémoire depuis son enfance.

La famille Bernier, à l'exception de Séneville, assista aux funérailles du Dr J. Henri Taupier, le 31 mars 1931. Une cérémonie trop émouvante pour être décrite sans tirer les larmes. Une jeune veuve anéantie, des garçonnets éperdus, des grands-parents accablés de chagrin et d'inquiétude pour l'avenir des deux enfants.

Gaby n'avait pas oublié son rendez-vous avec Pit. Elle devait lui téléphoner sans trop tarder.

— J'ai promis au petit Jean d'aller le chercher pour l'emmener au cinéma dimanche prochain. Je pense qu'on y présente encore *Rintintin*. Viendrais-tu avec nous ?

Le hockeyeur, qui ne trouvait rien de mieux à faire, en cette période à la jonction de l'hiver et du printemps, que d'aller au cinéma, avait eu l'idée, lui aussi, d'inviter Gaby au cinéma, mais pas pour aller voir *Rintintin*.

— Je comprends… dit Pit, d'une voix éteinte. Mais tu me réserves ton jeudi soir prochain, se hâta-t-il d'exiger.

Loin de lui déplaire, cette requête, inspirée d'attachement, alimenta l'attrait de Gaby pour cet homme.

À Donio, témoin de son appel téléphonique, elle confia :

— Pit serait parfait pour moi s'il ne s'absentait pas si souvent et aussi longtemps chaque année. Je devrai attendre qu'il abandonne sa carrière pour bâtir des projets avec lui… Je crains qu'il en ait encore pour une douzaine d'années, le temps de m'amouracher d'un autre.

— Tu ne vas pas le laisser filer, ce gars-là. Tu ne pourras jamais trouver mieux. Un homme qui a plein de fric, une belle apparence et de la notoriété.

— Il ne me parle jamais d'avenir. Ça m'inquiète.

— Fais-le, toi, si tu trouves qu'il tarde trop. Les filles sont bien plus habiles que les hommes dans ce genre de discours.

Si les inquiétudes financières ne la touchaient pas personnelle-ment, Gaby n'ignorait pas que nombre de familles en souffraient. Des veuves, principalement. Celle d'Henri Taupier recevait l'aide de ses beaux-parents, mais ce n'était pas suffisant pour couvrir ses propres besoins en santé. En fin d'après-midi, Gaby confia la supervision du Salon à Éva et se rendit au 11 de la rue Sherbrooke Est, où elle trouva la jeune veuve blafarde, abattue par l'épuisement et le chagrin. Elle ne vit qu'un des deux garçons, l'aîné étant confié à ses grands-parents Taupier. Le nez collé à la fenêtre, le garçonnet de six ans attendait son papa. Reconnaissant Gaby, il courut vers elle.

— Tu sais, toi, quand il reviendra, mon papa ? lui demanda-t-il, sa main enchâssée dans la sienne.

— C'est seulement son corps qui est parti, mon petit Jean. Son cœur et son âme sont encore avec toi, ta maman et ton grand frère, n'est-ce pas, Mme Taupier ?

Étonnée de s'entendre tenir de tels propos, Gaby fut soulagée de recevoir l'acquiescement de la veuve.

— Ton papa nous voit, mais nous, on ne peut pas le voir. C'est comme le vent… expliqua Gaby. Tu comprends ? Tu le sens, mais tu ne peux pas le toucher.

« C'est grand-maman Louise-Zoé qui me parlait comme ça », se souvint Gaby.

Jean s'était rapproché de sa mère.

— C'est vrai, ce que Mlle Gaby a dit ?

— On a le droit de le croire, mon petit homme, répondit sa maman, avec un doute perceptible à l'oreille de Gaby.

D'un des deux sacs qu'elle avait apportés, Gaby sortit un casse-tête illustrant des chevaux broutant sous un soleil radieux.

— Vous allez m'aider, Mlle Gaby ?

— Bien sûr, lui promit-elle, avec l'intention de captiver l'enfant pour mieux converser avec sa mère.

Le contour du puzzle mis en place, Gaby défia Jean de trouver le plus de pièces possible. Un échange s'engagea dès lors entre les deux adultes. La question financière fut la première abordée.

— Le gouvernement devrait supporter davantage nos familles, plus encore les veuves et les orphelins, Mme Taupier. Mon frère Donio, qui lit tous les journaux, m'apprenait que dans les années vingt, on en parlait déjà à la Société des Nations. On aurait confié au Canada la tâche d'examiner la question. Comme le pays n'a pas eu le soutien nécessaire, il n'a pas recommandé qu'on en fasse une loi. Le Québec non plus. Pendant ce temps-là, les familles éprouvées par la maladie ou la mort en arrachent.

— Vous parlez comme si vous l'aviez vécu, s'étonna la veuve Taupier.

— Je l'ai vécu, madame. Votre mari ne vous en a jamais parlé?

Rachel Taupier hocha la tête, sans plus.

— Orpheline de père à l'âge de huit ans, j'ai passé près de dix ans dans un orphelinat pour pauvres. Toute une épreuve pour ma jeune sœur et moi, mais pire pour moi… Si ma grand-maman n'avait pas été malade, j'aurais pu en être exemptée, ajouta Gaby, des regrets dans la voix.

La veuve vint s'asseoir à la table, face à Gaby, et tout en plaçant un morceau de casse-tête ici et là, elle alimenta la conversation.

— Je ne veux pas que ça arrive à mes garçons, chuchota-t-elle.

— Tant que les Taupier et les Bernier vivront, soyez sûre que ça n'arrivera pas.

— Je sais que mon petit Charles est heureux chez ses grands-parents de Chambly, mais Jean et moi souhaitons vivre ensemble, même si…

Un sanglot avala ses dernières paroles. Gaby les devinait.

— J'ai quelque chose à vous suggérer, Mme Taupier.

La réceptivité de la veuve lui fut acquise.

— Vous devriez aller vous reposer dans votre famille.

Et se tournant vers le garçonnet absorbé dans sa recherche de bonnes pièces, Gaby lui proposa de l'emmener vivre avec les quatre Bernier, le temps que sa maman reprenne des forces.

L'hésitation s'installa chez la mère, mais l'enfant manifesta un vif intérêt.

— Je vous laisse y réfléchir, Mme Taupier. Appelez-moi au Salon, suggéra-t-elle en lui laissant le numéro de téléphone.

Comme la veuve n'avait fait aucun cas du deuxième sac, Gaby l'invita à l'ouvrir.

— Quand vous en aurez le goût… Je crois que ce sont des vêtements qui vous iraient bien. S'il y avait des retouches à faire, ne vous gênez pas pour m'en informer. Je m'en chargerai.

Respectueuse des coutumes, Gaby ne lui offrait que du noir et du blanc. Quelques robes plus légères pour l'été, un veston et un châle blanc brodé par Éva, et un ensemble blouse et jupe en soie artificielle aux imprimés allant du noir au blanc en passant par le gris.

Avec un malaise non verbalisé et une main tendue en signe de gratitude, la veuve reconduisit sa bienfaitrice vers le portique. Puis, bien que charmée par les câlins du jeune orphelin, Gaby les quitta sans plus tarder.

Résolue à travailler toute la soirée, elle fut cependant retardée par Molly qui l'avait précédée de quelques pas.

— Tu viens avec moi à New York, Gaby? s'écria-t-elle, toute fébrile.

— Pourquoi? Quand?

— C'est l'inauguration de l'*Empire State Building*, le 1er mai. Le plus haut gratte-ciel au monde.

Née à New York d'un père américain et d'une mère montréalaise, Molly était demeurée attachée à cette ville. Lectrice des grands journaux américains, tel le *New York Times*, elle était mise au parfum de tous les événements qui marquaient l'évolution de sa terre natale. La construction de cet édifice en était un symbole.

— Désolée, ma chère amie, mais tu devras te trouver quelqu'un d'autre. J'ai du travail pour au moins dix heures par jour jusqu'à la fin juin.

— Fin juin! Mais c'est avec toi que j'aimerais assister à cet événement.

Gaby haussa les épaules d'impuissance, puis sourcilla, la main sur la poignée de la porte.

Constatant qu'elle ne lui laissait pas d'autre choix, Molly fit demi-tour en maugréant. Gaby la rappela.

— Il faut que je t'explique quelque chose : ma nouvelle collection me retient à Montréal, oui, mais il y a plus. Ma mère me donne beaucoup de soucis et un petit orphelin de six ans, aussi.

— Désolée, Gaby! Je n'en savais rien. Mais… si tu penses être prête à venir dans la dernière semaine de juin, je t'attendrai. Ça me permettra de combiner deux voyages.

Gaby voulait comprendre.

— C'est que Margot Vilas et moi projetons de nous rendre à Paris début juillet. Une belle invitation de Jean Patou, mon ancien patron.

Les projets de son amie fascinèrent Gaby. « Le plaisir qu'on aurait à voyager ensemble! »

— Je vais voir si je peux me libérer.

Alors que la matinée de ce 2 juin commençait à peine, on frappa à la porte des Bernier. Séneville s'empressa d'enfiler sa robe de chambre et de lisser les mèches de cheveux échappées de son chignon. Marcelle se précipita pour ouvrir.

— Gaby! Depuis quand frappez-vous avant d'entrer chez vous?

— Seulement quand je vous amène de la grande visite.

Séneville étira le cou, mais ne vit que sa fille. «Toujours prête à jouer des tours, celle-là», se dit-elle, jusqu'au moment où elle entendit la servante s'écrier :

— Mais qu'il est beau, cet enfant ! Un vrai chérubin !

Sa main nichée dans celle de Gaby, le garçonnet avançait d'un pas timide.

— Viens, Jean ! Mamie Bernier t'attend, lança Gaby, engageant sa mère à prendre la relève.

Déstabilisée devant l'enfant et ses deux bagages, Séneville pria sa fille de prendre quelques minutes pour lui expliquer ce qui se passait.

— On s'en reparle à l'heure du dîner, Maman. J'ai tellement de travail… Vous n'avez pas à vous inquiéter, Jean est habitué à jouer seul. On a apporté son sac de jouets et ses vêtements pour la semaine.

— Pour la semaine !

— Oui. Sa maman va se reposer dans sa famille et Jean avait hâte de se faire garder ici.

— C'est vrai, ça ? vérifia Séneville en s'adressant à l'orphelin.

Un acquiescement des plus spontanés le lui confirma. Gaby embrassa le bambin et promit de venir dîner à la maison avec eux. Marcelle, la servante, qui ne déplorait de son célibat que de ne pas avoir eu d'enfants, jubilait.

— Prenez votre temps, Mme Bernier. Je vais m'occuper de notre petit ami pendant que vous ferez votre toilette.

«Un cadeau du ciel», marmonna Marcelle, invitant le garçonnet à la suivre dans la cuisine.

Adossée à la porte de sa chambre, Séneville tentait de se ressaisir. Une ambivalence difficile à expliquer l'habitait. Celle qui n'avait jamais douté de sa fibre maternelle vivait une retenue face à l'orphelin. Comme si la prudence s'imposait. Et pourtant, le petit Jean ne représentait aucune menace. Ses grands yeux rêveurs, voilés d'une certaine mélancolie, la charmaient... mais la troublaient aussi. D'ailleurs, elle n'avait pu soutenir ce regard... dérangeant. Résolue à dissiper ce malaise, elle se débarbouilla en vitesse et sauta dans sa tenue de la veille pour ensuite passer dans la cuisine, d'où lui venaient les éclats de rire du gamin devant les bouffonneries de Marcelle. Sitôt qu'il l'aperçut, Jean se précipita vers sa valise de vêtements, qu'il ouvrit en toute hâte pour en sortir une enveloppe adressée à *Madame Elzéar Bernier*. Séneville la porta aussitôt dans sa chambre. Le cœur affolé et les jambes tremblantes, elle dut s'asseoir sur le bord de son lit. Il n'était pas impossible qu'elle trouve des mots d'Henri dans cette enveloppe. Des souvenirs de lui firent surface. « Prends de grandes respirations », se dit-elle, se souvenant d'avoir ainsi secouru nombre de patients en état de panique.

Mme Bernier,

Mon mari me demande de vous remercier pour le bonheur que vous et votre famille lui avez apporté, ainsi que pour ce que vous continuerez de faire pour nous après sa mort.

Je me joins à lui pour vous dire ma reconnaissance.

Mme Henri Taupier

« Que j'ai été bête de tant m'en faire ! », se dit Séneville, toute ragaillardie.

Dans la cuisine, on s'apprêtait à dessiner. D'un des tiroirs de sa commode, Séneville sortit alors une dizaine de feuilles de couleurs variées, dont du papier à lettre de fantaisie reçu en cadeau pour son dernier anniversaire. Elle prit place à la table devant l'enfant, qui s'épatait de l'habileté de Marcelle à dessiner des fleurs et des animaux sur du carton.

— Tiens, c'est pour toi ces feuilles-là, Jean, dit Séneville en les glissant vers lui.

L'émerveillement du bambin lui tira quelques larmes, qu'elle éponga du revers de sa main. «Beau comme un chérubin», avait clamé Marcelle. Mais il y avait plus encore chez cet enfant... l'intensité du regard de son père.

— Je vais aller te chercher un beau crayon tout neuf, lui dit-elle.

Ravi, le garçonnet s'amusa à narguer Marcelle, privée d'un tel privilège. Séneville les observa, tout à la joie que lui procurait la présence de l'orphelin sous son toit. Resurgit le souvenir du bonheur qu'elle avait jadis éprouvé auprès de ses propres enfants en bas âge. Doucement conquise par l'intelligence et la délicatesse de Jean, elle s'efforcerait de ne pas s'attarder à sa filiation avec Henri Taupier. Du coup, elle espérait se libérer définitivement des tourments causés, vingt ans plus tôt, par la passion de cet homme. Une taquinerie lui vint à l'esprit :

— Gaby t'a fait croire qu'on prendrait soin de toi, ici? Qu'on te donnerait à manger?

Dans le regard de Séneville, l'enfant perçut aussitôt l'affection qu'elle lui portait.

— Oui, Mamie Bernier. Elle m'a dit que vous feriez aussi des jeux avec moi.

— Des jeux? Comme quoi? demanda Séneville, charmée.

— J'aime beaucoup jouer aux devinettes, suggéra-t-il. Et vous?

— Eh bien, oui. Quand tu seras fatigué de dessiner, concéda-t-elle.

Marcelle simula une moue devant le garçonnet qui déclara préférer les devinettes au dessin.

— Mais tu peux jouer avec nous, toi aussi, dit-il, quittant la table pour occuper le salon avec sa Mamie Bernier.

Les descriptions d'animaux et d'objets divers déclenchèrent chez Séneville des éclats de rire jamais entendus de Marcelle. «Gaby avait raison. Le petit Jean va ramener la joie de vivre dans le cœur de Mme Bernier », se dit-elle, ravie. Gaby fut à même de le constater lorsque, l'heure du dîner approchant, elle monta à l'étage et, du palier de l'appartement, entendit les rires dans la maisonnée. Elle se plut à les écouter, tardant à faire son apparition.

— Je meurs de faim, s'écria tout à coup le bambin.

— C'est prêt dans deux minutes, lui apprit Marcelle.

Le moment était venu pour Gaby d'honorer sa promesse. Jean courut l'accueillir, heureux de lui raconter sa matinée en se référant surtout à Séneville. Le regain de jeunesse imprimé sur le visage de la veuve Bernier la dispensait de mots.

— Vous êtes servis, annonça Marcelle.

— On mange comme au souper ? s'étonna l'orphelin devant son assiette garnie de légumes et de bouchées de poulet.

— Qu'est-ce que tu veux dire ?

— Chez nous, le midi, on mangeait toujours des sandwichs quand papa était malade, puis maman a continué d'en faire même s'il n'est plus dans notre maison.

— C'est probablement parce qu'elle est très fatiguée, dit Gaby.

— Elle n'a jamais faim non plus, ajouta-t-il.

— C'est pour ça qu'elle a besoin de repos, expliqua-t-elle.

Comme d'habitude, Donio rentra affamé.

— Enfin ! Un homme dans la maison avec moi, s'écria-t-il en échangeant une poignée de main avec Jean Taupier.

— Tu viens t'asseoir à côté de moi ?

— Volontiers, accepta le chauffeur de taxi, qui déposa sa casquette sur la tête du bambin.

La conversation s'engagea entre les deux garçons de la place, au grand contentement des femmes qui les accompagnaient. En moins de deux minutes, une joyeuse familiarité s'était installée entre eux.

— Après le dîner, je t'emmène faire un tour de voiture dans la ville, promit Donio.

— Je suis jalouse, prétendit Gaby, combien réjouie de la tournure des événements.

La complicité de Jean et de Donio dépassait ses attentes. Gaby pouvait retourner à son salon avec l'assurance que la présence de cet orphelin ne pouvait leur apporter que du bonheur. Or Éva, à qui elle confia son enthousiasme, émit un doute :

— S'il fallait qu'il s'attache à nous et ne veuille plus retourner chez sa mère… Y as-tu pensé ? Infliger un deuxième abandon à cet enfant ?

Gaby baissa les yeux, tira une bouffée de nicotine de sa cigarette, pesant les mises en garde de sa sœur.

— Notre mère n'est pas éternelle, non plus, renchérit Éva.

— Maman ! Elle est de la trempe de grand-maman Louise-Zoé. C'est la compagnie de Jean qui lui manquait. On oublie parfois qu'elle a passé sa vie à prendre soin des enfants, rétorqua Gaby, refermant la porte de la salle de coupe où elle partit se réfugier.

Sauf en matière de dépenses, rares étaient les occasions où les deux sœurs Bernier différaient d'opinion. Cette fois, Gaby en fut particulièrement chagrinée. Les procédés mis de l'avant pour assurer le mieux-être de sa mère et de cet orphelin devaient être empreints de prudence, et non de peur. Ses réflexions la ramenèrent auprès d'Éva, à qui elle soumit une pensée de Balzac, apprise de son amie Margot :

— *Les gens qui aiment ne doutent de rien.*

Puis, elle retourna à son travail, plus déterminée que jamais à donner la priorité à son intuition. N'était-ce pas son flair qui l'avait guidée à la croisée des routes, la conduisant à de bonnes relations sociales, au succès professionnel et à l'aisance financière? Cette conviction mit sur ses lèvres une chanson de la Bolduc. Gaby n'en fredonnait toujours que le deuxième couplet et le refrain.

> *On se plaint à Montréal*
> *Après tout on est pas mal*
> *Dans la province de Québec*
> *On mange notre pain bien sec.*
> *Y a pas d'ouvrage au Canada,*
> *Y en a ben moins dans les États*
> *Essayez pas d'aller plus loin*
> *Vous êtes certains de crever d'faim*
>
> *Ça va v'nir puis ça va v'nir,*
> *Mais décourageons-nous pas*
> *Moi j'ai toujours le cœur gai*
> *Pis je continue à turluter...*

Plusieurs ouvrières prirent plaisir à la doubler.

— On jurerait que c'est la Bolduc elle-même qui chante, dit l'une d'elles.

— Il faut avoir la langue bien déliée pour arriver à turluter comme Mlle Gaby, ajouta une autre, incapable d'en faire autant.

— Sa langue est aussi agile que ses ciseaux dans le tissu, relança une troisième.

Gaby aurait eu plus d'une raison de renoncer à son voyage en France. À trois semaines du départ, il était encore temps d'informer Molly et Margot de sa décision. Les contrats entraient comme avant la crise, grâce à la diversité de tissus, de prix et de modèles offerts par le *Salon Gaby Bernier*. La Montréalaise de classe moyenne pouvait porter avec élégance un jumelage de mousseline et de soie imprimée.

La future mariée bénéficiait de la souplesse et de la créativité de Gaby quant aux teintes et aux styles de son trousseau de noces.

— Tout ce qui peut se présenter en un mois! Les occasions que j'aurais d'allonger ma liste de clientes en répondant exactement à leurs attentes. Si je ne suis pas là, je risque de perdre celles qui ont des besoins urgents, dit-elle à Éva, taisant sa crainte de s'ennuyer de son amoureux.

— Je comprends que tu te sentes irremplaçable, mais tu n'as pas raison, Gaby. Le pape ne l'est même pas.

— C'est quoi cette manie de mêler la religion à toutes nos affaires?

— C'est toi qui m'y amènes, Gaby. Si ça peut te rassurer, on sera deux pour te remplacer.

— Toi et qui d'autre?

— Georgette Demers, voyons! Tu sais bien que notre Chamblyenne connaît toutes nos clientes et qu'elle a beaucoup de doigté, pas seulement en couture, mais avec les gens aussi.

— Tu as raison, Éva. Mais les nouvelles clientes?

— On arrivera bien à leur faire attendre ton retour. Sinon, elles n'iront ailleurs que pour mieux revenir chez nous.

Éva n'aurait pu trouver arguments plus convaincants et plus libérateurs. Le problème du travail résolu, il fallait s'attaquer à celui de la famille. Séneville s'était si bien adaptée à l'orphelin Taupier, qui partait passer l'été avec sa famille, que Gaby craignait que la mélancolie ne regagne sa mère. Aussi, le petit Jean manifestait de plus en plus de résistance à retourner au domicile familial. L'attention reçue chez les Bernier l'en justifiait.

— Ton grand frère va revenir vivre avec vous pendant toutes les vacances d'été, lui rappela Gaby pour faciliter sa réinsertion dans sa famille.

— C'est ici que j'aime habiter, moi. Dans ma maison, je n'ai pas de Mamie Bernier, pas de Marcelle, pas de Gaby, ni de Donio, ni d'Éva. Je suis toujours tout seul avec maman. Puis, elle pleure souvent. Jamais elle ne me fait rire… comme vous, ici.

— Si tu essayais, toi, de la faire rire ? lui suggéra Gaby.

La moue boudeuse, Jean laissa tomber sa tête sur sa poitrine.

— Charles sera là pour jouer avec toi.

Pas un mot.

Séneville assistait à la scène, le cœur en charpie.

— Tu ne pourrais pas passer un été sans aller à Paris ?

— Même si j'y renonçais, il ne demeure pas moins important que Jean retrouve son frère et sa mère. Puis, mon travail en dépend, Maman. Presque tous les grands couturiers vont voir ce qui se fait à Paris et ailleurs dans le monde. En plus d'y trouver des nouveautés que j'adapte ici, c'est quand je suis loin de mon salon que me viennent mes idées les plus originales.

Séneville hocha la tête.

— Un mois sans le petit Jean, ça se vit, fit remarquer Gaby. La preuve, on l'a fait avant la mort de son père.

— C'est parce qu'on ne savait pas ce qu'on manquait… sans lui.

— Seriez-vous en train de vous attacher à lui ?

— Je ne suis pas la seule à lui être attachée…

Cet échange troubla profondément Gaby. La seule pensée de ne plus revoir l'enfant la chagrina. « Même si j'en fus contrariée, je dois reconnaître qu'Éva avait peut-être raison de nous mettre en garde. En emmenant le petit Jean chez nous, j'ai bien peur de m'être piégée et toute ma famille avec moi. Toutefois, je ne me vois pas faire marche arrière. Et pourtant, c'est l'enfant que nous devons protéger, avant tout», songeait-elle.

Donio, à qui elle s'en ouvrit, la rassura.

— Je pourrais passer de temps en temps chez la veuve et lui offrir une balade gratuite avec ses enfants. Et si elle m'en donne la permission, je pourrais aussi emmener les garçons passer une journée ou deux à la maison.

UNE INDISCRÉTION DE DONIO

Je suis inquiet pour Gaby. Depuis qu'elle a commencé à fréquenter Pit Lépine, je me rends bien compte qu'elle s'en amourache de plus en plus. En quand elle me confie espérer qu'il lui parle bientôt de projets d'avenir, je me couds le bec pour ne pas lui dire ce que j'en pense vraiment. Au fond, je doute qu'il lui soit vraiment fidèle. Il a tellement d'occasions de se faire d'autres blondes, puis il a tout pour séduire une fille. Si j'étais plus honnête et plus courageux, je lui conseillerais de regarder ailleurs si elle ne veut pas se ramasser avec une grosse peine d'amour. À moins que je lui parle de ma perception de l'amour. Que j'arrive à lui faire adopter mes principes, à savoir qu'il ne faut prendre que le meilleur dans nos relations avec le sexe opposé. S'accorder des bonheurs passagers sans exiger d'engagement. Peut-être pourrais-je l'aborder en lui parlant de liberté ? Elle y tient tellement, à sa liberté.

CHAPITRE III

Il n'est pas toujours facile de travailler avec un membre de sa famille. Il m'arrive parfois de regretter d'avoir confié l'administration de mon Salon de couture à ma sœur. Éva a la mauvaise habitude de me couper les ailes presque chaque fois que je me lance dans un nouveau projet. Ce n'est pas ce que j'attends d'une collaboratrice. Par chance que j'ai de bonnes amies et Donio pour m'appuyer. En certaines occasions, elle me met mal à l'aise avec ses manies de bonne sœur. Dans ces moments-là, je me dis que je serais plus heureuse si je travaillais avec Molly ou avec Constance. J'espère qu'elle ne s'en rend pas trop compte, ça lui ferait tellement de peine. Elle est si dévouée et je sais qu'elle m'aime beaucoup. Et puis, je dois admettre que parfois, c'est payant de suivre ses conseils. Serais-je capricieuse?

Traverser l'océan en compagnie de ses deux meilleures amies, voilà un projet qui avait conquis Gaby. Molly, mariée depuis un an, jouissait encore d'une liberté qui faisait rêver bien des épouses. Son amitié pour Gaby n'avait pas été touchée par son changement de statut social. Ses nombreuses visites à New York et son expérience de travail à Paris demeuraient de précieux outils pour la créatrice de mode. Entre autres privilèges, Molly l'avait présentée personnellement à Jean Patou, pour qui elle avait travaillé comme mannequin lors du lancement de sa collection de vêtements de sport. En Margot Vilas, sa deuxième compagne de voyage, Gaby avait trouvé la guide par excellence pour

faire le tour des couturiers français les plus ingénieux. Coco Chanel
était du nombre. Margot l'avait rencontrée à plusieurs reprises, soit
pour lui commander une robe, soit pour lui acheter des parfums.

Sitôt entrées dans Paris en ce début du mois de juillet 1931, toutes
trois avaient constaté que depuis le krach de Wall Street en 1929, la
haute couture parisienne vivait de graves difficultés. Après une décennie d'années folles, on retournait aux tenues plus conservatrices et
conventionnelles. Les convenances vestimentaires subissaient d'im-
portantes transformations ; la femme devait porter le tailleur dans la
journée et réserver les robes longues pour les soirées. Le chapeau,
toujours de mise, était désormais porté sur le côté de la tête, sur une
chevelure souvent ondulée.

— Adieu coupe garçonne et maquillage prononcé ! s'écria Gaby,
son carnet à dessin à la main.

— J'aime beaucoup mieux la nouvelle tendance, qui met la poitrine en valeur, découpe la taille et redonne aux hanches le galbe qui…
rétorqua Molly.

— Qui séduit les hommes, d'ajouter Margot, enjôleuse et célibataire par choix.

— J'aime bien la robe moulante à la taille, au tombé droit et
aux épaules rembourrées ; elle donne une forme de V au buste et c'est
très avantageux pour plusieurs femmes. Par contre, je préfère la robe
étroite, nouée ou drapée dans le dos. Elle est plus originale, fit
remarquer Gaby.

Les vitrines de mode vestimentaire de la rue Vendôme firent place
à un kiosque à journaux devant lequel Margot et ses amies s'attardèrent. Pour cause, les magazines féminins, comme *Vogue*, avaient subi
une cure de beauté grâce aux illustrations de Christian Bérard et des
photographies de Man Ray.

À une vendeuse qui se tenait tout près du présentoir, Gaby
demanda :

— Qui sont ces deux artistes ?

Avec un plaisir évident, la dame leur apprit que Christian Bérard avait collaboré avec un artiste Art déco, avec qui il avait réalisé des panneaux peints et des dessins de tapis ; ces œuvres inspiraient toujours Coco Chanel, Elsa Schiaparelli et Nina Ricci.

— Quelle coïncidence ! s'écria Margot. Nous projetons d'aller rencontrer Mlle Chanel et Mme Schiaparelli, ces jours-ci.

— Et de M. Ray, que savez-vous ? relança Molly.

— Man Ray publie ses photos dans plusieurs magazines. Son cheminement tient presque du hasard. Né à New York, il est venu habiter dans le quartier Montparnasse, où il a rencontré l'amour de sa vie, la chanteuse française et modèle Kiki de Montparnasse. On comprend qu'il excelle dans les photos de mode, dit-elle, rieuse.

Les trois touristes achetèrent quelques revues avant de filer vers d'autres boutiques de mode féminine. L'une d'elles offrait des vêtements taillés sur le biais.

— C'est si joli que même si c'est plus délicat à réussir, je vais m'y essayer de retour à mon Salon, dit Gaby.

Margot, quant à elle, maugréait contre le fait qu'un petit cercle très parisien dictait ses modes au monde entier.

— En plus d'imposer une hiérarchie de robes allant du petit dîner au bal sans oublier le *garden-party*, ces Parisiens prônent aussi le raffinement dans les accessoires et jusque dans les sous-vêtements.

Gaby jeta un regard espiègle vers son amie Molly.

— C'est accommodant pour les femmes qui ont la silhouette parfaite d'une Molly, mais pour les autres, c'est le retour obligatoire au corset… Je ne suis pas sûre que ça va plaire à mes clientes.

— À moi non plus, avoua Margot.

Chez un marchand de tissus, Gaby fut séduite par la découverte du latex, ce fil très fin extrait de l'hévéa et qui s'étirait à volonté avant de reprendre sa forme. Comme il pouvait s'allier à la soie et au coton, elle en fit une bonne provision.

Le jour venu de rendre visite à Coco Chanel, toutes trois l'ayant rencontrée plus d'une fois, elles furent accueillies avec toute la courtoisie dont Coco était capable. Étonnée et ravie de les voir ensemble devant elle, Mlle Chanel se montra moins empressée que par le passé à prendre congé de ses visiteuses, s'attardant à évoquer la situation économique de son pays.

— Je songe sérieusement à réduire mes prix de moitié si ma création de bijoux de fantaisie ne compense pas les pertes subies depuis le début de la crise, leur apprit-elle, visiblement affligée.

Par contre, il avait suffi que Margot, qui la visitait tous les deux ans et dont elle appréciait la jovialité et l'empathie, s'informât de Pierre Reverdy, son ex-amant entré à l'abbaye de Solesmes, pour que son regard s'illumine.

— C'est un artiste complet, cet homme, dit Coco, avec une candeur touchante. Aussi doué pour l'écriture que pour la peinture. Ce n'est pas étonnant quand on sait qu'il est né d'une famille de sculpteurs et de tailleurs de pierres d'église. Je suis certaine que son sentiment de religiosité profonde vient de ses origines. Lorsque son absence me fait trop mal, je relis les poèmes que je lui ai inspirés et je regarde les tableaux qu'il m'a offerts.

La pensée de Gaby se tourna aussitôt vers Pit, avec qui elle vivait un amour des plus romantiques depuis un an. «Il n'a rien d'un artiste, mon amoureux, mais il a tout ce qu'une femme peut espérer de viril chez un homme. Il m'arrive de me demander comment il se comporte au lit. A-t-il la délicatesse, mais aussi la fougue dont je rêve? Est-ce possible qu'un seul homme possède toutes ces qualités? Celles que je connais et les autres que je ne puis encore qu'imaginer? Si c'est comme lorsqu'il me prend dans ses bras, je n'ai rien à craindre», se disait-elle, lorsque Molly, d'un coup de coude, la sortit de ses rêveries.

— Où allons-nous maintenant ?

— À la place Vendôme, suggéra Gaby.

L'endroit ne pouvait mieux se prêter aux savoureux potins que Margot avait tus en présence de Coco.

— Pauvre Coco ! Elle a toujours cru que son amour pour M. Reverdy était réciproque.

— Ce n'est pas le cas ? s'étonna Gaby.

— C'est Misia Sert qu'il aime.

— Comment le sais-tu ?

— Elle m'a montré une lettre qu'il lui avait écrite et qui aurait mené Coco au suicide si elle avait su.

— Une belle lettre d'amour, devina Gaby.

— Et comment ! Ça disait : *Je vous aime jusqu'à la douleur. Vous manquez souvent à mes bras, à mes lèvres...*

— Il a dû déclarer d'aussi belles choses à Coco, supposa Molly.

— Il semble qu'il lui écrivait comme on écrit à une mère anxieuse qu'il faut rassurer. Je pense qu'elle lui faisait un peu peur. Puis, avec le temps, il penchait de plus en plus vers l'ascétisme. Coco m'a déjà questionnée sur une phrase qu'il lui avait adressée et qui se lisait comme ceci : *Courir après le plaisir, c'est courir après le vent.*

— Il paraissait bien, au moins ? questionna Gaby.

— Pas vraiment. Il était costaud et pas très grand, mais il avait un certain charme. Il était du type un peu voyou.

— Je me demande ce qui, chez ce monsieur, fascinait tant Coco, murmura Gaby.

— Elle le trouvait drôle, rapide d'esprit et si modeste.

— Eh bien !

— Tu peux bien faire la capricieuse, toi, Gaby Bernier. Tu as la chance d'aimer un homme de très belle allure et d'être aimée de lui.

De fait, Gaby et Pit formaient un couple à rendre fou de jalousie. Ils n'entraient nulle part sans faire tourner les têtes. Pit, gracieux, le port altier, la démarche assurée, semblait tout désigné pour offrir son bras à l'élégante créatrice de mode de Montréal. Non seulement causait-on dans la société mondaine de l'un et de l'autre, mais, au regard des gens de bonnes mœurs, la relation Bernier-Lépine frôlait le libertinage.

— J'imagine que tu prêtes toutes les qualités à ton joueur de hockey, badina Molly.

— Toutes les qualités… Il a un défaut, mais ce n'est pas sa faute. C'est son sport…

— Pas souvent présent ? présuma Margot.

Gaby baissa la tête. Une nostalgie lui coupa la voix. Il lui tardait de le revoir, mais ce besoin n'allait pas la distraire des objectifs de son voyage.

Au programme du lendemain, des activités aussi alléchantes les unes que les autres. Une visite s'imposait à la boutique *Nouveaux Tissus* de Jean Barret, rue de l'Opéra. Ses étalages étaient moins dodus et moins diversifiés que par le passé, mais on y trouvait toutefois de la mousseline, de la soie pure, du brocart, du satin et de l'organdi. Chacun de ces tissus inspirait une création à Gaby. Elle ne put sortir de la boutique sans s'offrir une pièce de brocart. Margot acheta de la soie pure et Molly, rien du tout.

— Je m'en remets totalement à ma couturière, justifia-t-elle.

Comment passer à Paris sans retourner saluer Jeanne Lanvin à son hôtel Arconati-Visconti ? À Gaby Bernier, « la belle Canadienne », elle réserva un accueil particulièrement chaleureux.

— Votre maman va bien ? lui demanda-t-elle.

— Mais quelle mémoire, Mme Lanvin ! Vous recevez tant de gens dans une année et vous vous souvenez de ma mère ! Elle va très bien. Les visites fréquentes d'un petit orphelin lui font grand bien.

Les trois touristes envoûtées par la mode se plurent à admirer les créations d'Armand-Albert Rateau, le décorateur de Mme Lanvin. L'entreprise créée sous le nom de *Lanvin-Décoration* prouvait que le monde de la haute couture et celui de la décoration d'intérieur s'associaient à merveille. Toutes les pièces reflétaient la jeunesse et la fraîcheur.

— Le but est de proposer une large gamme de meubles, de lustres et de tentures qui ne nécessitent pas la transformation irrémédiable des pièces. Mon décorateur a pour mission d'« habiller » les pièces sans les toucher, à l'image du corps de la femme, précisa la grande dame avec un humour raffiné.

— Vous créez aussi pour le théâtre, se rappela Margot.

— C'est dans le théâtre, en effet, que notre entreprise peut démontrer son incroyable imagination. Quel bonheur que d'habiller de grandes comédiennes ! Vous le faites, Mlle Gaby ?

— Deux fois seulement, jusqu'à présent. J'ai créé les costumes pour les *Follies* du *Montreal's Junior League* et pour *Dear Brutus*, une pièce de James Barrie, jouée en 1929 par nos meilleures comédiennes.

— Mais quand elle sera davantage connue dans ce milieu, les contrats viendront, j'en suis sûre, avança Molly.

Cette visite fit réfléchir Gaby. Que Mme Lanvin exerce sa créativité non seulement dans la mode, mais aussi dans la décoration d'immeubles luxueux la propulsa au-delà de la conception de vêtements, sans toutefois pouvoir en préciser l'univers. Le monde des parfums la séduisait, mais elle doutait sérieusement de ses talents en ce domaine. Celui des bijoux, confié à la petite boutique *Etcetera* tenue par Margot Wait, lui semblait abordable, mais pas pour le moment. « J'aurais le sentiment de m'éparpiller. Mes amours, ma famille, le petit Jean et quelques loisirs prennent tout le temps que je n'accorde pas à mon salon et que je vole trop souvent à mon sommeil. Dans deux jours, je reprendrai la traversée de l'océan. Dix jours pour me faire des réserves d'endurance. Dix jours pour décider des nouveautés que j'apporterai cette année au *Salon Gaby Bernier.* »

Ce vendredi après-midi 31 juillet 1931, Gaby, regagnait sa ville d'adoption.

— On réserve nos billets pour un retour à Paris l'été prochain ? proposèrent Molly et Margot, avant de quitter la gare Windsor.

— On aura l'occasion de s'en reparler, dit Gaby, qui les salua un peu à la sauvette, inquiète de n'apercevoir ni son frère, ni sa sœur.

Elle allait téléphoner au domicile familial quand elle fut interceptée par nul autre que Pit Lépine. De quelques enjambées, il avait franchi la salle des pas perdus et venait enlacer sa bien-aimée. Gaby tremblait. La surprise, le bonheur de retrouver son amoureux, la fatigue du voyage en étaient la cause. Une voiture les attendait devant la gare. Toute à la joie des retrouvailles, elle n'avait d'yeux que pour Pit quand elle constata que son ravisseur ne l'emmenait pas sur la rue Sherbrooke.

— Mais pourquoi tout un détour ? s'écria-t-elle en le voyant emprunter la rue de La Montagne.

Pit afficha un sourire malicieux. Pour cause, il avait orchestré un arrêt dans un hôtel de cette rue avant d'aller reconduire sa douce à son domicile.

— Ma famille va s'inquiéter… choisit-elle de dire pour cacher sa propre nervosité.

— J'ai pris soin de prévenir ton frère, rétorqua Pit. Tu m'as terriblement manqué, tu sais.

Gaby cherchait des mots qui restèrent coincés dans sa gorge. Inutile de le questionner sur le but ultime de l'escapade. Non pas que cette perspective lui déplaise, mais elle aurait préféré un autre moment pour leurs premiers ébats amoureux. Elle serait allée aux frontières de l'impossible pour se présenter à lui dans une hygiène parfaite. Des fragrances de son meilleur parfum auraient embaumé ses mains, son visage et tout son corps. Aguerrie à la planification, elle se serait préparée à plus d'un scénario. Autant elle avait acquis de longue main sa compétence en couture, autant elle se sentait parachutée dans un univers inconnu où ses habiletés risquaient d'être mises à l'épreuve. «Aimer avec son cœur, ses yeux, ses lèvres et ses frissons, c'est une chose. Le dire avec tout son corps, sans craintes ni maladresses, c'est autre chose.» Gaby redoutait l'égarement. Le désir tentait-il d'imposer sa suprématie qu'elle vacillait entre l'exaltation et un sentiment de vulnérabilité. La griserie de la «première fois» empourpra ses joues.

Sa main nichée dans celle de Pit, ses pas rythmés par les siens, Gaby le suivit dans cette chambre d'un raffinement qui n'avait d'égal que les égards de son compagnon. Sans doute devinait-il qu'il avait à la fois le privilège et la responsabilité de lui faire vivre des moments de pur délice.

Leurs désirs, poussés par une fougue trop longtemps retenue, guidèrent leurs gestes et embrasèrent leur corps. Gaby s'abandonna au vertige passionné de son amant. Fusionnés, leurs corps traversèrent les remous des grandes marées, puis coulèrent dans l'euphorie des profondeurs, emportés au-delà du connu. Gaby vécut cette première expérience avec le goût de la répéter… jusqu'à l'enivrement.

Sur le chemin du retour vers la maison, un vœu enflamma son cœur. «Nos destins ne pourraient-ils pas être conciliables? Pourquoi devrais-je me satisfaire de n'être que son amoureuse? Je suis si bien près de lui… J'ai eu mes trente ans. Il serait temps que je me préoccupe de mon avenir personnel.»

D'autres l'attendaient au 1316 de la rue Sherbrooke. Séneville la garda dans ses bras un bon moment avant de lui murmurer :

— J'ai eu peur de ne jamais te revoir, ma chère Gaby.

— Mais pourquoi cette peur ? Ce n'est quand même pas la première fois que je fais cette traversée…

— Tu as raison, mais tu y allais en août, un mois où je suis si occupée à ma cueillette de petits fruits et à mes conserves que j'avais moins le temps de m'inquiéter. Mais cette fois, sans toi et sans notre petit orphelin, la maison me semblait vide et je me réveillais souvent en pensant à toi.

— Avant longtemps, ce sera tout le contraire. Vous allez vous chercher un petit coin de tranquillité, lui prédit Gaby, encore toute à l'ivresse des moments vécus dans les bras de Pit Lépine.

— Excuse-moi, Gaby. Je n'aurais pas dû me plaindre comme ça. Tu avais l'air tellement reposée quand tu es entrée. Tu as fait bon voyage ?

— Je vous raconterai tout ça dès que Donio et Éva seront rentrés. En attendant, parlez-moi de ce qui est arrivé ici depuis mon départ.

— Un juillet tranquille comme je n'en ai jamais vécu. Trop tranquille. Une seule visite des enfants Taupier en ton absence. Ton frère et ta sœur ont tellement travaillé que je ne les ai presque pas vus. Heureusement que Marcelle était là !

— C'était exceptionnel, cette année… à cause de Molly et Margot qui tenaient à ce qu'on fasse le voyage en juillet. Dorénavant, ce sera au mois d'août. Si on revenait à notre beau projet de l'été dernier…

— Notre projet ?

— Oui, notre fin de semaine à Oka.

Séneville émit une condition à cette randonnée :

— J'irais bien cette année, mais pas avant que l'orphelin Taupier ne soit venu passer quelques jours à la maison.

La promesse lui en fut faite.

Peu après l'Angélus du soir, en présence de Donio et d'Éva, Gaby relata son voyage avec brio. Les taquineries de son frère vinrent mettre une touche d'humour à son récit. Sachant que le retour à la maison de Gaby avait été précédé d'un détour par l'hôtel de La Montagne avec son amoureux, il osa quelques allusions, mais à la réaction de sa mère et de ses sœurs, il comprit vite qu'elles n'étaient pas bienvenues.

Avant d'aller dormir, Gaby souhaita passer en revue le mois écoulé. Éva la suivit au Salon.

— Presque toutes les commandes ont été livrées, sauf le trousseau de Betty Henderson. Elle tient à discuter de petites retouches avec toi et seulement avec toi, dit-elle, vexée.

— Ne te fâche pas, Éva. Betty est plus à l'aise en anglais qu'en français.

— Mais je me débrouille plutôt bien en anglais, maintenant.

— Hum! Si j'avais à t'évaluer, je te donnerais…

— Combien sur dix? Dis-le.

— On en reparlera à un autre moment. Il faut qu'on discute des nouveautés que j'aimerais apporter…

— Encore des nouveautés!

— Tu le sais. Je reviens toujours de Paris des idées plein la tête.

Gaby avait rapporté du fil de latex dans ses valises. L'idée de l'amalgamer à la soie ou, mieux encore, au coton la fascinait.

— Si on y arrivait, on pourrait l'utiliser pour attacher les boutons au lieu de tailler des boutonnières dans les tissus. On pourrait aussi en fabriquer des ceintures de jupe pour éviter les larges pinces pour les tailles fortes.

Avec un enthousiasme exceptionnel, Éva approuva les trouvailles de sa sœur.

— Moi aussi j'ai des propositions à te faire.

Gaby se montra impatiente de les entendre.

— On pourrait offrir une deuxième vie aux vêtements que nos riches clientes se font faire et qu'elles ne reportent presque jamais !

— Très bonne idée, Éva. Ces dames achètent une robe pour un mariage ou une soirée festive et comme ces occasions rassemblent souvent les mêmes invités, elles commandent une nouvelle tenue pour chaque événement.

Gaby jugea qu'il suffisait d'apporter quelques modifications à ses anciennes créations pour leur donner un nouveau *look*. Les idées abondèrent : glisser un voile imprimé sur une jupe unie, ajouter rubans et dentelles à un corsage, raccourcir ou allonger manches et jupes, enrichir une tenue d'un veston ou d'un boléro.

Demeurer fidèle à ses clientes fortunées et servir avec non moins de passion les femmes au budget restreint, tel était l'idéal de Gaby. Mais un doute surgit dans l'esprit d'Éva :

— Certaines clientes fortunées risquent de se montrer hautaines envers celles sur qui elles reconnaîtront leur ancienne robe de bal, par exemple…

— C'est possible, mais il y aura toujours des mécontents. En ce qui me concerne, je t'avoue que de faire réaliser des économies aux moins fortunées m'apportera autant de satisfaction que de concevoir un trousseau de mariage ou des robes de bal pour les choyées de la haute société.

Conquise, Éva suggéra aussi d'utiliser les retailles et les restes de rubans pour enjoliver les vêtements.

— Je me demande s'il existe au monde deux sœurs aussi complémentaires que toi et moi, s'écria Gaby, répudiant les sentiments négatifs qu'elle avait, de temps à autre, éprouvés à son égard.

Tôt le 22 août, les Bernier prenaient enfin la direction d'Oka. L'étincelante voiture taxi de Donio était suffisamment spacieuse pour que chaque passagère s'y sente à l'aise. Bien campée sur la banquette arrière, Séneville vérifiait l'impeccabilité de sa coiffure et de son maquillage dans le petit miroir au boîtier de nacre rapporté de Paris. Coquette, elle l'avait été du vivant d'Elzéar, mais les restrictions imposées aux veuves de ce temps-là lui avaient imposé une coiffure fort modeste et, pour les sorties, le port du chapeau et des gants. Une fois installée en ville, son travail auprès des malades ne l'avait pas incitée aux mondanités. En ouvrant un salon de haute couture, ses filles lui en avaient quelque peu redonné le goût. Pour la mère de Gaby Bernier, l'élégance était de mise. Que de fois son aînée avait insisté pour qu'elle porte un chemisier plus adapté à sa taille, un chapeau dernier cri harmonisé à son manteau, des bijoux qui rehaussaient son apparence !

Pour cette sortie exceptionnelle, compte tenu des lieux à visiter, Gaby lui avait confectionné des vêtements allant de la tenue décontractée à la tenue la plus chic : des chandails en tricot de jersey, des jupes infroissables et des vestons à la coupe seyante. Un chapeau suffisait, n'étant requis que pour la visite des lieux saints.

Tout comme sa mère, Gaby aimait nouer sa généreuse chevelure en chignon sur le dessus de sa tête et la parer de broches scintillantes, serties de perles et de pierres précieuses. Le rubis, sa pierre préférée, l'attirait par sa couleur rouge « sang de pigeon » et son symbole de générosité. Elle se souvint que Pit avait souri en entendant cette expression.

— Pourquoi ne serait-il pas autant le symbole de l'amour fou ? avait-il répliqué.

Même s'il avait déjà la bague en sa possession, Pit s'était interdit de la lui offrir avant leur première relation sexuelle.

— S'il arrivait que nos corps s'éloignent l'un de l'autre, nos cœurs garderaient à jamais l'empreinte de notre amour, lui avait-il dit en la lui remettant, quelques jours après son retour d'Europe.

Une si généreuse et délicate attention de la part de Pit avait touché Gaby à lui en tirer des larmes. Après avoir admiré cette bague avec ravissement, elle avait souhaité qu'il la lui passe à l'annulaire droit. Elle fut exaucée. La solennité du geste avait propulsé son imaginaire jusqu'au jour du mariage… dont elle avait failli parler.

Gaby avait attendu une occasion particulière pour la porter à son doigt en présence de ses proches. Leur balade à Oka lui sembla toute désignée. Séneville fut la première à la remarquer.

— Oh! Mais quelle belle bague! Tu l'as achetée à Paris?

Le regard aussi flamboyant que son rubis, Gaby avait déclaré en quelques mots qu'entre elle et Pit un véritable amour était né et que ce bijou en était le gage. Pour dissiper la timidité qui empourprait ses joues, elle expliqua:

— Cette pierre, en plus d'être du plus beau rouge qui existe, nous assurerait le bonheur et une bonne santé.

— J'en veux une! s'écria Séneville, déclenchant des rires.

— Je comprends surtout que ton beau Brummel a mis le prix pour te l'offrir, rétorqua Donio.

— Ce que vous ne savez peut-être pas, Maman, c'est que lorsqu'elle est offerte en cadeau, elle a le pouvoir d'ouvrir à l'amour la personne qui la reçoit.

— Dans ce cas, je ne l'accepterais que de mes enfants, avoua Séneville.

— Vous lèveriez le nez sur un bel homme riche et affectueux? demanda son fils.

— Il est bien trop tard pour les amourettes. Par contre, j'aimerais, de tout mon cœur, que vous me donniez des petits-enfants. Il en serait grand temps, il me semble…

Un silence que seul le ronronnement du moteur dominait s'installa jusqu'au moment où Gaby trouva enfin moyen de faire diversion en dirigeant l'attention de sa mère vers des charrettes de foin alignées dans un champ entre Dollard-des-Ormeaux et Kirkland.

— Vous avez vu les enfants sur les montagnes de foin? lui demanda-t-elle.

— Dans le temps où je travaillais chez les Lareau, dit Donio, les jeunes aimaient beaucoup fouler le foin. Mais, toi, Gaby, tu as l'air bien loin de la campagne avec tes grands yeux rêveurs. Ça me rappelle un refrain d'Eblinger et Gabriello…

Quand je danse avec lui
C'que j'ressens c'est inouï
Des frissons me parcourent la peau
Ça m'fait froid et puis ça m'fait chaud
Y'm'cause pas et pourtant
J'le comprends, y m'comprend
Moi j'vous l'dis, j'suis à sa merci
Et j'dis toujours « oui »
Quand je danse avec lui!

— Pourquoi ne pas en chanter une que maman connaît, suggéra Éva, visiblement scandalisée par les paroles de cette chanson.

Séneville n'avait pas encore exprimé son choix que sa benjamine s'écria :

— J'allais l'oublier! On n'a pas fait notre prière à saint Christophe.

— Saint Christophe…

— Bien oui, Donio. Toi qui es toujours sur la route, tu ne savais pas qu'il est le patron des voyageurs et des automobilistes?

— Non. Avoue que je m'en suis bien tiré sans lui, depuis le temps que j'ai un volant entre les mains.

— Rien ne garantit que tu n'auras jamais besoin de sa protection. En tout cas, moi je la demande pour nous quatre. Je vais essayer de te trouver une statue ou une médaille de ce saint…

Séneville interrompit Éva.

— Pourquoi lui et pas un autre ?

— Si ma mémoire est bonne, les religieuses nous disaient qu'il avait aidé plein de gens à traverser des cours d'eau et qu'une fois, il l'aurait fait pour Jésus qui s'était présenté sous la forme d'un enfant.

— Je n'ai jamais entendu cette histoire, riposta Gaby, pressée de fredonner des airs populaires avec Donio.

Les deux n'interrompaient leur litanie de chansons que pour s'exclamer devant l'étrangeté ou la beauté d'un paysage. La toux causée par la fumée de cigarette les y obligeait aussi.

— Vous choisissez la suivante, Maman, reprit Éva.

Tout de go, Séneville attaqua *Frou-frou* si merveilleusement interprétée par Berthe Sylva. Ses filles en répétèrent le refrain avec enthousiasme. «C'est la première fois de ma vie que je les entends chanter toutes les trois ensemble», constata Donio, ravi.

De chansonnette en chansonnette, le quatuor allait entrer dans la Baie d'Urfé, bordée par le lac Saint-Louis. Avant de s'installer dans un de ces grands champs pour pique-niquer, Donio leur apprit qu'ils passeraient d'abord saluer un homme remarquable : M. Watterson, le maire de la municipalité. Il avait fait sa connaissance en venant conduire des clients à Oka et, à ces occasions, il avait eu la chance de découvrir cette région à l'ouest de l'île de Montréal.

— M. Watterson est un vrai conteur ; il connaît tout de son coin de pays et il ne demande pas mieux que de nous en parler…

— On n'est pas venus pour passer notre temps avec M. le maire, riposta Gaby.

— Je vais lui dire qu'on a plein de choses à faire et à voir et il va nous laisser partir.

Après quelques minutes d'entretien avec M. Watterson devaient suivre le pique-nique au bord du lac Saint-Louis et une promenade sur le chemin Lakeshore pour admirer les maisons anciennes dont M. le maire connaissait toute l'histoire. Le programme de Donio fut retardé par les propos enflammés de M. Watterson, un homme raffiné, de belle apparence et à la verve intarissable qui ne laissa pas Éva indifférente.

— Saviez-vous que cette municipalité de plus de trois cents ans a hérité du nom du premier prêtre l'ayant desservie?

Avant que les Bernier ne réagissent, il avait poursuivi:

— Notre belle région fut l'objet de menaces iroquoises jusqu'au XVIIIe siècle. La majorité des habitants s'adonnaient encore à la pêche, à l'agriculture et au commerce. Plusieurs pratiquaient aussi le métier de bourrelier.

— Je n'ai jamais entendu ce mot, avoua Gaby.

Le maire se fit un honneur de lui apprendre qu'il s'agissait de la fabrication, de la réparation ou de la vente d'articles de cuir.

— Vous utilisez des peaux de bœufs ou de veau, supposa Séneville, sur qui portait le regard du maire.

— De chèvre aussi pour des ouvrages plus délicats, comme des matelas ou des sièges d'automobiles, répondit-il, comme s'il n'avait eu qu'elle devant lui. Mais la vie ne fut pas toujours douce avec les gens de notre âge, n'est-ce pas, madame?

Son visage s'embruma. Embarrassée, Séneville baissa la tête.

— On avait de si beaux projets avant que la guerre et la crise surviennent. Ici, par exemple, on aurait eu notre collège et notre hôpital…

Gaby se permit de l'interrompre :

— Elle achève, cette crise, et vous êtes de ceux qui ont le plus de raison de garder confiance en de meilleurs jours. Le passage de deux voies ferrées dans votre localité est un des gages de prospérité les plus sûrs, n'est-ce pas, M. Watterson ?

L'approuva-t-il d'un hochement de tête qu'il ne s'engagea pas moins dans l'énumération des séquelles de la Grande Guerre, cherchant constamment l'intérêt de Gaby et de sa mère. Éva avalait son dépit en silence.

La faim au ventre, les Bernier annoncèrent leur intention de casser la croûte en bordure du lac Saint-Louis.

M. le maire s'en montra quelque peu contrarié, mais il demeura courtois.

Sur la plage sablonneuse, Éva étendit une couverture, Gaby, une nappe, et Donio y étala sandwiches, muffins et fruits. Séneville semblait se nourrir davantage du panorama que des victuailles.

— Vous n'avez pas faim, Maman ? s'inquiéta sa benjamine.

Un large sourire se dessina sur le visage de Séneville.

— C'est curieux, ce que je ressens, en regardant cette étendue d'eau. C'est comme si tous mes ancêtres marins étaient venus se loger dans ma tête pour l'admirer avec moi et me parler de leur expérience… Ils auraient tant souhaité naviguer sur des eaux aussi tranquilles. Mais notre fleuve Saint-Laurent a toujours eu du caractère en plus de receler bien des mystères. Il a été et sera toujours un des rares endroits où la vie et la mort se côtoient de si près.

— C'est ce que grand-maman Louise-Zoé me disait aussi, reprit Gaby. Les marins avaient besoin du fleuve pour nourrir leur famille, mais certains d'entre eux y laissaient leur vie.

— Eh oui! Malgré tous les malheurs qu'elle a causés, l'eau nous fascine toujours, murmura Séneville, hypnotisée par cette étendue bleutée qui ondulait devant eux.

— Je croyais que vous étiez sous le charme de M. le maire, osa Donio.

— C'est un type très instruit et dévoué pour sa municipalité, mais pas plus.

— Il est pas mal trop jeune pour finir sa vie seul, vous ne trouvez pas?

— C'est son problème.

Gaby intervint:

— Pensais-tu intéresser notre mère à ce monsieur, toi?

La réaction de Donio se fit attendre et laissa son entourage perplexe.

— Je pensais seulement qu'entre gens de la même génération, il pourrait être intéressant pour eux d'échanger sur leurs expériences de vie.

— Et s'il avait ton âge, Éva? osa Gaby.

— Encore là, ça dépend d'un tas de choses, dit-elle, son attrait pour M. Watterson à peine dissimulé.

Gaby avait décelé dans le regard de sa sœur cette petite flamme qui ne ment pas, envers cet homme à qui elle aurait donné tout près de cinquante ans.

Cet échange fut interrompu par la nécessité de se diriger vers Oka, faute de quoi les Bernier risquaient de rater le traversier. La veuve dut se faire violence pour quitter ce havre de paix.

La traverse entre Hudson et Oka existait depuis plus de vingt ans. Elle avait été chargée d'abord de livrer le courrier de Sa Majesté et celui de la population de ces deux localités. Le transport des automobiles au moyen de chalands était venu plus tard.

À l'approche du quai, l'émotion était au rendez-vous pour les trois femmes Bernier. Les manœuvres d'accostage leur coupèrent le souffle. Le pilote du traversier dut faire un virage vers la droite pour que la barge suive cette direction. L'opération réussie, le bateau-remorque devait, à son tour, effectuer un virage de quatre-vingt-dix degrés mais vers la gauche pour ne pas se faire heurter par la barge. Le moindre geste du pilote pouvait faire rater l'accostage et causer des dégâts considérables. Tous les habitants d'Oka savaient et répétaient que, faute d'avoir bien dosé cette technique d'arrimage, deux ans auparavant, le propriétaire du traversier avait dû dédommager un automobiliste dont la voiture était tombée à l'eau juste avant l'accostage. Évoquant l'expérience de ce pilote et le nombre d'accostages réussis, Donio eut fort à faire pour rassurer Séneville et Éva.

— De toute manière, c'est une traversée qui dure à peine quinze minutes, leur dit-il.

— La mort peut se jouer en une fraction de seconde, rétorqua Éva.

— Une bonne personne comme toi ne devrait pas avoir peur de mourir…

— Tu vas aller directement au ciel, et ce, sans l'aide de saint Christophe, renchérit Gaby, non moins railleuse.

Sitôt la Ford hébergée sur le traversier, Donio revint vers sa mère et lui tendit le bras. L'hilarité des autres passagers eut raison des craintes d'Éva. Ils étaient nombreux à venir se joindre à un petit groupe qui s'apprêtait à emprunter le sentier du calvaire d'Oka, un sentier pierreux qui conduisait les pèlerins au cœur du parc portant le même nom, là où les sulpiciens avaient fait ériger un chemin de croix vers 1740.

— La réfection en a été confiée à un sculpteur, il y a plus de cent cinquante ans. François Gernon a fait un chef-d'œuvre de ces bas-reliefs en bois polychrome, leur apprit le religieux qui, du même souffle, leur rappela que l'Église accordait des indulgences à ceux qui refaisaient le chemin du Golgotha où Jésus fut crucifié.

Cette marche de près de 2 miles à pieds fut entrecoupée d'arrêts aux stations où l'on pria et chanta. Au sommet du mont étaient érigés quatre oratoires et trois chapelles flanquées chacune d'une immense croix de bois enfoncée dans le sol. Une tribune y attendait le prédicateur. Séneville l'aurait bien utilisée pour s'y asseoir quelques minutes. Donio s'amusait de voir sa sœur cadette se recueillir d'une station à l'autre. «Elle prie probablement pour revoir M. Watterson et le séduire de ses charmes», présuma Gaby. «Une vraie sorcière», lui aurait lancé Éva si sa sœur le lui avait demandé. «Je la comprends. C'est si merveilleux de se sentir aimée, attendue et choyée par un homme qu'on adore», pensa-t-elle, en extase devant son rubis qui étincelait sous les rayons du soleil.

Il tardait à Donio d'emmener sa famille voir la pinède, qu'Amérindiens et Blancs avaient plantée ensemble, une quarantaine d'années auparavant. Plus de cent mille conifères composaient cette magnifique forêt. Sur le point de redescendre la colline du Calvaire, Gaby, extasiée à la vue du lac des Deux-Montagnes et des Adirondacks, souhaitait s'y attarder. «Un environnement parfait pour vivre avec son amoureux», pensa-t-elle en quittant ce décor pour ensuite longer la vaste forêt de pins blancs. Les sentiers qui la sillonnaient, tantôt lumineux, tantôt ombragés, semblaient emprunter à la pure fantaisie, comme des enfants qui jouent à la cachette. Séneville en humait tous les arômes avec délectation, se remémorant sa région natale des Appalaches. Dans l'esprit d'Éva, ce sentier évoquait le jeu de la séduction. Un rappel constant de son attirance pour M. Watterson. Toutes trois se baladaient en silence, happées par leurs propres rêves.

Donio dut les presser un peu. Depuis une vingtaine de minutes, il savourait le plaisir qu'il aurait à leur annoncer que M. le maire les invitait à sa table pour le souper et qu'il leur prêtait sa maison sur le bord du lac pour la nuit.

— C'est toi qui as tout arrangé? demanda Séneville.

— Comme j'ai emmené bien des visiteurs dans sa municipalité, M. le maire me l'avait offert l'an passé… Il est heureux de renouveler l'invitation cette année.

Gaby reconnut là l'entregent de son frère. Éva, essayant de cacher son excitation, ne dit mot.

— Je croyais, Donio, que tu avais loué des chambres dans un hôtel, dit Séneville.

— Il n'y en a pas encore.

— On en avait bien un, à Chambly.

— Je ne plains pas la personne qui va venir en ouvrir un ici. Le site est si magnifique qu'il pourrait attirer des touristes à longueur d'année, dit Gaby, déplorant être dépourvue du don d'ubiquité.

Puis, se tournant vers sa sœur, elle lui partagea son rêve:

— Dans une vingtaine d'années, nous verrais-tu ouvrir un hôtel avec un grand restaurant, par ici? Dans une des salles, on pourrait réaménager notre salon de haute couture…

— Tout de suite, aurait répondu Éva, si elle n'avait tenu à garder secret son coup de foudre pour M. le maire.

L'accueil de M. Watterson dépassa leurs attentes. Avec une courtoisie à la française, il baisa la main de Séneville, honora Gaby d'un regard admiratif et se pencha vers Éva, à qui il dit:

— Beaucoup de réserve cache souvent un grand trésor…

— C'est trop d'honneur, parvint-elle à articuler.

Il les fit approcher de la table et leur désigna une place : à sa droite, Séneville, à sa gauche, Donio, et les deux sœurs Bernier face à face. Ouf! Éva se permit de respirer. Elle pourrait profiter de l'imposante stature de sa mère pour se mettre en retrait ou demeurer en évidence, selon les besoins.

Une servante ne tarda pas à leur présenter un potage fumant.

— Avec les légumes de chez nous, précisa le maire.

Les appréciations des invités furent sincères. L'hôte posait des regards énigmatiques tantôt sur Séneville, tantôt sur Éva. Consciente du malaise de sa sœur, Gaby fit appel au talent de conteur de M. le maire pour meubler la conversation.

— Donio nous a laissé entendre qu'il y a plein de cachettes dans votre village, avança-t-elle, rieuse.

— Vous faites allusion à la maison qui porte une pierre gravée sous le plafond de sa galerie?

— Oui, oui.

Le plat de résistance servi, la distribution du rôti de veau et de légumes terminée, la parole retourna à M. Watterson.

— De fait, on a trouvé un cellier caché dans la maison de Charles Lenoir, chuchota-t-il, comme s'il ne s'adressait qu'à Gaby. Une belle grosse maison tout en pierres grises. Elle aurait été une des premières tavernes de Montréal. Elle servait d'auberge aussi... Les murs de la cave sont percés de meurtrières.

— De meurtrières? questionna Éva, désireuse d'attirer son attention.

— Oui, des fentes qui permettaient de lancer des projectiles tout en restant bien protégé. C'était utile dans l'ancien temps pour se défendre contre les ennemis, de justifier M. Watterson.

— Les ennemis?

— Oui, ma p'tite dame! Les Iroquois ont toujours été mena-
çants… Mais le sujet n'est pas de circonstance. Pardonnez-moi! Vous
saviez aussi qu'on a confié la décoration de l'église de l'Annonciation
à un grand peintre d'origine italienne? Un artiste qui se spécialise
dans les vitraux.

L'écoute de tous ses invités lui fut acquise.

— Se pourrait-il que ce soit Guido Nincheri?

— Vous le connaissez, Mlle Éva?

— Bien sûr! C'est lui qui a dessiné les deux autels en marbre rose
qu'on vient d'installer dans notre ancienne église de la paroisse Saint-
Pierre-Apôtre.

— Mes échevins et moi y sommes allés pour rencontrer l'artiste.

— Vous avez vu les beaux vitraux qu'il a faits aussi dans l'église
Notre-Dame-de-Grâce? Je me ferai un plaisir de vous faire visiter différents lieux saints qu'il a décorés quand vous viendrez à Montréal,
proposa Éva, avec un empressement qui étonna ses proches et mit
M. le maire dans l'embarras.

— Si l'occasion se présente, répondit-il.

Après un copieux repas, sustentés et fourbus, les Bernier, sauf
Éva, étaient prêts à se diriger vers le grand chalet de bois rond,
offrant une grande pièce centrale et trois chambres à coucher. Sa
structure laissait croire qu'il avait été construit par des Amérindiens.
«Combien de secrets peuvent bien se cacher derrière ces billots?
Probablement autant que dans la tête de ma sœur, ce soir», pensa
Gaby qui, allongée près d'Éva, tentait de dormir. «Quand je pense
que M. Watterson a pu construire ce chalet de ses propres mains»,
se plaisait à croire Éva, abandonnée à une rêverie qui avait un nom…

À l'aube, le lendemain matin, Donio claironnait:

— Debout, on a une grosse journée!

— Tu es dans les patates, toi! On est en congé, riposta Gaby.

— N'empêche qu'on n'a pas de temps à perdre.

«Qu'est-ce qu'il mijote encore, celui-là?» se demanda-t-elle, curieuse d'en savoir davantage. Elle attrapa son déshabillé de satin blanc et rejoignit sa famille déjà attablée, attendant que Donio apporte le déjeuner que la servante de M. Watterson avait préparé.

— Je vais vous le chercher dans deux minutes. Ensuite, c'est une belle promenade sur les rives du lac des Deux-Montagnes, après quoi, on prendra la route pour Montréal, annonça-t-il, tenant à garder secret le programme de la fin de cette journée.

— On repart aujourd'hui? Ce ne devait pas être demain? s'étonna Gaby.

— Sans passer saluer M. le maire? s'écria Éva, prête à s'en offusquer.

— Il prenait le train pour Ottawa, très tôt ce matin. J'ai glissé quelques billets de cinq dollars dans une enveloppe cachetée, à son nom. Je vais la confier à sa bonne.

Éva ne put cacher sa déception. Elle s'y emmura pendant le déjeuner et tout au long de la balade sur les rives du superbe lac des Deux-Montagnes, pendant que les trois autres Bernier exprimaient leur enchantement. Donio la prit à part. Ne pouvant supporter qu'elle gâche la suite des événements, il lui révéla le plan de la soirée. Ce qui eut l'heur de lui plaire.

Le moment venu de prendre la route pour Montréal, un sourire narquois sur les lèvres, Donio proposa de leur interpréter une chanson «de circonstance».

— On la connaît? s'informa Séneville, qui aimait chanter.

— Vous verrez bien, répondit-il, taisant le nom de La Bolduc.

C'est aux jeunes filles de campagne que je chante cette
chanson
Vous êtes la fleur des montagnes recherchée par nos garçons

Dans cette place-là j'vous l'dis que les jeunes filles sont jolies
Elles donnent pas tout leur p'tit change pour du rouge de
pharmacie

Elles ont des belles manières puis elles savent s'faire respecter
On les voit pas le soir au bal pour aller danser

Elles sont pas écourtichées elles s'habillent simplement
Elles n'sont pas décolletées par-derrière ni par-devant

Elles veillent toutes en famille accompagnées de leurs parents
C'est comme ça que ça s'passe dans nos familles d'habitants

Chères petites filles de campagne restez avec vos parents
Y a des beaux garçons en ville mais c'est pas tous des
travaillants

Quand vous voudrez vous marier r'gardez pas rien qu'la
beauté
Si le garçon a du cœur vous aurez bien du bonheur.

— Elle est bien plate, ta chanson! s'écria Gaby. J'en connais de bien plus belles.

Sur le siège arrière de la voiture, les voix de Gaby et de sa mère se firent entendre jusqu'à leur résidence familiale. Donio les prévint qu'elles devaient être prêtes à repartir dans une heure et qu'elles devaient être endimanchées.

— Pour aller où?

— Tu verras, Gaby, rétorqua Éva, fière d'avoir eu droit au secret de son frère.

— Je peux au moins dire que cette soirée sera à l'image du travail des petites mains, se permit Éva, incapable de ne rien divulguer.

De nouveau sur la route, la voiture se dirigea vers le boulevard Saint-Laurent, puis s'arrêta devant le Monument national. Le moment était venu pour Éva de lever le voile sur un aspect de la soirée :

— C'est une chanteuse avec qui tu as une certaine parenté, Gaby. Une Gaspésienne qui a été couturière d'abord et qui compose plein de chansons qui font du bien à entendre par les temps qui courent. Comme toi, elle ne manque pas d'audace... J'ai lu quelques lignes à son sujet dans un journal, la semaine dernière. C'est une fille née en juin, elle aussi, le 4, sept ans avant toi.

Gaby écarquilla les yeux, muette d'étonnement.

— Il paraît qu'en plus de composer ses chansons, elle sait jouer d'au moins cinq instruments, ajouta Éva, sous l'œil réprobateur de son frère.

La fébrilité gagna Gaby.

— J'espère qu'on trouvera des sièges assez près de la scène, murmura-t-elle, priant ses proches de hâter le pas.

— Pas la peine de se précipiter, recommanda Donio, je les ai réservés la semaine dernière.

Une foule grouillante d'impatience attendait la chanteuse. Le silence se fit dès que le rideau se leva et qu'entra, le port solennel, la démarche assurée, celle qu'on appelait maintenant La Bolduc. Gaby et Séneville étaient folles de joie. De sa Gaspésie natale, où elle s'était retirée un certain temps pour se reposer en compagnie des siens, La Bolduc venait donner un concert au Monument national, là où elle avait charmé son public comme comédienne lors des soirées *Les Feux Follets* l'année précédente. Avec sa jovialité naturelle, elle annonça :

— Puisque vous avez insisté pour que je quitte ma Gaspésie où je me la coulais douce depuis quelques semaines, je vais vous interpréter un de mes grands succès.

À cet instant, ses musiciens firent vibrer les premiers accords de leurs instruments et Mary Travers entonna :

Je vas vous dire quelques mots d'une belle cuisinière
Elle soigne ses troupeaux comme une belle bergère
Pas bien loin dans les environs, on verra passer des garçons
Des grands et des p'tits, des gros et des courts, des noirs
et des blonds
Hourra ! pour la cuisinière !

Il se présente un amoureux avec des belles manières
Il était si gracieux en faisant sa prière
Son p'tit cœur débat pour le mien, pis le mien débat pour le
sien
Pis le sien pour le mien, pis le mien pour le sien
Hourra ! pour la cuisinière !

Le temps de penser comment elle pourrait adapter à la couturière les paroles entendues, Gaby avait échappé quelques couplets.

Il se présente un amoureux avec un flask dans sa poche
C'était pour traiter les vieux pour pas avoir d'reproches
Il faut être à moitié soûl, pour me dire :
« Viens donc mon p'tit loup
Viens donc prendre un coup, tu vas trouver ça doux »
Hourra ! pour la cuisinière !

Il se présente un amoureux mais tout couvert de crasse
Il en avait tellement épais j'y voyais pas la face
Je lui dis : « Pousse-toi mon vieux, sors d'ici vilain paresseux
Va t'laver les yeux, je peux trouver mieux »
Hourra ! pour la cuisinière !

Il se présente un p'tit senteux qu'était pas bête à voir
I s'fourrait l'nez dans les chaudrons ainsi que dans l'armoire
J'ai pris mon manche à balai, j'y ai cassé dessus les reins
Partout sur le corps, j'l'ai sapré dehors.
Hourra ! pour la cuisinière !

L'assistance avait spontanément entonné les deux dernières strophes avant d'applaudir à faire vibrer les murs.

— Pour ceux qui ne le savent pas, je venais d'avoir treize ans quand j'ai pris l'*Atlantic, Quebec and Western Railway* pour venir travailler comme servante chez un médecin du carré Saint-Louis. Cette expérience m'a inspiré deux chansons : *La Servante* et *La Cuisinière*.

La chanteuse interpréta chacune de ses créations avec un sens théâtral inégalé. Gaby et sa mère savourèrent ce concert du début à la fin.

— C'est dommage que certaines de ses chansons soient un peu vulgaires, nuança Éva.

Le lendemain, Donio fut mandaté par Gaby pour se rendre chez *Archambault Musique* sur la rue Sainte-Catherine, où il dut faire la file pour rapporter le microsillon soixante-dix-huit tours de La Bolduc. Trop heureux de son achat, il lui prit la fantaisie de le montrer d'abord à sa mère. Séneville se l'appropria aussitôt.

— Tu me le laisses pour la journée. On le donnera à Gaby à l'heure du souper, décida Séneville, qui s'empressa de placer le microsillon sur le gramophone et se mit à chanter avec La Bolduc.

Donio cru voir Séneville jeune fille, exubérante, le cœur aux anges et le pas à la danse. Par contre, certains titres la plongèrent dans une telle nostalgie qu'elle dut s'interdire de les réécouter.

Inquiète du temps que Donio mettait à revenir à la maison, Gaby monta au domicile familial où elle aperçut Séneville, le microsillon dans les mains.

— Qu'est-ce que tu attendais, Donio, pour venir me le porter ?

Donio se tourna vers sa mère.

— C'est moi qui ai insisté pour l'écouter la première, s'empressa de déclarer Séneville.

— Vous avez bien fait! De toute manière, je ne peux pas le faire tourner dans mon Salon de couture, admit-elle, repentante.

— J'ai hâte à la sortie de son prochain enregistrement. On devrait y entendre chanter ses enfants aussi. Rien ne peut me faire autant de bien que la voix et la présence des enfants. En passant, vous ne pourriez pas m'amener notre orphelin pour la fin de semaine?

Gaby fronça les sourcils.

— Je sais bien que quant à lui, Jean passerait ses semaines ici. Mais je pense à sa mère aussi. Sa santé décline de jour en jour. Cette pauvre femme craint de devoir passer des mois dans un sanatorium.

— Tu lui as dit que nous ne demandons pas mieux que de garder son petit Jean?

— Elle le sait, Maman, mais vous imaginez sa peine?

Séneville porta son regard sur ses mains ravinées et laissa un long soupir couvrir son silence.

De retour à son Salon de couture, Gaby demanda l'avis de sa sœur. Tout comme elle, Éva craignait que l'attachement de Séneville pour ce jeune orphelin lui réserve des chagrins inévitables.

— Si on demandait à Donio d'emmener maman, les dimanches, visiter de belles régions du Québec?

— Elle voudra qu'on les accompagne.

— Et pourquoi pas?

— Éva, pour respecter le contrat que j'ai signé ce matin, je devrai travailler sept jours sur sept.

— De qui vient-il?

— De la *Canadian Celanese*.

Le *Salon Gaby Bernier* devait produire une collection d'environ quinze vêtements fabriqués dans un tissu qui combinait l'acétate à la soie ou au coton. Et comme la *Canadian Celanese* avait commandé ce défilé pour rehausser son image dans le marché de la soie artificielle, Gaby n'avait droit à aucune erreur. Plus encore, elle devait donner à ses clientes le goût d'adopter cette nouveauté. Elle devait leur prouver que ce tissu synthétique était de meilleure tenue que la rayonne, qu'il ne rétrécissait pas, ne pâlissait pas et ne se froissait pas. Pour atteindre cet objectif, Gaby avait besoin de la collaboration de toute son équipe, quitte à multiplier les heures de travail. Les exigences de la *Canadian Celanese* en association avec la *Garment Retailers of America* étaient de taille. Gaby devait innover.

— Je voudrais que tu ailles chez *Butterfly Hosiery* et que tu me rapportes des bas de soie pour dames, demanda-t-elle à Constance. Et tant qu'à être tout près de la manufacture *Dennison Manufacturing*, passe m'acheter du papier de fantaisie, s'il te plaît.

— Du papier ?

— Pour les invitations au défilé…

Constance fronça les sourcils puis clama :

— Quelle bonne idée ! Mais es-tu certaine que les compagnies impliquées accepteront de te rembourser les frais ?

— Je les assumerai. C'est une forme de publicité qui pourrait rapporter gros à mon Salon.

Constance l'approuva, contrairement à Éva, qui, informée de cette initiative coûteuse, émit une réserve, suggérant un avis de leur comptable. L'idée irrita Gaby qui, pour ne pas nourrir le différend, promit d'y réfléchir.

Gaby raccrocha le combiné, résignée à ne revoir Pit Lépine qu'une seule fois avant son départ pour un entraînement aux États-Unis. Tous deux avaient convenu d'aller danser au club *Samovar*, l'un des préférés de Gaby. Pour combler cette attente de huit jours, elle se remémorait les mots tendres de son amoureux. «Ma toute jolie», «la reine de mon cœur», «ma petite fleur de paradis», autant de titres qu'elle aurait voulu retrouver dans une même chanson... pour la fredonner à satiété.

Heureusement, l'orphelin Taupier avait ce pouvoir de distraire les Bernier de leurs soucis quotidiens. Séneville était allée acheter des jouets, des cahiers à colorier et de nouveaux crayons de couleur.

— Si vous avez du travail à faire, allez-y, Jean et moi on va s'amuser ensemble, n'est-ce pas, mon p'tit homme? dit-elle en étalant sur la table la totalité de ses achats.

— Oui, oui, Mamie Bernier! On va colorier, suggéra l'enfant.

Séneville semblait avoir son âge, tant elle se prêtait à ses fantaisies.

— T'es beau comme un ange! lui répétait-elle.

— Vous êtes la plus gentille de toutes les mamies, rétorquait-il, en admiration pour celle qui craignait ne plus entendre ces mots que de la bouche de Jean.

Marcelle occupée à ses tâches domestiques, Donio à ses passagers, ce samedi matin, Éva et Gaby pouvaient descendre à leur Salon en toute quiétude.

Elles venaient à peine de terminer leur mise en place et de distribuer les tâches à leurs ouvrières que deux demoiselles se présentèrent, demandant à parler à la propriétaire.

— C'est moi, dit Gaby, les invitant à s'asseoir dans la salle d'attente. Vous êtes...

— Des membres de la *Ligue catholique féminine.*

— Qu'est-ce que je peux faire pour vous, mesdemoiselles?

— Nous ne venons pas vous demander des costumes...

— Quoi donc, alors?

— Nous venons vous prier de vous soumettre à la morale catholique française.

— Ah bon! Expliquez-vous.

Ces demoiselles venaient reprocher à Gaby d'inciter ses clientes à l'immoralité en leur confectionnant des robes qui dévoilaient les genoux et les bras.

— Vous prétendez que le cou et le bas des jambes d'une femme sont provocants? J'aurai tout entendu!

— Notre appartenance à la *Ligue catholique féminine* fait de nous des ambassadrices de l'Église pour protéger la vertu et la décence féminine dans notre société. Nous jugeons certaines de vos créations indécentes…

— Eh bien, je ne vous oblige pas à les porter.

— Nous sommes maintenant trente mille à préconiser le port de vêtements en tissus opaques. Nos dames ne seront pas moins élégantes leur poitrine couverte jusqu'au cou et leur jupe descendant à mi-jambe.

— Soyez fidèles à votre mission si elle vous donne bonne conscience, mais ne perdez plus votre temps à venir chez moi. Je n'ai besoin de personne pour me dicter ma conduite, riposta la propriétaire du Salon en les reconduisant dans le vestibule.

— On n'en restera pas là, Mlle Bernier. Vous n'avez pas fini d'entendre parler de nous.

Éva avait tout vu.

— Pourquoi les as-tu traitées avec une telle arrogance? riposta-t-elle.

Gaby feignit de n'avoir rien entendu et monta informer sa mère de cette visite pour le moins déplaisante.

— Il fallait t'y attendre un jour ou l'autre... Les membres de cette ligue sont partout, même dans les hôpitaux, dit Séneville.

— Qu'est-ce qu'elles font là ?

— Elles vérifient que les malades sont vêtus avec pudeur, surtout s'ils ont à sortir de leur chambre.

— Elles n'ont pas fini de s'attaquer aux professionnels de la mode, présuma Donio, qui aidait Jean à se bâtir une maison en carton.

— Elles ont la même mentalité que les religieuses... expliqua Séneville. Mais j'ai confiance en la fidélité de ta clientèle et à son bon goût.

— Et moi en ton talent, Gaby, clama Donio.

En dépit des apparences, ces réflexions avaient ébranlé la sérénité de la créatrice de mode. Elle grilla cigarette sur cigarette et n'entonna pas un seul refrain de la journée. « S'il est vrai qu'après seulement deux ans de fondation, la *Ligue catholique féminine* compte plus de trente mille membres et que son bulletin est publié à plus de vingt mille exemplaires, je ne devrais peut-être pas sous-estimer l'effet de leur propagande. » Un conseil de Louise-Zoé revint à sa mémoire : « Il n'est pas sage de naviguer à contre-courant. » « Je devrais trouver un moyen de m'attirer la sympathie de cette association. Décrocher sa collaboration, mais comment ? »

Le lendemain, Gaby et sa sœur, attablées pour le petit-déjeuner, en avaient causé sans trop de résultats quand Séneville vint les rejoindre.

— Pour ton défilé d'octobre... Si tu engageais des jeunes filles de la *Ligue catholique féminine* pour parader avec tes créations ?

L'idée plut à Gaby.

— Si tu les approchais, toi, Éva ? Tu saurais mieux que moi choisir les bons mots pour toucher leurs cordes sensibles.

Le café avait refroidi dans leur tasse quand les sœurs Bernier parvinrent à s'entendre sur un scénario d'approche et sur la coupe des vêtements que ces mannequins improvisés auraient à porter.

— Couper dans la fantaisie tout en mettant en valeur la confection. Des manches au coude, des jupes à mi-jambe et pas de décolletés, qu'en pensez-vous ? demanda Gaby.

— Pour compenser, j'ajouterais une broderie aux décolletés en V, proposa Éva.

— Et une dentelle au bas des manches, ajouta Séneville.

Sans tarder, Gaby quitta la table, confiante de la réussite de ce projet.

Toute au bonheur d'aller danser avec son amoureux au club *Samovar* dans quelques heures, Gaby ne fut nullement atteinte par la morosité de ce samedi pluvieux de septembre. Les ouvrières avaient quitté le salon vers midi, Éva additionnait les profits de la semaine pendant que Gaby tournait en rond dans sa salle de coupe.

— Qu'est-ce que tu attends pour fermer ? lui demanda sa sœur, sa comptabilité terminée.

— Je me demande si je n'aurais pas le temps de me tailler une nouvelle robe…

— Si tu commençais par noter celles qu'il t'a vue porter, tu en trouverais dix fois plus qu'il n'a jamais vues…

Dans un éclat de rire, Gaby lui donna raison. Combien en essayat-elle avant de sortir de sa chambre avec un veston rouge porté sur une robe noire ? Elle seule le savait, mais elle y avait mis plus d'une heure. De sa mère et de Marcelle, elle quémandait des avis sur son apparence. Au souper, elle retourna son assiettée à peine entamée.

— Tu devrais te forcer à manger un peu plus, c'est fatigant de danser toute une soirée, lui conseilla sa mère

— À moins que ce ne soit pas pour danser que tu vas rencontrer ton M. Lépine, lança son frère.

— Tu as raison, Donio. Je prends le train pour New York avec lui, rétorqua-t-elle, en badinant.

Plongée dans des souvenirs qui dataient de quarante ans, Séneville observait sa fille avec bonheur. C'était lors d'une telle soirée qu'elle avait rencontré son Elzéar et que tous les deux avaient vécu leur coup de foudre. Les retours constants de Gaby vers le miroir pour replacer une mèche de cheveux, poudrer ses joues, appliquer son rouge à lèvres portaient sa mère à croire qu'elle était vraiment éprise de ce hockeyeur. « Beaucoup de notoriété, beaucoup d'argent, mais que d'absences et de risques d'infidélité », pensa Séneville. Il lui était quand même facile d'imaginer sa fille sur la piste de danse, moulant son corps à celui de Pit pour s'en éloigner avec confiance et y revenir avec une plus grande ferveur, au gré des chorégraphies. « Mon Dieu, faites que sa vie ressemble à cette soirée », demanda-t-elle dans ses prières avant d'éteindre la lampe.

Des messieurs avec qui Gaby avait déjà dansé lors de ses visites précédentes vinrent lui tendre la main.

— Merci, mais ce soir, je ne danse qu'avec mon amoureux.

Pit se déplaçait sur la piste avec la même souplesse et la même assurance que sur la glace. Avec une certaine fougue, parfois… comme au lit. Le corps fourbu mais le cœur battant de désir, Gaby ne demandait qu'à le suivre dans un petit hôtel de la rue Sherbrooke. Ayant déjà franchi la barrière de l'inconnu, elle s'abandonna plus facilement dans les bras de son amoureux. Leurs gestes s'harmonisaient, leurs regards enflammés se croisaient, éloquents comme leurs soupirs. Il fut douloureux de mettre fin à la fusion de leurs corps. À regret, Gaby rentra chez elle tôt le matin. L'euphorie de cette soirée la suivit et meubla ses rêves.

— Tu ne devais pas aller chercher notre petit homme, ce matin ? demanda Séneville après avoir frappé à sa porte de chambre. Il est déjà dix heures.

D'un bond, Gaby sortit de son lit, posa ses mains sur son bureau pour retrouver son équilibre. Un brin de toilette, un croûton tartiné de confiture et quelques réponses évasives aux questions posées, elle sauta dans sa voiture, en direction du 11 de la rue Sherbrooke Est.

La veuve Taupier l'accueillit avec une cordialité qui n'avait d'égal que le bonheur du garçonnet. Un peu moins chagrine, mais plus amaigrie qu'à la fin de l'été, la jeune femme annonça son intention d'aller passer quelques jours chez les Taupier de Chambly. La présence de son fils aîné lui manquait, l'affabilité de ses beaux-parents aussi.

— Pourquoi ne pas prendre toute la semaine avec eux ?

— Je ne voudrais pas vous importuner…

— Si vous saviez quel bien Jean fait à notre mère ! Elle l'accapare dès qu'il met les pieds dans la maison. Un peu plus et il nous faudrait tirer au sort pour avoir le droit de jouer avec lui.

— Je ne pourrais en dire autant de mon plus vieux. Ses grands-parents le traitent très bien, mais il s'ennuie beaucoup à Chambly. Il se sent trop loin de moi. Je pense même le ramener ici dès que j'aurai retrouvé mes forces.

Quelques minutes d'échanges avaient donné le temps à Jean de bourrer son baluchon de vêtements pêle-mêle, d'attraper son veston et de tirer sur la jupe de Gaby pour qu'elle s'empresse de repartir avec lui.

— Tu as pensé à t'apporter des jouets ? lui demanda sa mère.

— Pas besoin ! Il y en a tout plein chez mes amis Bernier.

— Mes amis Bernier ? répéta Gaby, agréablement surprise.

— Il a pris l'habitude de parler de vous dans ces termes, expliqua la veuve.

Après avoir accordé à sa mère le câlin qu'elle réclamait, Jean courut vers la vieille Dodge noire de Gaby et s'y installa avec une assurance belle à voir.

— Pourquoi t'as pas une belle auto comme celle de Donio?

— Tu l'aimes plus que la mienne?

— Oui, elle reluit de partout, la sienne. Mais je t'aime plus que j'aime Donio, par exemple.

— Pourquoi?

— Parce que tu es belle et que tu sens toujours bon.

Il n'en fallait pas plus pour que Gaby se rende à la parfumerie du magasin *Eaton*.

— Tu vas m'aider à choisir de bons parfums, le prévint-elle, en quête des créations de Coco Chanel.

Les fioles étaient nombreuses, le choix difficile. Le nez collé sur la petite baguette enduite de parfum, Jean humait, une fois, trois fois, puis prêtait le bâtonnet à Gaby pour qu'elle le teste à son tour. Ses goûts s'affirmaient pour quatre parfums.

— C'est bien trop, tout ça! Je n'ai pas besoin de quatre parfums, Jean.

— On en apporte pour maman, pour Mlle Éva et pour Mamie Bernier, aussi.

— Oh! J'avais oublié! s'exclama-t-elle, coincée entre ses propres intentions et la générosité du bambin.

Gaby quitta le magasin avec quatre flacons de parfum et un garçon sautillant de joie.

À peine avaient-ils gravi quelques marches de l'escalier conduisant au logement des Bernier qu'ils entendirent:

— C'est toi, Gaby?

La poignée de la porte céda sous la main ferme de Séneville.

— Mais tu as mis bien du temps à nous le ramener, ce garçon !

Dans son regard il y avait toute la tendresse que lui inspirait cet enfant et dans celui de Gaby, un attachement que chacune de leurs rencontres étoffait.

Sous les pressions de Jean, la distribution des parfums dut se faire dès leur arrivée. Il fut chargé d'offrir le *Chanel 5* à Séneville, le *Bel Respiro* à Éva.

Jean se fit répéter le nom de chacun des deux flacons restants et dit :

— Je pense que maman aimerait mieux celui-là, dit-il en désignant le *Bois des Îles*. Elle aime se promener dans les bois.

Émue par la générosité de Gaby et la délicatesse de l'enfant, Séneville essuya une larme.

— Elle a du goût, Coco, pour choisir le nom de ses parfums, dit Éva, admirative.

— Coco s'inspire souvent des lieux où elle habite pour commander un nouveau parfum à ses créateurs. Le *28 La Pausa*, c'est la maison de vacances où elle a reçu des amis aussi prestigieux que le duc de Westminster et Salvador Dalí. *Bel Respiro* désigne la maison qu'elle a achetée en 1920 et où elle aurait vécu des moments paradisiaques avec son amant, le grand musicien Igor Stravinsky.

— Il ne t'est jamais venu à l'idée, Gaby, d'avoir ta ligne de parfums ? suggéra sa mère.

— J'avoue que je suis plus attirée par les accessoires de mode et la création de bijoux. J'ai d'ailleurs l'intention de m'y mettre dès que j'aurai déniché un local tout près de mon Salon pour Margot Wait.

— Comment arrives-tu à dormir avec tant de projets dans la tête ? s'inquiéta sa sœur.

— Je m'empresse de les concrétiser…

Ce matin du 9 novembre 1931, la veuve Bernier se montra plus taciturne que jamais.

— Après vingt-deux ans, vous avez encore autant de peine ? s'étonnait Éva.

— On ne peut comprendre ça que si on a eu la chance de vivre un grand amour dans sa vie.

— Je me demande si c'est une chance…

— Moi, je le crois, déclara Gaby.

— Hum ! Moi, je m'en garde bien, avoua Donio.

— Ne serait-ce que pour la satisfaction de savoir qu'il m'attend de l'autre côté, ça vaut le vide ressenti depuis son départ, confia Séneville.

Gaby, attristée par l'absence de Pit, ne suivait plus la conversation. « Je devrais lui accorder plus de temps… pour ne pas vieillir avec des regrets ; pour échapper à la souffrance que maman porte en silence depuis toutes ces années. Vivement la fin de ce défilé pour que je puisse répondre à ses invitations. Le surprendre et le réjouir en faisant les premiers pas pour une nuitée dans ses bras à l'hôtel de son choix. Prendre le train pour assister à un de ses matchs, où qu'il soit, et le rejoindre à la sortie du vestiaire, le suivre jusqu'à sa chambre, sabrer le champagne même si son équipe a perdu. Notre amour mérite bien d'être célébré. Le temps passe si vite ! »

Devant la liste des parties où Pit devait jouer, il y avait celle de la mi-décembre, à New York. « Un temps idéal pour être dans cette ville si excitante avec ses vitrines de vêtements et de bijoux à faire rêver, ses décorations flamboyantes, et moi, dans les bras d'un homme qui me désire de tout son être… à moins qu'il en courtise une autre quand il joue ailleurs qu'à Montréal. Raison de plus pour ne pas annoncer ma visite. »

UNE INDISCRÉTION DE DONIO

J'aime la personnalité de ma sœur Gaby, sa spontanéité, son audace et sa bonne humeur. Mais parfois, elle me fait vivre de mauvais quarts d'heure. Comme cette fois où, en revenant de chez la veuve Taupier avec son bambin, nous roulions doucement sur la rue Sherbrooke quand deux religieuses s'apprêtent à traverser. J'arrête la voiture et de la vitre ouverte, Gaby leur envoie la main avec un sourire si amical que les bonnes sœurs s'approchent, croyant reconnaître la propriétaire du Salon Gaby Bernier.

— Il est beau comme un chérubin ce petit garçon, dit l'une d'elles.

— C'est votre fils ? demande l'autre.

Gaby le lui confirme d'un geste de la tête. J'en suis estomaqué et je m'apprête à la corriger quand la religieuse présume :

— C'est son papa ?

— C'est son papa. Allez, le papa, on est pressés !

Les sœurs ont filé vers le trottoir sans que je puisse les informer qu'il s'agissait d'une mauvaise blague.

Une chance que Jean l'a pris comme une rigolade et qu'il s'en est bien amusé !

Robe Roméo et Juliette

CHAPITRE IV

À six mois de mes trente et un ans, je vis pour la première fois des inquiétudes qui m'empêchent parfois de dormir. Je remets en question l'habitude que nous avons prise de nous comporter comme des parents adoptifs avec Jean sans consulter ses grands-parents. Je ne voudrais pas faire marche arrière un jour et devoir couper les liens que nous avons entretenus avec cet enfant. Ce serait très douloureux pour chacun de nous, pour maman encore plus.

Des doutes me viennent aussi sur la fidélité de mon amoureux, compte tenu de ses séjours répétitifs et prolongés hors du Québec. J'admets que je me fais une gloire de fréquenter un homme aussi célèbre et aussi séduisant que Pit Lépine. J'en viens même à me demander si mon amour pour lui est au moins aussi fort que ma vanité. Mais quand j'imagine que Pit n'est pas un hockeyeur réputé, je constate que je ne l'aimerais pas moins.

Le défilé de la *Garment Retailers of America* magnifiquement réussi, Gaby se félicitait d'avoir appliqué un des dictons préférés de sa mère: « On attire plus de mouches avec du miel qu'avec du vinaigre. » La *Ligue catholique féminine* avait agréé à la demande du *Salon Gaby Bernier* et avait permis à ses membres les plus douées de participer à ce défilé comme mannequins bénévoles. En retour, Gaby avait offert de leur confectionner une jupe aux plis permanents pour le Noël 1931. «Vous viendrez choisir la couleur et la longueur», leur avait-elle dit après ce défilé.

— Tu aurais peut-être pu m'en parler avant de leur faire cette promesse. C'est de l'argent qui sort et qu'on ne pourra pas utiliser pour des clientes qui paient, lui avait fait remarquer Éva.

— Ça fait partie des gestes non prémédités qu'il m'arrive de faire, avait riposté sa sœur, l'air et le ton incitant au pardon.

Plus encore, en apprenant que Gaby avait eu l'intention de reporter au 14 février la livraison des jupes de soie promises aux mannequins qui avaient couvert le défilé de la *Garment Retailers of America*, Éva lui en avait exposé les désavantages.

— Le respect de la parole donnée est une marque de commerce essentielle, lui avait-elle rappelé.

— Je n'ai pas le droit de l'oublier. Tu as raison, Éva. J'avoue que parfois, tu m'évites de prendre des décisions regrettables. Tu m'es vraiment précieuse, ma petite sœur.

Cet échange remémoré autour de la table pendant le souper du jour de l'An 1932 avait créé une ambiance favorable aux plaisanteries, mais aussi aux aveux et aux confidences de la famille Bernier. Séneville éprouvait le besoin de formuler à chacun ses vœux les plus chers avec une sincérité désarmante.

— Toi, Gaby, j'aimerais que tu me promettes d'user de plus de prudence dans ta vie. Tu te comportes souvent comme si tu étais à l'abri de tout danger. Tu te donnes sans mesure…

— Maman, vous savez bien que j'ai toujours un ruban à mesurer autour du cou, riposta-t-elle, fidèle à son tempérament espiègle.

Éva approuva sa mère.

— Pense seulement aux soirées éreintantes que tu t'es imposées avant Noël pour confectionner toi-même les jupes promises aux mannequins. Je me demandais dans quel état tu prendrais le train pour New York, tant tu étais épuisée.

Une taquinerie au coin de l'œil, Donio souriait.

— Je sais que Gaby est une vraie bête de somme et qu'il lui arrive d'aller trop loin, mais je ne me suis jamais inquiété quant à son escapade à New York. La seule pensée de se retrouver dans les bras de son amant a fait fondre sa fatigue comme neige au soleil. Elle pourrait te l'affirmer…

— N'y compte pas, Donio.

— Comme si cet aspect prenait toute la place dans une vie, marmonna sa sœur.

Un hochement de tête, une désapprobation retenue de la part de Gaby, laissa à Donio le temps de répliquer.

— Je mettrais ma main au feu, p'tite sœur, que le jour où tu vas goûter aux plaisirs de… tu sais ce que je veux dire, tu nous comprendras.

Éva reprocha à son frère de saupoudrer tous ses propos d'une allusion à la sexualité, ce qui eut pour effet d'alimenter la discussion. Gaby, happée par le souvenir des moments paradisiaques passés en compagnie de Pit, ne les entendait plus. L'explosion de joie de son hockeyeur à la sortie du vestiaire, l'ardeur avec laquelle il l'avait soulevée de terre en s'écriant devant ses coéquipiers : « C'est le plus beau de mes trophées ! » et la volupté de leurs échanges avait polarisé toute son attention. Encore subjuguée par le regard enjôleur de son amant, Gaby souriait à un passé toujours présent.

— Es-tu vraiment revenue de New York ? lui demanda sa mère, avec une empathie qui lui plut.

— S'il ne m'avait promis de revenir à Montréal autour de la Saint-Valentin, j'y serais bien restée quelques jours de plus. On a un beau projet…

— Vous marier ? crut Séneville.

— Il n'est pas question de mariage entre Pit et moi, pas pour le moment, en tout cas.

— Au moins, vous serez ensemble pour la fête des amoureux, dit son frère.

Éva fronça les sourcils, craignant une autre escapade de sa sœur. Gaby s'empressa de la rassurer :

— Ne t'inquiète pas, la fête des amoureux tombe un dimanche, cette année.

— En réalité, corrigea Éva, ce n'est pas la fête des amoureux, mais celle des célibataires.

— Depuis quand ? questionna Donio.

Résolue à faire fi de son scepticisme, elle détailla avec un plaisir évident que le jour de la Saint-Valentin avait longtemps été célébré par des gens aspirant au mariage.

— Dans les villages, les jeunes filles célibataires se cachaient dans les environs en espérant que les garçons les trouvent.

— Ce devait être très amusant. Dommage que cette pratique n'existe plus, déplora Donio.

— Tu ne l'aurais même pas respectée dans sa totalité, toi.

— Tu veux dire…

— Le jeune homme devait s'engager à marier la fille qu'il avait trouvée, et ce, avant la fin de l'année.

— Oups !

— J'imagine que beaucoup d'entre eux trichaient… supposa Gaby.

— Qui ne l'aurait pas fait pour épouser la plus belle fille du village ! s'exclama Donio.

Séneville, peu intéressée par cette conversation, déplorait l'absence de l'orphelin Taupier à cette célébration du Nouvel An. Elle l'imaginait assis à cette table, captant l'intérêt de tous les adultes et leur apportant une jovialité dont seul un enfant est capable. Or, forcée à un séjour au sanatorium, sa maman avait décidé de ne pas séparer ses deux fils pour le temps des Fêtes. Jean et Charles avaient été confiés à leurs grands-parents paternels.

— Ça ne va pas, Maman? demanda Gaby.

— Oui, oui. J'étais seulement distraite... par une peur... déraisonnable.

Les plaisanteries entre Éva et son frère firent place au silence. Tous attendaient des précisions de leur mère.

— C'est bête, mais depuis la mort de votre père, les idées noires me viennent souvent dans des moments de réjouissance. Depuis Noël, je n'arrête pas de penser à notre petit Jean. Sans savoir pourquoi, je crains qu'on ne le revoie plus.

Ses deux filles échangèrent un regard entendu. «Trop d'attachement à cet enfant», se dit Gaby, ayant déjà confié cette appréhension à sa sœur.

— Vous connaissez suffisamment ses grands-parents pour savoir qu'ils font tout pour égayer leurs petits-fils, dit Éva.

D'un hochement de tête, Séneville l'approuva, mais son bleu au cœur perdura. Pour l'en distraire, Donio invita sa mère et ses sœurs à prophétiser sur l'année 1932. Allait-elle marquer la fin de la crise économique? Le Canadien gagnerait-il la coupe Stanley? Le *Salon Gaby Bernier* allait-il être épargné par les conditions économiques précaires? Pour combien de temps? À quel prix? Gaby savait que les grands couturiers d'Europe avaient soit fermé boutique, soit baissé les prix, ou encore ils avaient introduit un élément nouveau dans leur commerce. Elle avait appris de Margot Vilas que Coco Chanel avait délaissé quelque peu la haute couture pour se consacrer davantage à la création de bijoux de fantaisie. De fait, les revues de mode s'entendaient pour proclamer Coco Chanel «première couturière à faire des créations en pierres précieuses».

Gaby anticipait le jour où elle pourrait aussi emprunter cette avenue, bien que plus modestement et à sa manière.

— Je trouve que l'avenir est sombre… confia Éva. J'aimerais tant en avoir une vision claire.

Un tantinet ironique, Gaby lui suggéra de suivre l'exemple de leur ancienne patronne, Edna Jamieson.

— Elle s'est payé une séance de lecture de feuilles de thé… et les prédictions se sont réalisées.

Les éclats de rire de Donio, la méfiance de Séneville et l'intérêt d'Éva l'incitèrent à dévoiler ce que Mlle Jamieson lui avait annoncé lors d'une rencontre fortuite.

— Six mois avant sa traversée annuelle de l'océan, elle est allée consulter une voyante, qui lui a prédit qu'elle rencontrerait l'homme de sa vie sur un paquebot de la *Cunard Line*.

— Puis? la pressa Donio, soudain impressionné.

— Elle a reçu une demande en mariage de l'homme qui l'avait séduite dès sa montée sur ce navire.

— Un touriste au gros compte de banque… j'imagine.

— Mieux que ça, Donio. Le capitaine même.

— On veut son nom! s'écria Donio.

— Ernest J. Rodgers, un capitaine britannique, si ma mémoire est bonne.

— Il n'était pas marié, j'espère, soupira Éva.

— Oui… mais sa femme est décédée. La noce devrait avoir lieu au début de l'été, annonça Gaby, déplorant que la *Pompadour Shoppe* ait le privilège de créer le trousseau de mariée d'Edna.

— Je comprends, fit remarquer Séneville. Mais je n'ai pas besoin de feuilles de thé pour te prédire que ce mariage se fera en grandes pompes et qu'à elle seule, la *Pompadour Shoppe* ne pourra répondre à la demande. Cette noce vous amènera une bonne clientèle, vous m'en donnerez des nouvelles.

Janvier avait pris son temps pour effeuiller les trente et une pages du calendrier. Février venu, de nouveaux contrats furent confiés au *Salon Gaby Bernier*, dont certains pour les invitées au mariage d'Edna. À ces derniers s'ajoutèrent des commandes de trousseaux de mariée, la spécialité de ce salon. Marjory Wallis, une nouvelle cliente au charme irrésistible, ne souhaitait rien de moins qu'une robe…

— … digne de Roméo et Juliette, précisa-t-elle, le regard scintillant.

Sa flamme embrasa l'imaginaire de la créatrice de mode. Sur l'heure, Gaby chargea sa mère de lui trouver les paroles de cette tragédie écrite par William Shakespeare au début du seizième siècle. Après une longue journée de travail, elle plongea dans la lecture de cette œuvre avec tant d'avidité et d'intérêt qu'Éva voulut en connaître l'essentiel. L'histoire de ces deux jeunes amants dont la mort réconcilia leur famille respective les toucha profondément.

Pour refléter l'alternance entre les scènes comiques et les scènes tragiques de cette œuvre, Gaby choisit de tailler la robe et sa longue traîne dans un tissu noble, un crêpe de satin blanc. Les épaules bouffantes, l'encolure carrée et les longues manches effilées vinrent évoquer les passages amusants du récit. Pour compléter cette tenue et flatter le côté ludique de Marjory, elle ajouta une petite cape en crêpe Georgette suffisamment légère pour voltiger au moindre zéphyr.

Il ne restait plus qu'à concevoir la robe de mariée de Peggy Henderson, la sœur de Betty, une autre de ses meilleures clientes. En hommage à Gaby, les sœurs Henderson la surnommaient «notre Bible». Elle dessinait les trousseaux pour Mlles Marjory et Peggy quand, en cette fin d'après-midi du 8 février, un message télégraphié lui fut livré.

Serai à Montréal jeudi soir le 11.
Fais ta valise pour au moins quatre jours.
Je t'emmène à Lake Placid.

P. L.

Surexcitée, Gaby déposa sa cigarette dans le cendrier et s'empressa de téléphoner à son frère.

— Pit veut m'emmener à Lake Placid. Connais-tu cet endroit?

— Et comment donc! Ça paraît que tu n'écoutes pas la radio! Depuis quelques semaines, on n'entend que ça à longueur de journée.

— Où est-ce que c'est?

— Du côté des États-Unis, à moins de six heures de Montréal, je crois.

— Qu'est-ce qui se passe là?

— Les Jeux olympiques, Gaby. Tu vas pouvoir assister à des compétitions de bobsleigh, de curling, de ski, de patin artistique et… tiens-toi bien, de hockey sur glace.

Fébrile comme une jeune fille à son premier rendez-vous amoureux, Gaby n'arrivait pas à se concentrer sur le modèle à créer pour la robe de noce de Peggy Henderson. Et pourtant, l'urgence de gagner du temps s'imposait. Tenta-t-elle de chantonner un air de Bizet que sa voix émit des trémolos qui piquèrent la curiosité d'Éva.

— Tu fais la folle ou tu es émue? lui demanda-t-elle, entrée inopinément dans la salle de coupe.

— À ton choix! Comme tu peux voir, je suis très pressée. Ma semaine de travail va être écourtée…

Éva ne fut pas surprise d'apprendre que Pit était la cause de cette fébrilité. « Un amoureux qui te happe et disparaît avec toi pour te faire vivre du plaisir, ça ne doit pas être déplaisant », pensa la jeune femme, de moins en moins disposée à croire que le fait d'être née pendant le mois de Marie la destinait à la virginité. Des frissons passionnés, elle en avait eus pour M. Louis, quatre ans auparavant, et pour le maire d'Oka, l'été précédent. Hélas! Pas un seul homme ne lui avait signifié un quelconque intérêt. « Serait-ce mes paupières quelque peu tombantes et mon manque de coquetterie qui laissent indifférents tous ces beaux hommes que je croise dans la rue? Demander l'avis de ma sœur? J'ai trop peur de sa réponse… De Donio? Plus encore. Avec maman, je me sentirais plus à l'aise. »

Éva retourna vers les ouvrières, à qui elle ne parvint pas à cacher son vague à l'âme. Mme Landry, une doyenne du Salon, s'en préoccupa.

— Un p'tit coup de fatigue?

— Dans moins de quinze minutes, j'aurai retrouvé ma pleine forme, Mme Landry. Si Gaby me cherche, dites-lui que je suis montée à l'étage pour un p'tit moment.

Surprise de la voir arriver avant la fermeture du Salon, Séneville la crut malade.

— Pas physiquement, susurra la jeune femme.

— Gaby te ferait-elle trop de pression?

— Trop d'ombrage, parfois.

Pressée de s'expliquer, Éva reconnut que l'élégance naturelle de Gaby, ses habiletés sociales, son caractère aussi frondeur qu'enjoué lui faisaient défaut.

— Mais toi, tu te distingues par ton talent en affaires, ta grande bonté, ta droiture, ta facilité à faire des concessions, ton humilité... et j'en passe.

— Rien de tout ça ne semble sauter aux yeux des hommes...

Séneville demeura bouche bée. Elle n'aurait pas deviné qu'Éva, toujours très pudique, enviait sa sœur sur ce plan.

— Vous aviez le tour, Maman, d'attirer les jeunes célibataires...

Séneville esquissa un rictus de modestie.

— La preuve: le moment venu de vous marier, vous avez eu le choix entre deux soupirants.

— C'est vrai.

— Qu'est-ce qui me manque donc?

Jugeant le sujet délicat, Séneville proposa de différer cette conversation à un moment plus approprié.

— Pendant l'absence de Gaby, par exemple? Je viens d'apprendre qu'elle va encore s'accorder un long congé... avec son Pit, lança Éva en refermant la porte derrière elle, soudain pressée de retourner au Salon. Séneville se reprocha de ne pas lui avoir accordé l'écoute qu'elle réclamait.

« Serais-tu devenue jalouse, Éva Bernier? De ta sœur, en plus? C'est inacceptable! C'est grâce à elle et à ses nombreux talents si tu passes tes journées à faire ce que tu aimes avec des personnes qui t'apprécient, et si tu connais l'aisance financière, en plus. Serait-ce de savoir plaire aux hommes qui te manque? Tu t'intéresses au mariage, maintenant?» Ces questions la clouèrent au bas de l'escalier. «Je me demande si je serais capable de me les poser devant mon miroir tellement j'en suis gênée. De plus, la jalousie, c'est un péché aussi grave que les six autres péchés capitaux. Aussi grave que les actes impurs que commet ma sœur avec son Pit. Je ne suis même pas sûre qu'elle s'en confesse. Demain matin, j'irai demander l'absolution pour ma jalousie et j'assisterai à la messe avant de déjeuner.» Réconfortée par le pardon anticipé et par la résolution de ne plus se laisser aller à l'envie, Éva retourna vers Gaby… et la trouva radieuse.

— Qu'est-ce qu'il te prépare, cette fois, ton beau hockeyeur?

— Du jamais vu, p'tite sœur! Des spectacles en tout genre. Des compétitions tenues par des athlètes qui viennent de partout sur la planète.

— Chanceuse!

— J'espère qu'on arrivera assez tôt pour aller skier. Ça fait des années que je rêve de pratiquer ce sport et Pit m'a promis de me l'enseigner.

C'en était trop pour Éva qui, tête basse, tourna les talons en direction de la salle de couture. Gaby la rappela.

— Excuse-moi, Éva! Je suis tellement emballée par ce qui m'arrive que j'oublie…

— Le sort de ta sœur… ajouta la cadette, persuadée que Gaby avait le pouvoir de lire dans ses pensées.

— Ton tour viendra, Éva. Celui qui te mérite te cherche… Aide-le un peu.

— L'aider?

— Oui. Fais-toi un peu plus coquette chaque matin en te disant: c'est peut-être aujourd'hui que je vais le croiser. Pense à Pit et moi. Je ne l'aurais jamais rencontré si j'étais restée enfermée dans mon Salon. Il ne le savait pas, mais en empruntant ce train vers Ottawa, c'est vers moi qu'il venait, mon beau Brummel.

— Ouais! Peut-être que toi aussi tu pourrais m'aider…

— Comment?

— Par exemple, me montrer à danser. M'envoyer acheter des choses chez des fournisseurs. Je ne sors presque jamais, à part pour aller à l'église.

— Pourquoi tu ne vas pas ailleurs ?

— Seule, ça ne m'intéresse pas.

— Si tu venais en Europe, tu pourrais peut-être rencontrer quelqu'un de bien, sur le bateau ou à Paris.

— Non, pas ça. J'ai tellement peur de l'eau.

— On pourrait s'en reparler dans de meilleures circonstances, lui suggéra Gaby.

« Décidément, je l'embête autant que j'ai embêté ma mère, tantôt », conclut Éva, se demandant si on ne commençait pas à désespérer pour elle alors qu'elle allait avoir ses vingt-neuf ans en mai.

Dix minutes avant le départ des ouvrières, Éva sortit prendre l'air, seule, sur la rue Sherbrooke. L'effervescence du Salon, la volonté de bien assumer ses tâches et son peu de propension à l'égocentrisme l'avaient distraite d'elle-même, de ses besoins et de ses frustrations. Elle en prit davantage conscience lorsqu'elle s'attarda à observer trois jeunes enfants qui jouaient dans la neige avec un plaisir naïf. « Depuis ma sortie du couvent, me suis-je accordé du temps… juste pour moi ? Du temps… perdu, disait-on ? En ai-je simplement éprouvé le désir ? Sûrement, mais j'ai dû l'étouffer aussitôt. Par principe. Lui préférant le dévouement, la charité. Pourtant, Gaby et Donio sont pour moi deux modèles d'équilibre entre le travail et le plaisir. Je ne saurais en dire autant de maman. Elle cherche toujours à s'occuper, même lorsque la fatigue alourdit ses pas. Nous sommes faites pour nous comprendre, elle et moi. À compter d'aujourd'hui, je me charge de la distraire et de la sortir dans les alentours quand je ne travaille pas. L'occasion sera toute désignée pour qu'elle observe mon comportement en présence des hommes. »

Une Chrysler Imperial de l'année klaxonnait devant le 1316 de la rue Sherbrooke. Arrivé sur le fait, en pâmoison devant ce bolide crème aux ailes orangées, Donio en fit le tour, malade d'en posséder une semblable.

— Ça peut monter jusqu'à combien, ce moteur-là? demanda-t-il au propriétaire.

— Cent mille à l'heure et plus.

— Wow! J'imagine la quantité d'essence qui rentre là-dedans!

— Pas si pire.

— Pas de problèmes dans la neige?

— Pantoute! Elle est chaussée pour l'hiver.

— Si je ne me trompe pas, vous attendez Gaby.

— C'est ça, oui.

— Je vais entrer l'avertir, offrit Donio, enjambant l'escalier deux marches à la fois.

Il ne fut pas surpris de trouver sa sœur essoufflée, courant ici et là pour revenir à sa malle, soucieuse de ne rien oublier.

— À ce que je vois, il y a des gars qui gagnent de gros bidous à pousser une rondelle de caoutchouc…

— Je n'ai pas la tête au bavardage, Donio.

— C'est toi qui lui a conseillé d'acheter un char coloré comme ça?

— Tu m'énerves, Donio!

Puis, Gaby figea sur place. Comme une bombe à retardement, la question de son frère la secoua.

— Qu'est-ce que tu m'as demandé, donc?

— Viens voir par la fenêtre de la cuisine, tu vas comprendre.

— Wow! Je n'en ai jamais vu d'aussi belle! Viens m'aider à fermer ma valise, Donio.

— Plus que ça, je vais te la descendre.

Le nez collé à la vitre, ils étaient trois à regarder partir Gaby dans l'automobile de son amoureux: Séneville, sa servante et le jeune Taupier, que Gaby avait pris soin d'amener au logis des Bernier pour quelques jours.

— Qu'elle est belle, la voiture du monsieur! Belle comme Gaby! s'écria Jean. Vous ne trouvez pas, Mamie Bernier?

— Tu as bien raison, mon petit homme. Et quel bel homme que ce monsieur Lépine!

— Qu'elle en profite! murmura Marcelle.

— C'est tout une entreprise de se rendre là en plein hiver. J'espère qu'elle nous reviendra, dit Séneville.

La servante comprit vite que la présence du jeune orphelin avait davantage le pouvoir de la distraire de son inquiétude que ses bonnes paroles.

Les ouvrières ayant terminé leur journée, Éva devait retrouver les siens à l'heure du souper, à moins que ses responsabilités d'administratrice du *Salon Gaby Bernier* ne la retardent. Or le temps filait, la soupe refroidissait dans les assiettes, Jean s'impatientait et Donio ne cessait de pianoter sur la table.

— Commençons sans elle, permit Séneville.

Son potage avalé, sa platée de fèves au lard à moitié vidée, Donio quitta la salle à manger.

— Je vais aller voir si Éva a besoin d'aide.

Seule la lumière de la salle d'exposition était encore allumée. La porte du Salon non verrouillée permit à Donio d'y pénétrer à pas de souris. L'absence de bruit et de mouvement sema plus d'une question dans sa tête. « Ou elle a eu une défaillance, ou elle est sortie en oubliant de barrer la porte ou… » Le pire effleura son esprit. « Une agression par un voleur armé, ça peut arriver même à mes sœurs. Tout le monde sait qu'elles ont de l'argent, maintenant. Et si un malfaisant est passé par ici quand la Chrysler de Pit était stationnée devant la porte, il a pu nous imaginer plus riches qu'on ne l'est. » Un profil se dessina dans la pénombre. Debout devant la vitrine du Salon, Éva sanglotait. « Retourner sur mes pas ? Non. L'approcher sans lui faire peur ? Si j'y arrive… »

— Éva ? murmura-t-il.

La figure cachée dans ses mains, elle refusait de confier la cause de son chagrin.

— De toute façon, personne n'y peut rien, justifia-t-elle.

Donio se risqua à passer son bras sur ses épaules… sans qu'elle s'y oppose.

— Aurais-tu oublié que je suis le magicien Bernier ?

Ces mots la firent sourire. Elle se retourna vers son frère et le suivit dans la petite salle d'attente du Salon. Après avoir téléphoné à la servante, lui demandant de leur garder des plats au chaud, Donio parvint à faire parler sa sœur.

— J'ai tellement honte…

— Tu as fait une gaffe, p'tite sœur ? Tu es donc comme tout le monde !

— Je suis un monstre…

Éva avoua l'envie qu'elle ressentait envers Gaby.

— En plus d'être belle et drôle, elle a tous les talents !

— C'est rien ça, comparé à la chance qu'elle a avec les hommes, n'est-ce pas, p'tite sœur?

Donio venait de nommer la peine d'Éva. Elle se remit à sangloter comme elle le faisait, enfant, chaque fois qu'elle voyait pleurer sa mère ou sa sœur. Sans la brusquer, Donio lui fit remarquer qu'elle ne lui avait jamais exprimé son désir d'être courtisée.

— À toi, non. Mais à maman et à ma sœur, oui.

— Tu n'as pas pensé demander à Gaby de te donner sa recette? Elle avait à peine quinze ans qu'elle s'organisait déjà pour s'attirer des cavaliers.

— C'est la dernière chose que je ferais… C'est trop gênant, puis trop délicat.

— À bien y penser, les recettes de Gaby ne te seraient peut-être pas utiles. Tu dois rester toi-même, Éva. Il y a des gars pour tous les genres de filles. Décris-moi le style qui te plairait et je vais te le trouver, moi.

Éva demanda à réfléchir. Promesse fut faite à Donio de lui revenir avec une liste des qualités qui la séduiraient.

— En passant, être courtisée par un gars riche, ce n'est pas une assurance de bonheur, Éva.

— N'essaie pas de me faire croire que ça nuit.

— Honnêtement, serais-tu intéressée par Pit Lépine?

— …

— Pour vrai?

— Allons souper, Donio.

Il était tout près de minuit quand, à son retour de Lake Placid, Gaby réveilla sa sœur pour partager l'enthousiasme de son voyage.

— J'ai connu le plus beau côté de Pit, là-bas. Je craignais qu'il ne soit passionné que par les compétitions sportives que nous allions voir, mais non! Il m'a fait monter aux nues… Il faut que tu vives ça, un jour!

Elle allait faire un peu de lumière, mais Éva le lui interdit. « À la noirceur, elle ne pourra pas lire dans mes yeux toute la jalousie qu'elle me fait vivre. »

— Tu es chanceuse d'avoir pu assister aux compétitions… Raconte-moi.

— J'aimerais mieux attendre que maman et Donio soient avec nous, pour ça. Je suis sûre qu'ils me feront la même demande que toi et je n'aime pas me répéter, rétorqua Gaby.

— Tu as bien raison. Il faut dormir, maintenant. Tu es attendue de bonne heure au Salon, demain matin.

— Par qui donc?

— Hum… Par le travail, Gaby.

— Raison de plus pour faire durer le bonheur que je viens de vivre, riposta-t-elle, prenant un plaisir intense à relater les galanteries de Pit, son savoir-faire avec une femme, son charme irrésistible et…

Emportée par sa griserie, Gaby tarda à s'apercevoir qu'Éva ne réagissait plus à ses dires… et qu'elle s'était endormie… « À moins qu'elle fasse semblant. Elle en est bien capable. Je la fais peut-être rager avec mes histoires d'amour. » Un tantinet déçue, Gaby quitta sa chambre, fit un pas vers la sienne et refusa de s'y cantonner. Bifurquant vers le salon, elle s'affala dans un fauteuil, se couvrit du châle de sa grand-mère, déterminée à attendre Donio, au cas où il viendrait dormir à la maison. Chez lui, elle trouverait une écoute exemplaire.

La servante, qui ne dormait toujours que d'un œil et qui avait l'habitude de se lever une ou deux fois la nuit, vint lui susurrer à l'oreille :

— Tu dormirais mieux dans ton lit, Gaby.

— Quelle heure est-il ?

— Deux heures du matin.

Constatant que son frère n'était pas encore rentré, Gaby, calée dans le fauteuil, se remmaillota dans le châle de Louise-Zoé.

Le claquement d'une porte la tira abruptement d'un profond sommeil.

— Si c'est une façon de se préparer à une bonne journée de travail ! lui lança Éva, en l'apercevant pelotonnée dans le fauteuil.

— C'est déjà l'heure d'aller travailler ? marmonna Gaby, la voix comateuse.

— Le temps de t'arranger et de déjeuner, il va être huit heures.

Il n'en fallait pas plus pour que Séneville se réveille et se précipite dans le salon, suivie du petit Jean qui se lança au cou de Gaby. Un pur bonheur pour les deux de savoir Gaby revenue saine et sauve des États-Unis. Aussi comptaient-ils passer la matinée avec elle, l'écoutant décrire les Jeux olympiques et leur faire part des aléas de son voyage. L'air grognon, Éva décréta :

— Vous devrez être patients jusqu'à ce soir parce que…

— Non ! Je garde mademoiselle Gaby avec moi, réclama l'enfant.

— Au cas où tu ne le saurais pas, mon p'tit garçon, les vacances de mademoiselle Gaby sont finies.

Le déjeuner terminé, Jean réclama de Gaby un autre câlin et Séneville une chaleureuse accolade.

— Quitte à retourner travailler en fin de soirée, je vais essayer de vous revenir vers les quatre heures, proposa Gaby.

— J'allais oublier de te dire que Mme Taupier a téléphoné hier. Elle s'ennuie de son fiston, lui apprit la servante.

— Rappelez-la et demandez-lui si on peut attendre à demain pour le lui ramener, dit Gaby, précédée de sa sœur qui gardait la porte entrebâillée, impatiente de lui voir prendre l'escalier qui menait au Salon.

Peggy Henderson les attendait déjà dans le vestibule.

— Gaby, te voilà enfin ! Marjory m'a parlé du modèle que tu as dessiné pour sa robe de mariée. Je rêve d'en porter une semblable… sans être identique, nuança-t-elle devant le regard soucieux de Gaby.

— Je ne ferai pas ça sans avoir obtenu son consentement, tu comprends ?

Peggy hocha la tête.

— Je te propose un modèle exclusif, Peggy. Me laisserais-tu le reste de la semaine pour en tracer le patron et en habiller un de mes mannequins ?

L'offre plut à sa cliente. « J'y travaillerai toute la fin de semaine s'il le faut, mais je trouverai du temps aussi pour maman et mon petit orphelin », résolut Gaby.

S'allumer une cigarette et entonner un air d'opéra avant de prendre le crayon à dessiner était devenu chez elle une habitude, voire une dépendance. « Nicotine, musique, inspiration, quel drôle de trio indissociable ! » pensa Gaby, promenant son regard sur les étagères bondées de rouleaux de tissus variés, tant par leurs textures que par leurs coloris. Ce geste, si coutumier fut-il, ouvrit son imaginaire à la création d'un nouveau modèle de robe de mariée pour Peggy. « Du voile orné de légères ondulations bleues sur une robe de satin blanc… voilà qui serait original et qui mettrait ses beaux yeux en valeur. Il faut retrouver un mouvement de vagues dans le bas du voile et de la traîne. C'est ça ! Si Peggy pouvait concevoir sa tenue telle que je la vois dans ma tête, elle en serait ravie. » En moins de quinze minutes, la couturière en avait dessiné l'esquisse. Il lui tardait de voir la réaction de la future mariée.

L'esprit dégagé, Gaby fit le tour de ses ouvrières pour les féliciter de leur travail et s'assurer qu'elles disposent de provisions suffisantes pour respecter leurs échéanciers. L'occasion se prêtait bien à une reconnaissance publique envers Éva, qui excellait dans ses tâches de « ministre des Finances » du *Salon Gaby Bernier*.

« Elle est si généreuse et si reconnaissante, ma grande sœur, que je ne pourrais lui en vouloir de ne pas se douter de la peine qu'elle me fait quand elle vient me raconter ses plaisirs amoureux », se dit Éva.

L'heure du souper venue, il s'avéra possible pour les sœurs Bernier de quitter leur travail sans obligation de le reprendre avant le lendemain. Autour de la table, les convives harcelaient Gaby de questions sans pour autant négliger le garçonnet. Éva ne tarda pas à lui accorder sa préférence. Séneville, son fils et sa servante s'émerveillaient d'apprendre que ces Jeux olympiques d'hiver avaient été les premiers à se tenir en Amérique, que le Canada y était représenté par un nombre record de cinquante-trois athlètes et que seuls les États-Unis et la Norvège l'avaient devancé dans le total des médailles gagnées.

— Ils n'auraient pas pu avoir lieu ici, à Montréal ? demanda Donio.

— Notre ville s'est portée candidate, mais elle est arrivée au septième rang, semble-t-il.

— Si les Américains ont pu décrocher une médaille d'or pour leur course en bobsleigh, les Canadiens pourraient bien en faire autant… avec les belles côtes qu'on a tout près, pour ne nommer que le mont Royal, fit remarquer Donio.

— Ce n'est rien le mont Royal, comparé à ce que j'ai vu aux États-Unis.

Donio hocha la tête, une moue sur les lèvres. Gaby ralluma sa bonne humeur en lui apprenant que le Canada avait présenté des champions en patinage de vitesse.

— L'émotion est tellement forte quand on les voit monter sur le podium pour recevoir leur médaille qu'on se réjouit autant du bronze et de l'argent que de l'or, dit-elle, triomphante.

— Je me trompe ou il n'y avait pas de femmes dans les compétitions ? s'inquiéta sa mère.

— Il y en avait en patinage artistique et en courses de traîneaux tirés par des chiens. Mais ces courses n'étaient considérées que comme un sport de démonstration.

Une déception assombrit le regard de Séneville.

— Par contre, c'était la première fois qu'une délégation choisissait une femme pour porter le drapeau lors de la cérémonie d'ouverture, annonça Gaby avec une fierté indéniable.

— Une Américaine, supposa Donio.

— Non ! Une Britannique. J'ai retenu son nom, elle a le même prénom qu'une de mes meilleures amies, Molly.

— Une autre Molly ! s'écria Éva qui, pas plus intéressée que Jean à la question olympique, quitta la table et invita l'enfant à venir dans sa chambre se faire lire une belle histoire.

— Oui, une patineuse artistique : Mollie Phillips. Une jeune femme très élégante et avec beaucoup de classe.

Les propos s'enchaînèrent jusqu'au moment où Donio posa la question qui lui brûlait les lèvres depuis le début du souper :

— Puis, ton Pit en a-t-il eu pour son argent ?

Gaby rougit. « Heureusement qu'Éva a quitté la table », pensa-t-elle. Puis, elle parvint à damer le pion à Donio :

— Aux compétitions de hockey surtout, reprit-elle. Vous vous doutez bien qu'il a été porté au septième ciel quand l'équipe canadienne a décroché la médaille d'or. C'est grâce à Romeo Rivers de Winnipeg. Il a marqué cinq buts en six matches.

Médusé, Donio ne voyait pas moins la lumière briller dans le regard de sa sœur.

— Ce que je donnerais pour assister à des événements comme ceux-là, déclara Séneville. Votre père était très bon en raquettes et en skis…

Gaby et son frère lui offrirent de l'amener aux Jeux olympiques d'été prévus à compter du 30 juillet à Los Angeles.

Cet engagement chatouilla l'oreille d'Éva, qui regagnait la salle à manger après que Jean se fut endormi en écoutant l'histoire.

— Ce qui veut dire, Gaby, que tu n'iras pas en Europe l'été prochain? déduisit-elle.

— Je suis prête à bien des sacrifices pour que maman puisse enfin réaliser ses rêves…

— On pourrait peut-être y aller en famille, à Los Angeles, suggéra Séneville.

— Mais qui va s'occuper du Salon? s'insurgea Éva.

— Une employée. Une ou deux parmi les plus fiables, trancha la veuve.

Gaby hocha la tête et, se tournant vers son frère, elle chercha à connaître le nombre de jours requis pour un tel voyage.

— Los Angeles… Californie… Hum. Laissez-moi m'informer.

Certaines clientes attendaient souvent à la fin mars pour venir commander des trousseaux de mariée à livrer pour le mois d'août. Au grand dam de sa sœur, Éva rouspétait.

— C'est de leur faute si on ne peut prendre congé que le jour de Pâques, marmonna-t-elle, en lui portant un message téléphonique.

— Il faut profiter de la manne quand elle est à notre porte, rétorqua Gaby. Puis, qu'est-ce qu'on ferait de trois jours de plus ? Il fait un temps à s'encabaner même si on est dans la dernière semaine de mars.

— J'aurais au moins le temps d'aller aux cérémonies liturgiques.

— Mais vas-y, Éva.

Gaby savait bien que sa sœur souhaitait que tous les membres de sa famille se rendent à ces offices religieux. Si elle n'avait pas eu à supplier sa mère, fidèle pratiquante, elle avait dû user de diplomatie avec Donio, prétextant qu'il ne valait pas la peine qu'il les dépose à l'église et revienne les chercher plus tard tant la cérémonie était brève. Seule Gaby n'avait pas assisté au Chemin de croix célébré vers les trois heures.

— On n'a qu'à fermer le Salon, toutes nos ouvrières sont parties.

— J'ai mieux à faire, Éva.

La liberté que Gaby s'accordait offensait sa sœur, respectueuse des sept commandements de l'Église. Elle le lui manifesta quand, le lendemain, le 1er avril, elle fut prise au piège tendu par les deux aînés de la famille. Mandatée pour aller au bureau de poste chercher un colis prétendument adressé à son nom et en provenance d'un monsieur, elle était revenue bredouille.

— Poisson d'avril ! s'étaient écriés les plaisantins.

— Tu as du temps à gaspiller pour de pareilles niaiseries alors que tu n'en as pas pour pratiquer ta religion, Gaby Bernier.

En colère, Éva sortit du Salon en claquant la porte. Il était dix heures passées quand, repentante, Gaby lui fit porter une note qu'elle avait glissée dans une enveloppe :

Ma très chère sœur,

Donio et moi ne préparons pas que des mauvais tours, tu sais. Pour réparer notre bêtise de ce matin, je t'annonce que ce sera toi qui accompagneras Donio et maman à Los Angeles en août prochain. Tu le mérites tellement! Un magnifique voyage en train aux frais de Gaby Bernier. Tu pourras partir en paix, puisque je garderai NOTRE Salon en ton absence. En retour, tu embrasseras pour moi Gary Cooper, le sosie de Pit et mon acteur fétiche.

Ta Gaby telle qu'elle est

« Je ne comprends pas qu'Éva ne soit pas venue vers moi de l'avant-midi. Décidément, elle sort ses griffes plus que jamais, ma jeune sœur », constata Gaby après avoir appris que la porteuse lui avait remis le message en mains propres.

À l'étage, outre la rancœur, une inquiétude rongeait Éva. Sa mère n'allait sûrement pas bien. Elle était retournée au lit après le petit-déjeuner et n'était ressortie de sa chambre que le temps de se prendre un verre d'eau. « Passerait-elle ses matinées couchée? Ça ne lui ressemble pas », se dit Éva. Interrogée, Marcelle confessa avoir été sommée par Séneville de ne rien révéler de ses malaises tant que le médecin n'aurait pas annoncé son diagnostic.

Croyant que l'enveloppe ne recelait qu'une facture à payer, Éva ne s'était pas imposé de l'ouvrir sur-le-champ. Mais comme le temps filait et que sa mère tardait à sortir de sa chambre, elle décida de retourner au travail. Dans l'escalier qui conduisait au Salon, elle s'arrêta brusquement. L'enveloppe éventrée, le feuillet en main, elle n'eut pas à le déplier pour constater qu'elle s'était méprise. L'écriture de Gaby était si particulière avec ses fioritures… Ses excuses lui tournèrent les sangs. Le cadeau qu'elle offrait aux membres de sa famille lui coupa le souffle. « *Ta Gaby telle qu'elle est…* Je mettrai combien d'années à la connaître vraiment, cette femme ? Ma sœur. Je devrais courir la remercier, mais j'ai trop peur d'éclater en sanglots devant les ouvrières. » Sur la pointe des pieds, elle reprit la direction du logis des Bernier, où elle pourrait réfléchir en toute quiétude. De la porte entrouverte, elle aperçut sa mère, le combiné téléphonique à la main. Avec qui conversait-elle ? Son regard témoignait d'un grand malaise.

— Oui, docteur. À demain.

Séneville fit un pas vers sa chambre. Éva l'intercepta.

— Il faut qu'on se parle, Maman. Il se passe trop de choses mystérieuses, ici.

Du revers de la main, Séneville essuya une larme et vint prendre place dans la chaise berçante héritée de sa mère. Éva la couvrit du châle de Louise-Zoé.

— Maintenant, dites-moi ce qui ne va pas, Maman.

— De tous petits problèmes au cœur…

— De tous petits problèmes, alors que le médecin veut vous voir dès demain ? rétorqua Éva.

— De l'usure normale…

— Qui vous a dit que c'était de l'usure normale ? Je ne vous crois pas, Maman. Vous n'avez que soixante-cinq ans… Nous allons vous faire soigner. Je vais aller chez le médecin avec vous, demain. Il faut en avertir Donio dès aujourd'hui.

Emportée par une appréhension incontrôlable, Éva n'avait laissé à sa mère ni le temps de réagir, ni celui de répondre à ses questions. Pour la ramener à la santé, sa cadette aurait décroché la lune.

— Nous avons amplement d'argent pour vous faire traiter par les meilleurs médecins de Montréal.

De ses deux mains levées vers elle, Séneville l'incita au calme.

— Tu viens de me donner raison. Mes bobos auraient dû rester secrets.

Éva tenta de justifier sa fièvre de la voir guérie.

— On a tellement de beaux projets avec vous pour l'été, annonça-t-elle, zyeutant le texte de Gaby avec une irrésistible envie de lui en faire part à l'instant même.

— Raconte-moi ça, la pria Séneville avec un enthousiasme peu naturel.

La voix chevrotante, Éva lut le billet de Gaby. Séneville posa la main sur son cœur, le regard porté par ce rêve. Puis, elle compta sur le bout de ses doigts.

— Trois gros mois pour me remettre en forme, c'est bien assez, murmura-t-elle.

— Vaut mieux s'y mettre dès maintenant. Qu'est-ce qui vous ferait le plus de bien ?

— Que tu me parles de ce voyage à Los Angeles.

Dépitée, Éva dut admettre n'en pas savoir grand-chose.

— Gaby et Donio sont mieux placés que moi pour le faire. Je ne m'en suis pas vraiment occupée, j'étais prête à y renoncer plutôt que de confier la responsabilité du Salon à une étrangère.

— Tu ne me surprends pas, Éva. Tu as tellement un grand cœur. Tu me fais penser à une jeune dame que j'admire beaucoup.

— Je la connais ?

— Je ne crois pas qu'elle soit allée à votre Salon… Il me semble que vous m'en auriez parlé tellement elle est exceptionnelle.

Gaby entra sur le fait, intriguée par l'absence prolongée d'Éva. Quelque chose d'étrange imprégnait l'atmosphère de la maison. La cadette se réjouit de la voir arriver, mais Séneville, encore en tenue de nuit, ne savait où poser son regard.

— Je fais de la grosse paresse aujourd'hui, allégua-t-elle, sur un ton qui se voulait blagueur.

— Je vous dérange?

— Loin de là, s'écria Éva. Les ouvrières sont toutes parties, j'imagine.

— Non, mais comme Mme Landry est toujours la dernière à quitter le Salon, je lui ai demandé de verrouiller la porte derrière elle.

— Éva m'a appris la bonne nouvelle... concernant Los Angeles, s'empressa de déclarer Séneville. Tu savais qu'elle aussi était prête à ne pas venir avec nous, à cause du Salon? J'étais à lui dire que sa générosité, tout comme la tienne, me fait penser à celle de Mme Thérèse Casgrain.

La sexagénaire avait piqué la curiosité de ses filles. Engagée comme garde-malade à l'hôpital Notre-Dame, Séneville avait croisé cette dame qui entraînait de jeunes filles bénévoles à divers services auprès des malades.

— Quand je lui ai demandé son nom, elle s'est tournée vers un portrait accroché au mur du couloir et m'a répondu: «Je suis sa fille. J'en suis fière parce qu'il a été l'un des plus généreux donateurs de cet hôpital.» Je me suis approchée de la photo pour lire le nom de ce beau monsieur. C'était Rodolphe Forget, un homme très riche, connu dans tout Montréal.

Puis elle leur apprit que cette dame, mariée à un Casgrain, militait pour que les femmes acquièrent le droit de vote, et qu'en 1926, elle avait fondé la *Ligue de la jeunesse féminine*, un groupe de jeunes femmes désireuses de soulager toutes formes de misère. De là leur présence auprès des malades de l'hôpital Notre-Dame pour leur apporter présence et réconfort.

— Il allait de soi qu'elle cherche à savoir à qui elle parlait, ajouta Séneville. Je ne m'attendais tellement pas à sa réaction…

Thérèse lui avait fait répéter son nom pour s'assurer qu'elle était bien la veuve d'Elzéar Bernier de Chambly. Des instants d'un silence gênant avaient suivi. Puis Mme Casgrain avait déclaré :

— J'ai été si bouleversée par ce drame. J'avais douze ou treize ans quand c'est arrivé. J'imaginais facilement le chagrin de vos filles… Cet événement, entre autres, a dessiné mon chemin de vie… celui du dévouement et de l'engagement social.

La surprise et l'émotion nouaient la gorge d'Éva.

— Mais comment a-t-elle pu être si bien informée de ce qui est arrivé à notre père ? Habitait-elle Chambly à ce moment-là ? demanda Gaby.

Séneville baissa la tête, promenant son pouce gauche sur la paume de sa main droite et hésitant à leur révéler ce qu'elle savait depuis plus de cinq ans.

— Petite fille, Thérèse jouait avec les enfants de… de… de Me Leblanc. Elle m'a raconté avoir passé ses étés en vacances avec eux à Murray Bay.

— Les parents Leblanc parlaient de ces choses à leurs enfants ? s'insurgea Gaby.

Le moment était venu de dévoiler que lors de l'accident qui avait coûté la vie à Elzéar Bernier, Rodolphe Forget, le père de Thérèse, était propriétaire de la *Montreal Light, Heat and Power Company*. Les enfants avaient possiblement entendu les parents Forget et Leblanc échanger sur le sujet.

Gaby ne trouva pas de mots pour exprimer son désarroi.

— Je ne comprends plus rien, murmura Éva, atterrée. Ça veut dire que maman a travaillé à l'hôpital qui a bénéficié de la richesse du propriétaire de la compagnie responsable de la mort de papa. Plus étrange encore, sa fille nous dit avoir pris le chemin de la charité à cause du malheur dans lequel nous a laissés l'absence de notre père. C'est trop pour moi, dit-elle, la tête nichée dans ses mains.

Entre deux appels de clients, Donio passa au 1316 de la rue Sherbrooke. Devant lui, quatre personnes médusées et manifestement consternées. Ce qu'il apprit au sujet des Forget le bouleversa, mais ne l'empêcha pas de garder le cap sur l'état de santé de sa mère. Les réponses aux multiples questions posées le laissèrent perplexe. Séneville répétait :

— Je me sens simplement très fatiguée. Je vais me reposer et ça va revenir…

Tous avaient sur le bout de la langue une observation qu'il fallait taire : « Vous ne faites que cela depuis trois ans… » L'engagement de Marcelle comme servante ne devait durer que le temps nécessaire à Séneville pour surmonter la fatigue accumulée en vingt ans de travail auprès des malades. Au souhait de la veuve Bernier, le contrat perdurait de sorte qu'avec la complicité de sa bonne, il avait été relativement facile de leurrer ses enfants sur son état de santé. Il lui suffisait de garder toutes ses énergies pour les moments passés en leur compagnie.

Cette journée commencée dans la plaisanterie avait bifurqué vers de bouleversantes révélations. Qu'elle l'avouât ou non, Séneville était minée par un mal dont la cause échappait à la connaissance des siens. Vivement la consultation médicale pour percer ce mystère.

Tôt dans la soirée, Donio pressa sa mère de regagner son lit. Gaby et sa sœur l'entourèrent de petits soins, l'une préparant une boisson chaude aux vertus tonifiantes, l'autre frictionnant ses pieds… glacés.

— Il ne faut pas t'en faire, c'est comme ça depuis des années, dit-elle à Éva pour dissiper son inquiétude.

Cette dernière n'allait pas se mettre au lit sans exprimer sa gratitude à Gaby pour son engagement à assumer les coûts de leur voyage à Los Angeles.

— Je n'aurais pu souhaiter meilleur arrangement, dit-elle. Comme tu paieras le voyage en train, moi j'assumerai les frais de séjour…

— Et moi, le prix des billets pour assister aux compétitions, promit Donio.

Des instants de silence s'imposaient pour que chacun savoure par anticipation le bonheur réservé à leur mère à cette occasion. Donio le rompit, intrigué par les motifs qui avaient pu inciter Gaby à sacrifier ce voyage.

— Pour ne pas qu'Éva s'inquiète pour le Salon. Je veux que vous profitiez pleinement de cette belle aventure. J'ai eu la chance d'aller aux Olympiques d'hiver et plus encore…

— Qu'est-ce que tu veux insinuer ? demanda Éva.

— Je ne vous l'avais pas dit, mais Pit m'a amenée au cinéma à New York pour voir… devinez quel film ? lança-t-elle.

— Pas avec Gary Cooper, quand même ?

— Rien de moins, Donio. Il jouait dans *Cœurs brûlés* avec Marlène Dietrich.

— Pit sait que tu le compares à Gary ?

— Bien sûr ! Pendant cette soirée, j'avais le sentiment que Pit et moi étions soudés l'un à l'autre pour la vie, confia-t-elle, la voix feutrée par l'émotion.

— Seulement pendant cette soirée ?

— C'étaient des moments de grâce comme il y en a dans toute vie amoureuse, je crois.

La confidence de Gaby l'importunant, Éva partit s'assurer que sa mère dormait bien avant de se réfugier dans sa chambre. « Quand est-ce que je vais être capable de l'entendre ronronner comme ça sur ses amours sans en être exaspérée ? » Une petite voix venue de l'intérieur lui répondit :

— Quand tu auras décidé de t'ouvrir à l'amour d'un homme.

Sur le point de fermer la porte derrière elle, Éva revint sur ses pas, question de brasser la mémoire de Donio et de Gaby.

— Vous deux qui êtes si bons pour retenir les dates, j'espère que vous n'oubliez pas que ce sera mon anniversaire dans quelques semaines. Une bonne occasion de réparer votre bêtise du 1er avril.

— Comment veux-tu qu'on oublie ta fête ? La mienne arrive deux semaines après ! lui rappela Donio, qui la célébrait tant et plus avec ses amis chauffeurs de taxi, ses clients privilégiés et avec sa famille au moment opportun.

Des chuchotements en tête-à-tête se prolongèrent entre Gaby et son frère, demeurés seuls au salon.

Respectueuse de la vie personnelle des Bernier, Marcelle les laissait à leur intimité sitôt ses tâches terminées. Toujours première dans la cuisine le matin, elle avait pris le tour de préparer le déjeuner sans déranger le sommeil de la famille. Séneville avait toujours aimé flâner au lit et sa servante ne s'en inquiétait pas habituellement. Mais il n'en était plus de même depuis quelques mois. Vers les neuf heures, si aucun bruit ne traversait sa porte de chambre, Marcelle allait lui offrir ses services. La réponse était toujours la même :

— Tu es trop gentille ! Encore quelques minutes et je vais prendre mon déjeuner avec toi.

Ce matin du 1er mai, poussée par un étrange pressentiment, la bonne entrouvrit la porte avant même de se mettre au travail :

— Ça va, Mme Bernier ? chuchota-t-elle.

Étonnée de son silence, elle avança timidement vers le lit. Sur le visage de Séneville, elle crut dépister une expression de douleur qui l'effraya.

— Vous avez mal, Mme Bernier ?

Pas un mot. Pas un geste.

Marcelle se précipita vers la chambre de Gaby et y entra sans attendre d'y être autorisée.

— Gaby! Gaby! Lève-toi. J'ai besoin de toi… pour ta mère.

D'un bond, Gaby sortit de son lit et courut vers la chambre de Séneville. Les lèvres cirées, le teint blafard, la malade n'avait pour répondre à sa fille que le clignement de ses yeux. La paralysie s'était emparée de tous ses membres. Dans son regard, un appel au secours déchirant.

— On va vous sauver, Maman. Accrochez-vous quelques minutes encore, la suppliait Gaby, en larmes.

Éva et son frère surgirent, effarés. Marcelle téléphonait à l'hôpital Notre-Dame, pour qu'on mandate un médecin au chevet de la malade.

— Je m'en vais le chercher, annonça Donio.

— J'ai entendu dire qu'il faut lui parler tout le temps, dit Éva pendant que Gaby, présumant qu'elle devait avoir mal à la tête, plaçait des compresses d'eau froide sur son front.

Assise sur le bord du lit, Éva tenait la main inerte de sa mère dans la sienne.

— Ce n'est qu'un accident, Maman. Le docteur s'en vient. Il va vous donner les médicaments qui…

Les mots fuyaient sur les lèvres d'Éva. Tous sonnaient faux en la circonstance.

Les minutes semblèrent une éternité. Le temps s'était arrêté, immuable. L'univers des Bernier était accroché au souffle de Séneville. À son souffle haletant.

À l'arrivée du médecin, tous quittèrent la chambre et se murèrent dans le silence. Recluse dans un coin de la cuisine, pétrie de regrets, Marcelle ne pouvait contenir ses pleurs. D'Éva, elle reçut une parole consolatrice :

— Vous avez fait de votre mieux. Aucun de nous ne vous reprochera d'avoir obéi à notre mère.

Du salon, Donio l'entendit.

— Elle aurait pu se servir de sa tête, la Marcelle, marmonna-t-il à l'oreille de Gaby.

— C'était à nous d'ouvrir les yeux… On s'en est remis à Marcelle et on s'est concentré chacun sur notre petit bonheur…

L'heure était à l'examen de conscience. « Qu'est-ce que j'aurais dû faire ? Qu'est-ce que j'aurais pu faire ? » Le diagnostic du médecin était accablant :

— Je crois qu'il est trop tard pour la sortir de sa paralysie. Des apparences d'hémorragie cérébrale au niveau des méninges… Votre mère a dû souffrir de gros maux de tête ces derniers temps.

— Elle ne se plaignait jamais, répondit Éva.

— Mais ça se voit, riposta-t-il, déclenchant les sanglots de Marcelle. Elle entend encore bien, me semble très lucide, mais elle ne peut s'exprimer que par ses yeux et un faible râlement. Vous la préparez… l'ambulance va venir la chercher.

— Elle pourrait être traitée ? s'inquiéta Gaby.

— On va faire ce qu'on peut.

— Il y a trois minutes, vous avez dit qu'il était trop tard, rétorqua Donio.

— En fortifiant son cœur, on pourrait peut-être prolonger ses jours…

Sa mallette refermée, une main sur la clenche de la porte, le médecin demandait à être reconduit à l'hôpital.

Éva, en proie à la panique, aurait voulu savoir quoi faire pour la préparer, mais le docteur les avait quittés et Gaby avait déjà rejoint sa mère. Assise sur le bord de son lit, son regard plongé dans le sien, elle articula lentement :

— On va vous emmener à l'hôpital. L'ambulance s'en vient…

Un râlement sortit de la bouche de la malade ; des larmes glissèrent sur l'oreiller.

— Ils vont vous guérir, ajouta Éva. Vous n'aurez plus mal à la tête… vous pourrez revenir vivre avec nous… vous…

Comme un rayon laser en plein cœur, une certitude traversa la poitrine de Gaby.

— Arrête, Éva ! Je pense que maman ne veut pas aller à l'hôpital.

Les battements de cils de la malade suffisaient-ils à lui donner raison ?

— Si c'est que vous voulez, Maman, essayez de nous faire entendre un son…

Elle était claire, la réponse. Séneville cessa de pleurer et son regard exprima la gratitude. Marcelle fut chargée d'annuler le transport ambulancier. Il fallait toutefois trouver un médecin qui accepte de venir examiner la malade tous les jours et de se rendre à son chevet si une urgence se présentait.

— On veillera sur maman à tour de rôle, dit Éva.

— Ce n'est pas assez. Nous avons besoin de personnes qualifiées pour lui donner les soins dont une malade dans son état a besoin. Je m'occupe dès aujourd'hui de trouver deux infirmières qui se relayeront auprès de vous, Maman.

— Je vais aller à la messe et au rosaire tous les jours pour obtenir votre guérison, murmura Éva, non moins déterminée à lui tenir compagnie.

Gaby les quitta le temps de préparer un petit vase d'eau et une lingette pour humecter les lèvres de sa mère, tâche qu'elle confia à sa sœur.

— Ça ne peut pas lui nuire… en attendant.

Malgré l'heure un peu tardive, Gaby téléphona à certaines de ses connaissances ou clientes, en quête de deux infirmières particulières.

Une ancienne compagne de travail de Séneville, âgée d'une quarantaine d'années, ne tarda pas à se rendre à la résidence des Bernier. À bout de souffle, elle dit :

— Mme Bernier me connaît sous le prénom de Nini. Où est sa chambre ?

Gaby l'y conduisit.

— Oh, mon Dieu ! susurra-t-elle, en apercevant Séneville. Pauvre petite dame !

Sa main se porta sur le front de la malade, ses yeux se mouillèrent.

— Votre maman ne mérite pas ça. La plus dévouée de nos infirmières !

— Nous sommes à votre service, Nini, avança Gaby en désignant sa sœur et leur bonne.

Faute d'hospitalisation et des moyens d'intervention rattachés, les pronostics médicaux furent des plus nébuleux. L'infirmière échoua dans sa tentative de convaincre la malade de s'en prévaloir. Éva s'en désola plus que quiconque. Tout son être se rebellait à la pensée de voir mourir sa mère à la maison.

— Je ne serai plus jamais capable de vivre ici, après… confia-t-elle à Gaby et à Donio.

— Toi, si croyante… Que t'arrive-t-il ? lui demanda son frère.

— Voir le corps de maman se vider de son âme minute après minute, non! Trop horrible. Trop indigne d'elle.

La douleur d'Éva se logeait dans sa poitrine, là où elle portait ses mains crispées. Elle aurait voulu disparaître et ne revenir qu'après l'enterrement. Aurait-elle pu le faire qu'elle ne se serait jamais pardonné d'avoir fui sa mère agonisante.

UNE INDISCRÉTION D'ÉVA

Il m'arrivait de faire semblant de dormir quand Gaby, trop euphorique à mon goût, venait dans ma chambre pour me raconter ses plaisirs érotiques. J'en pris l'habitude après l'avoir entendue marmonner, un soir :

— Tant pis pour toi, Éva Bernier ! Tu as manqué ta chance de connaître les anecdotes croustillantes de ma relation avec Pit. À une femme seulement j'aurais révélé qu'un grand sportif comme Pit Lépine n'était pas toujours champion... au lit. Je t'aurais avoué que cette découverte m'a fait un grand bien. Elle m'a montré qu'il a ses faiblesses, lui aussi. Qu'il ne performe pas sur tous les plans. Maintenant, j'accepte de skier avec lui, quitte à me prendre une débarque une couple de fois devant lui.

J'avais eu toutes les misères du monde à me retenir de rire. Puis, elle m'avait tapoté l'épaule une autre fois :

— Éva ! Écoute-moi juste deux minutes ! Tu préfères dormir ? T'es plate. Parole de Gaby, je ne te ferai pas le même coup le jour où tu auras un amant. Si tu finis par t'en attirer un...

Robe écossaise
avec des croix
de St-André

CHAPITRE V

La mort ne dépouille pas que la personne qu'elle frappe. Elle met à nu les sentiments de toutes les personnes qui connaissaient la défunte. Ses proches, surtout. Sous ses clowneries, Donio cachait une très grande sensibilité et un attachement insoupçonné pour notre mère. Au pied du cercueil, il pleurait comme un enfant. Éva, qu'on avait crue, par sa foi, à l'abri des plus grands désarrois, est tombée dans une telle détresse qu'on a dû la médicamenter. Et moi, je n'ai cessé d'allumer cigarette sur cigarette, les oubliant aussitôt dans le cendrier. Pire encore, j'étais hantée par des extraits d'opéra qui évoquaient le désespoir et la révolte et, pour m'en libérer, j'ai dû aller les chanter à tue-tête dans mon Salon, fermé pendant les six jours de la maladie de maman et jusqu'après l'enterrement. Il faut dire que je fume et chante presque tout le temps. Parfois parce que je suis heureuse, mais souvent pour calmer ma nervosité ou ma peine. Je crois que nous portons tous un masque et je ne suis pas sûre qu'il soit souhaitable que nous l'abandonnions. Il nous protège et il épargne ceux qui nous côtoient des souffrances qui ne leur appartiennent pas.

Engagés sur la route qui les ramenait à Montréal, les deux sœurs Bernier et leur frère avaient dit adieu à leur mère et fait une prière devant la pierre tombale de leur père.

— Ils sont ensemble pour l'éternité, dit Donio, inspiré par la foi et l'espérance inculquées dans sa jeunesse.

Cette réflexion plut à Gaby.

— Ce que j'aurais donné pour être témoin de leurs retrouvailles, dit-elle. Il me semble les voir… Comme lorsque nous étions jeunes et que papa rentrait du travail. Tu te souviens, Donio? Après avoir bécoté maman sur les joues, dans le cou et sur le front, il se tournait toujours vers notre petite sœur avant de nous demander: « Puis, vous autres, mes p'tits ch'napans » ?

Ce souvenir embrouilla sa vue. Gaby tourna la tête vers la vitre de la portière. S'y dessinait le profil de son frère au volant de la voiture. « C'est à s'y méprendre ! Je lui donne dix ans de plus et c'est papa en peinture. Et moi qui ressemble beaucoup à maman… C'est comme si Éva retrouvait en nous un peu de ses parents », pensa-t-elle en jetant un regard vers sa sœur endormie sur la banquette arrière.

Le moment se prêtait bien aux réminiscences. « Quand allez-vous comprendre, Gabrielle Bernier, qu'il est important de tourner sa langue sept fois dans sa bouche avant de parler ? » se rappela-t-elle. Nombre de fois dans sa vie, Gaby avait appliqué cette recommandation clamée par la préfète de la discipline. Mais une confiance inébranlable en son frère l'en dispensait. Entre eux, il n'y avait ni secret, ni censure.

— Maintenant que tout est terminé, je peux te dire que Pit serait venu de Toronto pour les funérailles de maman si Éva et toi ne vous y étiez pas opposés. Les convenances ! Les gens de Chambly ! Je me demande si ce ne sont pas que des prétextes de votre part ? Tu n'étais pas accompagné, Éva non plus…

— Pour moi, ce n'en était pas un. Tout le monde aurait été en pâmoison devant Lépine, alors que c'est notre mère qui était importante aujourd'hui…

— J'aurais tellement aimé qu'il soit à mes côtés…

— À tes côtés ? Qu'à Montréal, vous vous comportiez comme des fiancés en public, ça ne me dérange pas. Mais que tu te promènes accrochée à son bras, collée contre lui, à Chambly, à l'enterrement de maman, penses-y. Elle n'aurait pas apprécié, il me semble.

Gaby prit conscience qu'entre elle et sa mère, il avait été rarement question de sa relation avec Pit Lépine. Séneville avait bien glissé quelques mots au fil des échanges familiaux, exprimé sa joie de voir sa fille chanceuse en affaires et en amour, mais sans plus. Approuvait-elle la liberté de mœurs que ces amoureux se donnaient ? Gaby ne s'en était jamais préoccupée. Pour cause, à trente ans, l'approbation des parents n'était plus requise. « Je sens que de là-haut, tout comme moi, vous vous fichez bien des "qu'en-dira-t-on", n'est-ce pas, Maman ? »

Donio comprit que Gaby ne partageait pas son point de vue et qu'elle n'avait pas l'intention d'en discuter. « Il faut dire que je ne suis pas des plus exemplaires en matière de respect des commandements de Dieu… » À la mi-trentaine, il n'avait pas encore pris de femme. Tout Chambly s'en était étonné en le voyant seul avec ses sœurs lors de l'enterrement de Séneville. Aux curieux qui avaient osé le questionner, il avait répondu sans ambages :

— Celle qui vaudrait aussi cher que ma liberté ne s'est pas encore présentée !

Plongée dans la rétrospective des événements récents, Gaby lui confia :

— Papa, tout comme maman, aurait probablement aimé que tu leur donnes un petit-fils.

— Avoue que je ne suis pas le seul à pouvoir assurer la descendance…

— Je te parle d'un vrai petit Bernier.

— Un petit Lépine, ce ne serait pas mauvais, non plus…

— Je ne crois pas que ça fasse partie de ses projets d'avenir, la famille. Il a eu tellement d'occasions de se prononcer à ce sujet! Il les a toujours évitées.

— Mais toi, Gaby, tu aimerais avoir des enfants? Il n'est pas un peu trop tard?

— Il n'y a pas que l'âge qui compte. Je doute encore de pouvoir mener de front mon Salon de haute couture et les responsabilités d'une maman. Encore plus depuis que le petit Jean vit souvent avec nous.

— Tu tiens beaucoup à ton travail?

— Oh oui! Inventer un nouveau modèle, c'est un peu comme mettre un enfant au monde. Mais la différence, dans mon métier, c'est que je suis forcée de me séparer de ma création aussitôt terminée.

— Sauf quand tu couds pour toi... comme tu l'as fait pour maman. Qu'elle était belle dans la robe de satin noire que tu lui avais faite pour le mariage de Barbara Henderson l'an passé!

Un long silence prit place avant que Gaby balbutie:

— Même si on l'avait gardée, cette robe, et que ma sœur et moi avions eu le goût de la porter, je n'aurais jamais osé lui donner le moindre coup de ciseau.

— Je suis sûr qu'Éva l'aurait très mal pris. Des plans pour qu'elle rechute.

— Son anniversaire... Crois-tu Donio qu'on pourrait le souligner même s'il est passé depuis un peu plus d'une semaine?

— Je n'ai vraiment pas le cœur à la fête, entendit-elle de la banquette arrière. Quant à moi, je ferais sauter cette année d'enfer sans problème.

Les paroles d'Éva étaient comme un vent glacial qui chassait la douceur de ce début de mai. Au salon funéraire, tout comme au cimetière, la benjamine de la famille n'avait versé aucune larme. Son regard, habituellement si doux et si plein de tendresse, s'était habillé d'apathie. Donio et Gaby, désarmés par ce revirement, l'attribuaient soit à la médication, soit à la magnanimité. Une crainte persistait cependant. Éva allait-elle retrouver son équilibre ? Ses dehors très vertueux auraient-ils caché une fragilité insoupçonnée ?

— À moins qu'on fête les trois anniversaires en même temps, cette année. J'aurai mes trente-cinq ans dans une semaine, proposa Donio, bon joueur.

— Je suis prête à devancer le mien, renchérit Gaby, dans l'espoir de ramener sa sœur à de meilleures dispositions.

— Fêtez si vous voulez, mais oubliez-moi. L'agonie de maman a pris le dessus sur mon vingt-neuvième anniversaire et je ne suis pas près de l'oublier.

— Le temps…

— Le temps crée plus de dommages qu'il n'arrange les choses, Donio Bernier. Je suis la mieux placée pour en parler.

Éva s'avança sur le bord de la banquette pour leur livrer ses ressentiments :

— Avec ou sans moi, avec ou sans maman, vous avez de l'avenir, vous deux. Vous vous amusez dans la vie et vous ne tenez compte que des principes qui font votre affaire. Vous me promenez votre bonheur sous le nez sans vous demander ce que ça peut me faire, à moi, celle qui est condamnée à vivre dans l'ombre des autres. Celle qui est désavantagée à cause de ses valeurs. La seule qui me comprenait et qui m'encourageait à rester fidèle à moi-même m'a abandonnée.

À moins d'une heure de Montréal, Gaby demanda à son frère d'immobiliser la voiture.

— Tu ne vas pas descendre ici, on en a encore pour une heure avant d'arriver à Montréal.

— Je le sais.

Gaby sortit de la voiture pour aller prendre place sur la banquette arrière, tout près de sa sœur. Elle l'enveloppa alors d'un silence riche de compréhension et d'amour. Son bras glissé sur les épaules d'Éva parlait pour elle. Les longs sanglots de l'une, les soupirs empathiques de l'autre affligeaient Donio. « Je fais bien de ne pas me marier. Je ne sais pas parler aux femmes, encore moins les consoler. J'ai plutôt tendance à m'en éloigner quand elles souffrent et à ne revenir que lorsqu'elles ont retrouvé leur joie de vivre. Au fond, je suis un peureux. Un égoïste face au malheur des autres. Je ne suis pas devenu soldat, mais j'en ai revêtu la cuirasse. Et comme je ne veux pas être affecté par les problèmes de qui que ce soit, même ceux d'Éva, je m'enferme dans mon armure et je joue au gamin innocent. Question de tempérament ? Peut-être pas. Je crois plutôt avoir adopté cette attitude depuis la mort de papa. Je me suis refermé sur ma peine alors qu'Éva hurle sa révolte et son chagrin. Elle nous éclabousse, mais elle reste fidèle à elle-même. Moi, l'homme de la famille, je joue la comédie. Y a pas de quoi te péter les bretelles, Donio Bernier. »

— Je t'ai déjà dit que sans toi, Éva, le *Salon Gaby Bernier* n'aurait pas la renommée qu'on lui connaît aujourd'hui. Tu m'es précieuse en affaires, mais plus encore dans ma vie personnelle. Tu es celle qui me ramène les deux pieds sur terre et qui sait doser mes impulsions. Que de secrets je t'ai confiés ! Que d'erreurs tu m'as évitées ! Je ne me vois pas continuer ma vie sans toi à mes côtés, Éva. Ta grande sensibilité est une richesse que tu vas apprendre à protéger, tu vas voir. Sur ce point, je pourrais peut-être t'aider… si tu le veux. Nous trois, nous allons former une chaîne aux maillons très serrés.

— Solidaires à la vie, à la mort, jura Donio.

Une entente fut prise pour qu'Éva dorme chez Mme Landry, le temps que les effets personnels de Séneville soient remisés. Cette doyenne des employées du *Salon de couture Gaby Bernier* avait fait preuve, depuis cinq ans, non seulement d'un grand dynamisme au travail, mais aussi d'une remarquable empathie envers la famille Bernier. Son intégrité en avait fait la suppléante des deux sœurs en certaines occasions. Aussi venait-elle toujours au secours d'Éva quand elle devait s'adresser à des clientes unilingues anglophones. Cette délicatesse avait tissé des liens particuliers entre elles.

— Qui va occuper la chambre de maman? s'inquiéta Éva.

— Qu'est-ce que tu en penses, toi? lui demanda Donio.

— Moi, peut-être, un peu plus tard, suggéra-t-elle.

La voiture stationnée devant le 1316 de la rue Sherbrooke Ouest, Éva y demeura, la tête tournée vers le côté opposé de la rue.

— On est arrivés, Éva. Tu ne descends pas?

La jeune femme fit la sourde oreille. Donio et sa sœur échangèrent des regards intrigués.

— S'il te plaît, Gaby, voudrais-tu m'apporter le nécessaire pour quelques nuits et quelques jours chez Mme Landry? Je vais t'attendre ici. Tu pourrais m'y conduire, Donio?

— Prends-tu congé du Salon aussi? s'informa sa sœur.

— Je ne sais pas encore.

Mme Landry se conduisit comme une mère avec Éva, qu'elle garda chez elle plus d'une semaine. Présumant qu'il serait bon pour sa protégée de pleurer à satiété le décès de sa mère, elle lui avait fait entendre quelques grands succès de la chanteuse française Berthe Sylva. L'un d'eux la réconfortait et lui laissait l'impression de rendre à sa mère l'hommage qu'elle aurait mérité de son vivant. Elle en avait copié les paroles pour que Gaby les lui chante:

— Quand tu chantes le refrain surtout, j'ai le sentiment qu'elle t'entend et qu'elle nous en remercie. Reprends-le une autre fois, s'il te plaît, Gaby.

C'est la voix de maman
C'est la chanson qu'elle aime
Nul ne peut qu'elle-même
Chanter si gentiment
Ces musiques étranges
Qui, dans le firmament
Semblent venir des Anges
C'est la voix de maman!

Juin avait occupé les Bernier plus que souhaité. Moyennant quelques modifications, Donio avait emménagé dans la chambre d'Éva, et cette dernière dans celle de leur mère. D'autre part, l'été 1932 se prêtait mal à une absence prolongée de Gaby. Aussi, malgré l'insistance de sa sœur, elle différa son voyage en Europe au printemps suivant.

— Je vais me récompenser en double, l'an prochain, lui avait-elle répliqué, comptant voyager sur un des plus gigantesques transatlantiques français, dont la mise à l'eau devait se faire à l'automne.

Margot Vilas l'accompagnerait de nouveau.

Gaby avait endossé la responsabilité de rattraper le temps perdu par la maladie et le décès de sa mère. Elle ne rentrait au logis qu'après être allée au bout de sa résistance. Il fallait ménager la santé physique, mais surtout psychologique d'Éva. Pour ce faire, la complicité de Donio devenait essentielle, la présence de Marcelle, indispensable. Les visites de l'orphelin Taupier, prévues pour le mois d'août, à son retour de Chambly, étaient vivement attendues.

Les soirs de pluie, Mme Douglas, une amie et cliente de Gaby, organisait des parties de gin rummy. Trouvant une grande détente à jouer aux cartes, Gaby y allait quelquefois. Mais depuis le décès de leur mère, les sœurs Bernier s'y rendaient non seulement pour les parties de cartes, mais aussi pour des invitations à souper avant l'arrivée des autres coéquipières. Or, au grand dam de Gaby, Éva repartait tôt en soirée, prétextant n'être pas assez rusée pour aider sa partenaire à remporter quelques victoires.

— Je crois plutôt que c'est la boisson qui se prend lors de ces soirées qui lui déplaît, émit Donio.

— Comment le sais-tu?

— Gaby! Chaque fois que tu reviens de chez Mme Douglas, tu en dis suffisamment pour qu'on n'ait même pas à deviner.

Vu le scepticisme de sa sœur, Donio prit une gageure :

— Je vais lui proposer une soirée de cartes ici, avec Marcelle et Mme Landry, pendant que tu es occupée à ton Salon ou ailleurs. Pas plus tard que demain soir.

L'initiative charma Éva. Pour cette soirée, elle se fit plus coquette que d'habitude. «Je ne comprends pas. Il n'y aura même pas d'homme à part moi», se dit Donio. Après quatre heures de jeu, Mme Landry demanda à être conduite chez elle, Marcelle se traîna à sa chambre comme une somnambule tant elle était fatiguée, et Éva les bouda en les voyant déserter la table de jeu.

Lorsque Donio revint, Gaby s'apprêtait à fermer son Salon.

— Et puis?

— Elle a joué avec un plaisir fou.

— Gagnait-elle, de temps en temps?

— Presque tout le temps, tellement elle réussissait bien à cacher son jeu. Elle est plus maligne que je ne le croyais, notre sœur.

Donio avait visé juste. La preuve établie, Gaby, plus à l'aise qu'Éva avec les membres de la haute bourgeoisie, dont plusieurs étaient anglophones, résolut d'aller seule chez Mme Douglas lorsque le temps le lui permettait. «Je ne renoncerai pas à cette occasion en or de me faire de la publicité et d'apprendre comment se divertissent ces dames» considérait-elle. L'une, épouse d'un sénateur, l'autre, d'un ministre et plusieurs, conjointes d'hommes d'affaires parvenus, ces dames, libérées de l'obligation de respecter leur rang social, se dévoilaient alors sous leur vrai jour. La consommation d'alcool s'ajoutant au plaisir du jeu, les langues se déliaient.

À son retour, rien ne détendait plus Gaby que de se moquer devant son frère et sa sœur des plus excentriques invitées de Mme Douglas.

— *My God*! Regarde, Mary, je me suis cassé un ongle. C'est fini pour moi, les cartes!

Une autre ne se présentait pas à ces soirées sans son éventail rapporté des «vieux pays», racontait Gaby en se déhanchant.

Donio complétait le spectacle avec les situations cocasses rencontrées à son travail. Les clients soûlons en faisaient les frais.

— Où est-ce que je vous dépose, monsieur?

— J'sais-tu, moé!

— Avec les putes de la Main?

— *Never mind*!

— Je les glisse sur le trottoir, puis je fouille leurs poches … Parfois je suis chanceux.

Éva tentait-elle de leur faire un brin de morale qu'elle ne pouvait résister à leurs clowneries.

Ainsi, le mois d'août prit fin sans que les Bernier puissent être du nombre des cent mille personnes qui assistèrent à la cérémonie d'ouverture des Jeux de Los Angeles. Gaby lut, avec un pincement au cœur, les chroniques illustrées des cérémonies réunissant tout près de trois mille chanteurs et musiciens sous les yeux de stars d'Hollywood. Pit Lépine s'y était rendu, lui promettant de déguster pour deux les spectacles qui l'auraient fascinée. Fidèle à ses promesses, il revint à Montréal avec un album de magnifiques photos. Les premières étaient consacrées à l'humoriste et comédien Buster Keaton, reconnu pour son intrépidité, et surnommé «l'homme qui ne rit jamais», comparé à Charlie Chaplin. De ce dernier, Pit avait saisi plusieurs clichés, mais jamais autant que pour Gary Cooper, l'idole de Gaby. Charmée, la jeune femme portait ses mains sur la couverture entre cuir et chair de l'album avec une sensualité qui excitait celle du donateur. S'y mariait la tiédeur de cette soirée d'un septembre naissant. Les amants, enlacés sur un banc du parc Lafontaine où ils s'étaient donné rendez-vous, convinrent de passer la nuit ensemble dans une des chambres les plus luxueuses de l'hôtel Windsor.

— J'y suis allée souvent pour le bal de la *St. Andrew* et chaque fois, j'avais l'impression de le redécouvrir. Ses dômes, ses larges corridors et son décor luxueux me font rêver… ajouta Gaby, taisant sa préférence pour l'hôtel Viger, dont elle adorait l'architecture en attendant d'y mettre les pieds.

— Je t'emmène y vivre la plus belle nuit de ta vie, promit l'élégant hockeyeur.

— Tu es un habitué de cet hôtel ?

— Oui, j'aime y venir pour plusieurs raisons, mais surtout parce que c'est ici que fut créée la Ligue nationale de hockey en 1917.

Lors de leurs rencontres amoureuses, Pit ne parlait de hockey que pour informer Gaby de ses horaires et déplacements. Ce soir-là, il aborda son sport avec une ouverture qui charma son amoureuse.

— Quel âge avais-tu ?

— J'avais seize ans.

— Tu jouais à quoi quand tu étais petit garçon ? demanda-t-elle, pour l'inciter à en dire davantage.

— À six ou sept ans, je jouais déjà au hockey comme un malade dans l'espoir d'entrer un jour dans une grande équipe qui irait dans toutes les villes du monde. J'ai porté les couleurs de plusieurs équipes de calibre senior avant de signer un contrat avec les Canadiens en 1925. Quatre équipes se sont regroupées en 1917 pour former la nouvelle ligue : les Canadiens de Montréal, les Wanderers de Montréal, les Sénateurs d'Ottawa et les Bulldogs de Québec.

— Huit ans plus tard, tu entrais dans la plus belle équipe par la grande porte.

— Après avoir fait rire de moi, nuança Pit.

L'incrédulité de Gaby le força à s'expliquer :

— J'avais ma manière à moi d'arracher la rondelle à l'équipe adverse. Je glissais sur un genou en sa direction, mon bâton bien étiré devant moi. Mes entraîneurs n'approuvaient pas cette façon de faire. Ils ont fini par se rendre compte que chaque fois que je faisais à ma tête, je comptais un but.

— J'arrive mal à voir comment tu t'y prenais.

— D'abord, mon attaque déjouait les adversaires… et dès que j'avais saisi la rondelle, je me remettais rapidement sur pied, je patinais de toutes mes forces et je déjouais le gardien de but.

— C'est comme ça que tu as fait gagner la coupe Stanley à ton équipe.

— Je pourrais le faire encore plus souvent si je n'étais pas condamné à jouer dans l'ombre de Morenz.

— Qu'est-ce que tu veux dire ?

— Je voudrais qu'on m'envoie plus souvent sur la glace.

— Ils ne t'ont pas donné la chance de montrer tout ton talent. Il m'est arrivé de vivre la même expérience en couture. C'est pour ça qu'après avoir travaillé quelque temps sous les ordres des autres, j'ai décidé d'ouvrir mon propre salon et d'offrir mieux et plus à mes clientes. J'avais enfin la liberté pour le faire.

— Ouais. Moi aussi je veux aller plus loin.

— Mais comment ?

— Je te jure qu'un jour, on viendra me chercher comme entraîneur.

Le regard de Gaby s'assombrit.

— Tu en doutes ? lui demanda Pit.

— Je sais que tu as tout ce qu'il faut pour devenir entraîneur, mais
je crains que cette responsabilité ne me laisse plus de place dans ta vie.

— Pour toi, Gaby, j'aurai toujours du temps.

Pit savait que son amante serait séduite par le décor et le luxe de la
chambre louée. Sur les murs tapissés de soie, elle glissa ses mains avec
une volupté indéniable. Les tentures de velours et leur frange dorée la
ravirent. Sur un lit aussi large que long, elle s'abandonna aux mains de
son hockeyeur chéri avec une docilité que seul l'amour pouvait lui
inspirer. Leurs corps étaient faits pour se fondre l'un à l'autre avec
grâce. L'extase les emporta dans un sommeil dont ils n'auraient pu
préciser ni le début, ni la durée.

De ces capitulations charnelles, Gaby sortait toujours avec une
énergie nouvelle, fougueuse. Nul besoin pour ces amants de planifier
un autre rendez-vous avant de se quitter au petit matin. Après deux
ans de fréquentations, ils savaient que les circonstances les rapproche-
raient au moment propice. Leur besoin de liberté réciproque les incitait à une telle souplesse.

En ce début de novembre, la vague des robes et des trousseaux de
mariée apaisée, Gaby et Éva étaient happées par les préparatifs du bal
de la *St. Andrew* qui, depuis 1878, se tenait encore à l'hôtel Windsor.
Cette célébration datant de 1816 était organisée depuis près de cent
ans par la Société St. Andrew de Montréal, vouée aux besoins des
nécessiteux et à la promotion du patrimoine écossais. Avec le temps,
la course au plus élégant costume de bal avait éclipsé le caractère religieux de la fête. D'autre part, la situation économique des années

trente incitait Gaby à plus d'ingéniosité. Pour chacune de ses clientes, elle vérifiait personnellement toutes les robes que ses ouvrières leur avaient fabriquées précédemment, ajustant les corsages, modifiant les bandes de rubans ou de dentelles, ou ajoutant un boléro pour donner l'impression d'une confection originale. L'occasion amenait de nouvelles clientes, attirées par la réputation du *Salon Gaby Bernier*, où on faisait du neuf avec des vêtements de seconde main.

Gaby ne se pencha sur la confection de sa robe et sur celle de sa sœur qu'après avoir servi toutes ses clientes, et ce, une semaine avant le bal.

— Je t'interdis de prendre du temps pour m'en tailler une nouvelle, dit Éva. J'en ai déjà quatre dans ma garde-robe.

— On t'a vue au moins deux fois avec chacune d'elles.

— Peu importe. Si elles sont belles un soir, elles le restent tous les autres soirs. Mais pour toi, ce n'est pas pareil, tu représentes le *Salon Gaby Bernier*. J'ai une idée, même.

L'attention de Gaby lui fut acquise.

— Tu devrais te confectionner une tenue aux couleurs du drapeau écossais...

Gaby alluma une cigarette, en tira quelques bouffées et se dandina en attendant que l'inspiration vienne.

— Une robe blanche sans manches, mais portée avec un châle bleu... De petites croix de saint André brodées de blanc sur ce châle... par toi, Éva.

— Tu m'as encore déjouée, Gaby Bernier! Alors que je veux t'épargner de l'ouvrage, toi tu nous en ajoutes, riposta-t-elle, sans la moindre malice.

La soirée de bal venue, intimidée par les compliments portant sur son apparence et sa nouvelle robe, Éva n'était pas peu fière d'expliquer sa méthode de broderie à ses admiratrices. Pendant ce temps, des danseurs, vraisemblablement de descendance écossaise, posaient un regard nostalgique sur les joueurs de cornemuse en kilt du régiment écossais *Black Watch*.

Tel un roulement de vagues, les premiers accords de l'orchestre amenèrent sur la piste des danseurs si fébriles que leurs pas semblaient donner le rythme aux musiciens. Le frou-frou des jupes de bal ajoutait à l'euphorie des messieurs.

Gaby se prêta distraitement à quelques danses, impatiente de voir arriver son amoureux. Pit Lépine se pointa juste à temps pour danser la petronella, la danse écossaise favorite de Gaby et comparable à la polka. La fièvre de ces deux danseurs, leur élégance et leur notoriété créèrent un cercle d'admirateurs qui tardaient volontairement à entrer dans la danse. Heureusement pour eux, la petronella durait tout près de vingt minutes et était reprise à la demande générale. Suivaient, dans un mixage de traditions, les quadrilles, les gay gordons, les reels et les gigues. Au su de Gaby, Éva avait trouvé partenaire, puisqu'elle la croisait toujours sur la piste, essoufflée mais heureuse comme une enfant. Fait inusité, elle fut la dernière à rentrer à la maison.

— Ta soirée t'a plu, à ce que je vois.

— C'est à cause de maman. Je n'ai voulu rater aucune gigue ni aucun reel pour honorer sa mémoire. Tu te souviens ce qu'elle nous en a raconté? Elle raffolait de ces deux danses… Mais après la mort de papa, elle y a renoncé pour de bon. D'autant plus que l'Église les interdit…

— Tu sais pourquoi?

— J'en ai une petite idée, mais dis.

— Parce que les prêtres jugent que la danse peut éveiller la sensualité et exciter la passion charnelle… ce qui n'est permis que dans le mariage et encore.

Éva avait repris un air soucieux.

— Je ne te cache pas que si je me laissais aller, c'est ce qui m'arriverait.

— Je ne comprends pas que tu t'interdises de si bons sentiments.

— J'y arrive. Je ferme les yeux et j'imagine danser avec papa.

— Hein ?

— Bien oui. J'ai passé la soirée avec papa et maman.

— Ça travaille fort dans cette tête-là ! s'écria Gaby, déroutée. Cette idée ne me serait jamais venue à l'esprit… encore moins le goût de l'adopter. C'est si enivrant de vivre toutes les sensations que nous apportent la musique, le contact avec notre danseur, son parfum…

Éva, le regard fixé sur ses mains jointes sur ses genoux, hocha la tête.

— Penses-tu, Gaby, que les demandes de pardon des autres peuvent remplacer celles du pécheur ?

— Qu'est-ce que tu veux dire ?

Embarras, tergiversations et craintes passaient dans les murmures d'Éva.

— Si je demande au bon Dieu d'effacer les péchés de Donio, par exemple…

— Pour ne pas dire ceux de ta sœur, c'est ça ?

L'acquiescement muet d'Éva provoqua un éclat de rire chez Gaby.

— Éva, je veux que tu me promettes cette nuit de ne plus jamais te préoccuper de ma conscience ni de celle de ton frère. Et si ça peut te rassurer, je te dirai qu'il y a une place pour toute sorte de monde au paradis. Ton bon Dieu a de très grands bras, n'est-ce pas ?

Les sœurs Bernier se donnèrent l'accolade et filèrent vers leur chambre respective. Il ne leur restait plus que quelques heures de sommeil avant l'ouverture du Salon. Des moments précieux que Donio vint perturber.

— Il faut que tu voies ça avant d'aller travailler, Gaby !

Des pages de différents journaux et magazines arboraient des photos de l'inauguration du *Normandie* tenue le 29 octobre en présence du président Albert Lebrun et d'une foule de plus de 200 000 personnes. En sous-titre, *Le Normandie est l'une des plus grosses coques, si ce n'est la plus grosse, jamais lancée par l'homme.* En tête d'une autre coupure de presse : *Ce transatlantique sera au faîte du luxe et du raffinement français.* Donio n'avait pas pris le temps de lire les textes reliés aux illustrations tant il était heureux de présenter ces photos à sa sœur. La lourdeur du sommeil dont il la tira se dissipa vite à la lecture de certains passages. Les travaux de construction entrepris en 1931 étaient si imposants que les chantiers de Penhoët à Saint-Nazaire avaient été forcés de construire une nouvelle cale pour permettre au navire d'être lancé. Les grands ports du Havre et de New York devaient réaménager leur jetée et leur quai pour être en mesure d'accueillir ce géant flottant de plus de mille pieds de long et de cent vingt pieds de large. La presse avait semé des rumeurs sur la présence d'une roche sous-marine devant la cale et sur la possibilité d'un affaissement de cette cale lors du lancement.

— Il ne faut surtout pas comparer les embarcations du temps aux gros navires transatlantiques, émit Donio.

— Je ne me presserai pas d'y monter… Je vais attendre qu'il ait fait quelques traversées.

L'arrivée du Nouvel An se prêtait à une visite de courtoisie chez Edna Jamieson. S'y ajoutaient un conseil à demander et une rumeur à valider.

— Faire paraître une publicité pour les nouveautés du printemps dans *The Montrealers*, mais quelle bonne idée! s'écria Edna, plus radieuse que jamais.

Puis, elle se ravisa.

— Pourquoi ne pas en ajouter une autre, dans un magazine francophone, cette fois?

— C'était mon intention aussi. Mais quoi de neuf ici, Mme Jamieson?

La réponse déstabilisa Gaby. Le *Pompadour Shoppe* était à vendre.

— J'ai pensé que tu serais intéressée…

Edna n'eut pas à terminer sa phrase.

— Ce n'est pas l'intérêt qui manque, mais les possibilités. Et puis…

— Ton Salon prend de la notoriété, dit Edna. Je comprends.

Un silence causé par un malaise réciproque s'installa.

— Quand tu auras fait vingt ans dans ce métier, tu auras peut-être le goût de regarder ailleurs.

— Vous êtes fatiguée?

— De la mode, non. De la concurrence et des ragots, oui.

Craignant un reproche de la part d'Edna, Gaby signifia son intention de partir.

— Viens t'asseoir un peu, ma belle amie.

Le ton et le geste gracieux de Mme Jamieson la rassurèrent.

— Si tous les propriétaires de salons de couture s'étaient conduits comme toi, Gaby, j'aurais hésité avant d'accepter d'aller vivre avec mon mari en Angleterre.

Gaby ressentit un profond soulagement. Sur une note humoristique, Edna reprit :

— Tu te souviens des prédictions de la voyante dans les feuilles de thé ? Elle l'avait bien vu, mon beau capitaine… mon prince charmant. Moi, je n'ai besoin ni de thé ni de cartes pour te prédire un avenir couronné de succès, Gaby. Je tiens à t'avouer que ce que j'ai le plus admiré chez toi, à en être jalouse, c'est ton talent pour le bonheur. Ernest, mon mari, m'a conquise par sa grande capacité à convertir chaque moment de la vie en un bouquet de joies. Tu as hérité de cette bonne nature, Gaby. Te vient-elle de ta mère ou de ton père ?

— Je crois vous avoir déjà confié que mes souvenirs de l'homme merveilleux qu'était mon père s'arrêtent alors que je n'avais que huit ans, susurra Gaby.

— Tu m'aurais déjà fait une telle confidence et je l'aurais oubliée ! Si c'est le cas, pardonne-moi, Gaby. Il faut dire qu'on n'aurait jamais cru… Tu as toujours affiché une telle joie de vivre…

Après une longue accolade, des adieux touchants et quelques larmes insoumises, les deux femmes se séparèrent dans l'espoir de se revoir un jour.

Les contrats affluant et la boutique *Etcetera* faisant de bonnes affaires, Gaby Bernier ne tarda pas à rédiger le texte à publier dans *The Montrealer*. Avant de l'expédier, elle se tourna vers ses bonnes amies anglophones pour en vérifier la qualité.

Quelle ne fut pas sa surprise, à la date prévue, de constater la visibilité que le journal lui avait accordée. La grosseur des caractères, l'encadrement du texte et sa présentation, tout pour capter le regard des lecteurs.

**GABY
BERNIER
1316 SHERBROOKE WEST
MONTREAL**

●

**Announcing the arrival of a
small collection of ready-to-wear frocks…
and inauguration of the new
debutante departement…
Featuring dresses and coats
made to order at greatly
lowered prices**[*]

Heureuse coïncidence, quelques jours avant cette publicité, Gaby avait reçu la visite d'une nouvelle cliente nommée Ann Foster. Cette jeune femme au charme envoûtant et aux goûts sélects réclamait une exclusivité du *Salon Gaby Bernier*.

— Une robe de soirée comme on n'en a jamais vu à Montréal. Une robe qui évoquerait la nature, les fleurs…

— Dans ce cas, on irait dans les teintes de vert pomme ou vert feuille, suggéra Gaby. Cette couleur mettrait votre teint en valeur et se marierait bien au châtain foncé de votre chevelure.

— On peut regarder les tissus ?

Inspirée par une création dont elle voulait faire l'essai avant de la dévoiler à sa cliente, Gaby tira des rayons un rouleau de *sheer*, un autre de crêpe de Chine et un dernier de mousseline. Miss Foster les palpa une fois, deux fois, incapable d'indiquer sa préférence.

— Laissez-moi une journée ou deux pour faire quelques tentatives, réclama Gaby.

« La taille gracieuse d'Ann, ses épaules bien dessinées et proportionnées, son cou juste assez long pour demeurer dégagé, autant d'éléments qui me facilitent le travail », constata Gaby. L'illusion de feuilles

---

[*] Pour la traduction française, voir à la page 383.

et de fleurs excluait la coupe droite et les lignes bien définies. «Une robe d'allure frou-frou, c'est ça!» trouva la couturière, pressée d'esquisser le croquis sur une pièce de toile à patron. Un air vieux de plus de vingt ans retentit jusque dans la salle des ouvrières, piquant la curiosité de chacune.

Frou frou, frou frou par son jupon la femme

Frou frou, frou frou de l'homme trouble l'âme

Frou frou, frou frou certainement la femme

Séduit surtout par son gentil frou frou

— Qu'est-ce qui te rend de si belle humeur? questionna Éva, venue aux nouvelles.

— Miss Foster, répondit Gaby, entre deux reprises du refrain, tout en faisant zigzaguer son crayon à dessin sur le tissu brut.

— Tu as le temps de t'amuser, Gaby Bernier!

— Donne-moi encore quelques heures et tu verras que malgré les apparences, je suis loin de perdre mon temps.

Après une bouffée de nicotine, sa cigarette replacée sur le bord du cendrier, Gaby reprit son refrain et son dessin. Jamais il ne s'était trouvé autant de retailles de toutes formes sur la table. «Le montage risque d'être long et délicat, mais le résultat sera fabuleux», conclut-elle. Au bout d'une heure, Éva vint l'observer, le regard réprobateur. De voir tant de rognures de tissus sur le précieux rouleau de crêpe de Chine la contraria. Il lui sembla que sa sœur tenait rarement compte de ses recommandations pour économiser. Le lui faire remarquer sur-le-champ la tentait, mais elle douta de la réceptivité de Gaby, plongée dans sa création. «On verra bien ce que ça va donner», se dit-elle, résignée à attendre le résultat final.

Le succès fut tel que *The Montrealer* réserva un encart à cette création unique, portée par Ann Foster:

**Garcia photographed Miss Ann Foster in this lovely frock by Gaby
Bernier of green printed chiffon. Its chic is multiplied by new, deep
underarm decolletage polonaise-flounces that fall so gracefully, a
self flower giving bosom-emphasis.**[*]

La reproduction évoquait avec justesse cette robe qu'on eut dite
faite de feuilles d'arbres. Que d'heures de travail pour les petites mains,
qui avaient dû coudre une à une les pièces de *sheer* entrecroisées de
triangles de crêpe de Chine, pour donner un effet plus naturel. Gaby
s'était réservé la confection de la fleur de corsage.

Avant qu'elle ait terminé la lecture de cette page publicitaire, Éva
la pria de la lui laisser voir de près.

— Prends ton temps, je la regarderai plus tard, dit Gaby.

Éva parcourut le texte à deux reprises avant d'en faire part aux
ouvrières qui, ravies, applaudirent leur patronne retournée à la salle
de coupe. Éva l'y rejoignit, attirant son attention sur un passage qu'elle
jugea très flatteur.

— Je ne suis pas sûre de bien traduire, mais on te fait des éloges à
la fin de la rubrique. Regarde, s'écria-t-elle, l'index pointé sur le bas de
la page.

**And speaking of a little dressmaker, Gaby Bernier is super bat tur-
ning out made-to-orders that bring out your best points, have real
chic, and always distinction. She is expecting any day now an important collection of spring and summer models from Paris, and some
lovely new exclusive fabrics, so it seems as if that Parisian idea
would be quite perfect here, too.**[*]

Enchantée, Gaby retourna vers ses couturières:

— Ce succès aurait été impossible sans l'apport de chacune de
vous, mesdames, reconnut-elle.

Empressée d'en remercier personnellement, du même souffle, Isabel E. Kennedy, la rédactrice, Gaby se jura de ne plus douter de ses inspirations.

La rentabilité du *Salon Gaby Bernier* était telle qu'en se limitant aux recettes de l'entreprise, la créatrice de mode aurait pu oublier que la crise économique culminait aux États-Unis. Par contre, les discussions de clientes passionnées de politique la ramenaient vite à la réalité économique.

— Quand Franklin D. Roosevelt a été élu président des États-Unis, en novembre, il avait promis de s'y attaquer fermement, rappela Mme Whitley, déçue.

— Il a bien essayé en lançant le *New Deal*, rétorqua Mme Henderson.

— Le *New Deal*? Qu'est-ce que c'est que ça? demanda Éva, venue leur servir du thé.

— C'est un programme qui vise surtout à faire disparaître le chômage.

— On en aurait bien besoin chez nous, estimait Mme Landreville. Vingt-cinq pour cent de notre population est au chômage et presque autant vit de l'aide sociale.

Donio, appelé pour reconduire Mme Frosst chez elle, entra sur ces entrefaites. Comme certains petits ajustements s'imposaient pour obtenir l'entière satisfaction de la cliente, il se mêla à la conversation sans attendre qu'on l'y invite. Il avait des opinions bien arrêtées sur le sujet et se plaisait à les exprimer.

— On ne peut pas se vanter d'être aussi bien gouverné qu'aux États-Unis. L'ex-premier ministre Mackenzie King ne voyait pas plus loin que le bout de son nez quand il a dit qu'il ne permettrait pas que le fédéral verse cinq cents pour aider les gouvernements provinciaux à diminuer le chômage.

— On peut dire que M. Bennett mérite son titre de premier ministre du Canada, clama Mme Whitley. Quand il est arrivé au pouvoir, la majorité des provinces de l'Ouest connaissaient de grandes difficultés financières, elles aussi.

— Puis, il a signé une entente avec le Québec pour que près de vingt millions de dollars soient accordés aux municipalités, ajouta Donio.

— On ne peut pas dire que ça paraît à Montréal. Les journaux rapportent que plus de deux cent mille Montréalais sont dans la misère.

De par son travail, Donio était à même de témoigner des désastres de cette crise. Aussi Gaby projetait-elle de développer d'autres moyens pour mettre l'élégance à la portée de tous les budgets. Avec l'assentiment d'Éva, son ministre des Finances, comme elle se plaisait à la désigner, elle invita les dames bien nanties à rapporter au *Salon Gaby Bernier* des vêtements dont elles voulaient se départir et qui en portaient la griffe.

— Avec un peu d'imagination, on les convertira au goût du jour et on les offrira à bas prix aux dames et demoiselles désavantagées.

Grâce à la collaboration de ses clientes fortunées, le Salon fit paraître une autre publicité dans quelques quotidiens, annonçant le lancement d'une nouvelle collection de prêt-à-porter et l'inauguration d'un département dédié aux moins fortunées, présentant des robes et des manteaux faits sur mesure à des prix considérablement réduits.

Gaby jubila en découvrant qu'une publicité novatrice, parue dans un journal, se retrouvait dans trois autres hebdomadaires. Cette fois, Éva ne partagea pas son enthousiasme.

— Je veux bien qu'on pratique la charité chrétienne, mais ce n'est pas en réduisant nos prix de vente de moitié qu'on va assurer la survie de notre entreprise. Puis, ce genre de publicité ne respecte pas notre marque de commerce. C'est du chic qu'on vend ici.

Venant de sa sœur, une remarque aussi inopinée troubla Gaby. «Avec la maladie et le décès de maman, j'allais oublier que, tout en prêchant la vertu, Éva possède un sens inné des affaires. Elle garde toujours le cap en vue. Une vraie Bernier. »

— Tu as raison. Nous devrions être assez inventives pour mettre l'élégance à la portée de Mme Tout-le-Monde sans négliger notre chiffre d'affaires et notre clientèle huppée.

— Mais comment ? demanda Éva.

— En cherchant d'abord chacune de notre côté et en demandant l'avis de Donio.

— Donio ? En quoi nous serait-il de bon conseil ? Il ne sait même pas distinguer la soie du crêpe.

— Ce n'est pas nécessaire. Il a un très bon jugement et il côtoie des gens de toutes les classes sociales. Je peux te dire que, personnellement, il m'a toujours bien guidée.

Éva hocha la tête, disposée à s'excuser de ce manque de considération envers son frère.

— On s'en reparle à l'heure du souper, proposa-t-elle.

— Dès que Donio sera disponible, insista Gaby.

Sitôt le défi lancé, les idées affluaient dans l'esprit de la créatrice de mode. Elle avait appris à n'en faire la censure qu'après les avoir considérées plus d'une fois. Immanquablement, l'une d'elles émergeait au moment où elle s'y attendait le moins.

Ce soir-là, elle se montra plus impatiente que jamais devant le retard de son frère. Les deux sœurs et Marcelle, à qui la famille Bernier était restée attachée, avaient convenu, en l'attendant, d'avaler leur potage… puis le plat de pâté au saumon. Elles allaient lui passer le dessert sous le nez quand il fit une entrée… remarquée.

— Maudite crise ! Je me demande ce que je fais encore à attendre des heures sans que personne réclame mes services, s'écria-t-il, vidant son porte-monnaie sur la table. C'est ça que j'ai récolté aujourd'hui. Que des miettes.

— Tu ne les gardes pas? demanda sa jeune sœur, incommodée.

— Non. C'est trop insultant. J'aime mieux ne rien avoir.

Éva compta la monnaie.

— Accepterais-tu que je les prenne pour faire brûler des lampions… pour toi?

— Tu peux bien, même si je pense que l'aide de nos gouvernements serait plus efficace que des chandelles. C'est injuste que ce soient les jeunes et les gens d'affaires à revenus modestes qui souffrent le plus de la crise.

Gaby l'approuva.

— C'est dans ces moments-là qu'on doit pouvoir compter les uns sur les autres, dit-elle. Les profits de notre Salon de couture n'ont pas cessé d'augmenter et c'est la responsabilité des chanceux de venir en aide aux miséreux. En attendant le retour de la prospérité, tu peux compter sur l'aide de tes sœurs pour couvrir tes dépenses, Donio.

— Justement, le renouvellement de mon permis s'en vient…

— Va à la banque avec lui, demain, Éva, et donne-lui le double du coût de son permis.

— Je vous rembourserai jusqu'au dernier sou, les filles, promit Donio, disposé à manger.

Au jugement de Gaby, le moment sembla propice pour dévoiler l'idée novatrice qui lui était venue après une conversation avec sa sœur.

— J'aurai besoin d'un taxi. De toi, Donio.

À plus d'une reprise, des clientes avaient souhaité que Gaby aille à leur domicile pour prendre leurs mensurations et leur livrer le produit fini. Sauf de rares exceptions, elle s'y opposait, faute de temps. Mais les demandes répétées de Dorothy Johnson, l'épouse d'Isaak Walton

Killiam, ajoutées aux réflexions d'Éva quant à l'avenir du Salon et à sa vocation première, avaient amené Gaby à reconsidérer sa position.

— Si tu es d'accord, Éva, je le ferai d'abord pour Dorothy. Il va de soi qu'en mon absence, tu devras accueillir les clientes, même les anglophones.

Éva grimaça.

— Il serait bon que tu perfectionnes ton anglais…

— Ma pauvre Gaby, tu sais bien que je n'ai pas le temps d'aller suivre des cours.

— Surtout pas le goût, présuma Donio, qui d'emblée s'offrit à les lui donner. C'est la conversation anglaise qu'il faut travailler et là-dedans je suis bon. Une demi-heure tous les soirs, ça t'irait ?

— Sauf la fin de semaine, corrigea-t-elle.

Il tardait à Gaby d'annoncer la bonne nouvelle à Dorothy Walton Killiam. Grande, élégante et extrêmement sympathique, cette cliente savait toujours exactement ce qu'elle voulait et elle n'en demandait jamais le prix. Née au Missouri, Dorothy avait rencontré Isaak Killiam en Europe et ils s'étaient mariés en 1922 à Montréal. À quelques reprises, elle avait envoyé M. Hudon, le chauffeur de la famille, chercher Gaby pour faire les essayages à son domicile.

— Quand j'étais jeune, je jouais avec un p'tit Bernier, lui avait-il appris.

— Nous sommes nombreux au Québec. Mais à Chambly où je suis née, il n'y avait qu'une famille Bernier, la nôtre.

— À Chambly ! Mais c'est là que j'ai passé mon enfance et ma jeunesse avant de venir chercher du travail à Montréal.

Jacques Hudon et Donio Bernier s'étaient connus et avaient en commun un métier et un franc-parler. Cette découverte les amusa, donnant lieu à de bonnes séances de commérage.

Lorsque Dorothy reçut la visite inattendue de Gaby, en cette fin de février 1933, elle crut qu'un miracle venait de se produire.

— C'est le ciel qui vous envoie, Mlle Bernier ! Je tourne en rond depuis deux jours à me questionner…

— Mais sur quoi ?

— Si je vous payais toutes les dépenses du voyage, iriez-vous à New York pour moi ?

— Qu'est-ce que j'irais y faire ?

— J'ai vu dans un magazine américain la robe dont j'ai toujours rêvé. Elle se trouve chez *Bergdorf Goodman*, au 754 de la 5e Avenue. Elle est d'un vert qui irait à merveille avec mes émeraudes.

— Vous voulez que j'aille vous la chercher ?

— Oh non ! Elle est bien trop chère ! Je voudrais que vous alliez l'examiner et que vous m'en confectionniez une pareille.

— Mais je doute que vous fassiez des économies, lui fit remarquer Gaby.

— À la différence que je porterai une création *Gaby Bernier*. Vous le savez, je n'achète que de vous, Mlle Bernier.

Les exigences de Dorothy dépassaient les attentes de Gaby et tout ce qu'elle avait pu imaginer d'une cliente. Mais la fidélité avait un prix. Un de ces froids matins de février, elle prit le train pour New York et en revint avec un croquis et des notes qui allaient lui permettre d'adapter la robe tant rêvée aux caprices de l'acheteuse. Au bout du compte, la totalité des frais engagés dépassait largement le coût de la robe originale.

Au début de la semaine sainte, espiègle à ses heures, Dorothy laissa croire à sa couturière qu'elle avait un besoin urgent de maillots de bain :

— Mon mari m'a annoncé qu'il m'emmenait dans une de nos villas de Nassau et notre départ est prévu pour Pâques. Si votre frère ne peut vous conduire chez moi pour prendre mes mensurations aujourd'hui, notre chauffeur ira vous chercher.

— Mme Killiam, je suis débordée de travail. Aussi, ma gérante m'a rappelé que je vous en ai confectionné de très beaux, l'an passé…

— La véritable raison de mon appel, ma chère Gaby, c'est que j'aurais tant aimé vous remettre moi-même mon cadeau de Pâques, d'autant plus que mon mari tient à vous remercier personnellement pour votre dévouement… exceptionnel.

— Votre mari ?

— Oui, oui. Il avait une faveur à vous demander, aussi.

La curiosité de Gaby fut piquée.

— À moins que vous acceptiez de me recevoir après la fermeture du Salon.

Mis au parfum de l'événement, Éva et son frère blaguèrent allègrement sur les intentions de M. Killiam.

— C'est moi qui t'y conduis, réclama Donio.

— Il n'en est pas question. C'est leur fantaisie, c'est leur chauffeur qui doit se déplacer.

Bien qu'elle ne se fût absentée qu'une heure, les deux autres Bernier trépignaient d'impatience à son arrivée. Son tour était venu de rigoler à leurs frais. L'index pointé sur la chaîne en or pendue à son cou, cadeau du couple Killiam, elle les fit languir avant de leur apprendre que M. Killiam allait devenir le premier homme à réclamer les services du *Salon Gaby Bernier*. Habitué à ne porter que des vêtements fabriqués sur mesure par les plus grands tailleurs de Londres, Isaac Killiam commanda un smoking d'un grand chic, « à l'image de Gaby Bernier », avait-il spécifié.

Le défi était de taille, mais la motivation intense. Gaby se souvenait d'avoir vu des clients du *Ritz Carlton* porter de ces complets-vestons au revers soyeux. Mais elle devait les ignorer et opter pour un modèle exclusif et séduisant. À l'instar de son amoureux, elle jouait dans les ligues majeures… de la haute couture, avec ce contrat. Si elle était réussie, cette création serait glissée dans les bagages de M. Killiam lors de ses nombreux voyages dans le monde. « Une carte de visite à ne pas rater », se dit Gaby. Appliquée le lendemain matin à tailler le smoking commandé dans une pièce de cachemire, elle prévint sa sœur :

— Je ne serais pas étonnée que ce monsieur me réclame d'autres vêtements. Le Salon n'aura pas le choix alors que d'engager un tailleur.

Éva s'y opposa fermement.

— Ce serait une dépense inutile, d'autant plus que si tu as du talent pour habiller les femmes, tu n'en auras pas moins pour habiller les hommes.

— En France, les grands salons de couture engagent des tailleurs pour confectionner les vêtements pour homme et pour tailler la fourrure.

— La fourrure ne fait pas partie des choix offerts à nos clientes.

— Pas encore, mais j'ai l'intention qu'elle le devienne, Éva.

— Mais tu ne seras donc jamais rassasiée du succès que tu connais ? Pourquoi prendre toujours de nouveaux risques ?

— Pour garder pignon sur rue, ma chère sœur. Il ne faut jamais oublier que nous avons des compétiteurs et qu'ils peuvent nous damer le pion avec une nouveauté qu'on n'avait pas vue venir.

Bien que douée pour la comptabilité et la gestion d'entreprises, Éva ne partageait ni les ambitions, ni la combativité de sa sœur. Dans l'espoir de lui faire épouser ses perspectives d'avenir, Gaby lui fit part des propos tenus par Marie-Paule Archambault à Molly, une des amies et clientes du *Salon Gaby Bernier*. Issue d'une famille distinguée aux relations sociales et intellectuelles brillantes, Marie-Paule avait pour mère une Beaudry de Saint-Hyacinthe, et pour père, un avocat d'Outremont. Sa vie avait pris un tournant tout à fait exceptionnel après un séjour de trois mois à Paris. Armée de lettres de présentation obtenues des amis de sa famille, elle avait fait la fête dans les ambassades et visité tous les musées, toutes les galeries d'art et les salons de couture de Paris, dont les Lanvin, Molyneux, Piguet, Vionnet, Chanel et Schiaparelli. De retour à Montréal, elle était déterminée à tenir un salon de couture qui se distinguerait des autres, avec des peintures, des fleurs, des vendeuses, deux collections par année et un *look* qui ne serait plagié par personne d'autre.

— Je me souviens d'avoir entendu notre comptable dire qu'en affaires, si on n'évolue pas, on régresse, ajouta Gaby.

Éva baissa la tête, sachant bien qu'elle n'aurait pas le dernier mot.

Moins de deux mois après Pâques, des amis de M. Killiam s'adressaient à Gaby pour se faire confectionner des tenues de soirée. Tous réclamaient d'être servis à leur domicile. L'occasion ne pouvait être mieux choisie pour discuter avec son frère et sa sœur de l'achat d'une nouvelle voiture.

— Ça ne convient pas que je me présente chez des clients fortunés avec une minoune comme celle qu'on a.

— Si maman t'entendait ! murmura Éva, attristée.

— C'est que je vais gagner du temps aussi en ne dépendant plus des autres pour me déplacer.

— Je peux te magasiner ça, offrit Donio. Tu n'as qu'à me préciser le style que tu aimes et le prix que tu veux payer.

— Je tiens à ce qu'Éva soit avec nous pour la choisir.

Cette dernière fut flattée de cette délicatesse.

— On la prendrait noire, clama-t-elle, au grand étonnement de Donio.

— Décapotable, autant que possible, si ce n'est pas trop cher, enchaîna Gaby.

Anticipant le plaisir qu'elles auraient à se promener dans les rues de Montréal en plein été, le toit ouvert et la chevelure au vent, les sœurs Bernier avaient le cœur à la fête.

UNE INDISCRÉTION DE DONIO

Il est arrivé que malgré sa passion pour son métier, Gaby soit rentrée à la maison exténuée. Dans de telles circonstances, elle déployait son rituel de détente. Campée dans la chaise berçante héritée de notre grand-mère, elle me réclamait son verre de gin tonic ou sa « petite ration de cognac », grillait des cigarettes rapportées de Paris ou des États-Unis, et passait en revue les clientes maniérées, dont elle se moquait allégrement. Ajoutant le geste à la parole, elle nous jouait de ces scènes de théâtre qui nous rendaient malades de rire. Après une heure d'un tel défoulement, elle était prête à sortir danser. Exploit incroyable, elle parvenait à convaincre Éva de l'accompagner. « Pomponne-toi un peu, choisis ta plus belle robe, et viens t'amuser. » Elle avait beau me supplier de sortir avec elles, connaissant mon peu de talent pour la danse, je ne me rendais guère plus loin que sur le trottoir.

DEUXIÈME PARTIE

Manteau Duffield

CHAPITRE VI

La vie nous joue de ces tours! Depuis le décès de maman, tout ce que je vois ou entends qui parle de mort me révolte. Il faut dire que ses derniers jours m'ont laissé un goût si amer de l'agonie. Je ne puis en supporter le moindre rappel. Je n'ai pas vu mourir mon père, mais j'ai vu maman se faire ni plus ni moins déchiqueter par la mort. Je l'ai vue, la mort, lui arracher toutes ses facultés, emportant avec elle jusqu'à sa dignité d'être humain. Je ne ferai pas subir ce calvaire à ceux qui m'aiment. Quand je saurai que ma mort approche, j'irai au-devant d'elle. Je l'affronterai et je la chasserai. Comment? Je ne sais pas encore, mais j'en trouverai bien les moyens. Ma mort m'appartient comme ma vie. J'en suis l'artisane. Elle sera comme je le déciderai. Ma dernière création.

— Éva, prie pour que la veuve Taupier retrouve la force de nous manifester ses volontés, la supplia Gaby en ce matin d'avril 1935.

Évanouie sur le plancher de la cuisine, Rachel Taupier avait été transportée d'urgence à l'hôpital grâce aux appels à l'aide de son fils Jean. Confuse à la suite d'un accident cardiovasculaire, elle ne pouvait émettre que quelques murmures difficiles à décoder. On craignait pour sa vie. Au témoignage des policiers, Jean avait demandé à être conduit chez ses amis Bernier. Il leur avait donné l'adresse avec une telle assurance que les agents n'avaient pas douté de son exactitude.

— C'est sur la rue Sherbrooke, là où c'est écrit *Salon Gaby Bernier*. Il y a plein de belles robes dans la vitrine, avait indiqué le jeune Taupier.

Ce salon de haute couture étant réputé dans toute la ville de Montréal, les policiers en connaissaient l'existence. La famille Bernier ne leur était pas inconnue, non plus. Ils croisaient souvent Donio, avec qui ils causaient de politique et d'économie.

À quelques mois de ses dix ans, l'orphelin était devenu le protecteur d'une mère minée par la maladie et le chagrin. Redeviendrait-elle un jour en mesure d'en assumer la garde ? Jean avait toujours manifesté le désir de demeurer à Montréal près de sa mère ou chez les Bernier, alors que son grand frère préférait passer son année scolaire à Chambly. Depuis le décès de leur père, juillet arrivé, les deux garçons se retrouvaient chez leur mère quand sa santé le lui permettait, faute de quoi ils étaient accueillis chez leurs grands-parents paternels.

Après avoir préparé Jean, Gaby jugea important de l'emmener au chevet de sa mère. Elle avait dû l'informer de ce qu'était un hôpital et de l'état dans lequel serait la malade.

En apercevant son fils et Gaby à ses côtés, Rachel Taupier trouva l'énergie nécessaire pour placer la main de Jean dans celle de Gaby. Les mots s'avéraient futiles tant son regard était éloquent.

— En attendant que vous vous rétablissiez, nous prendrons bien soin de votre fils, Mme Taupier, promit Gaby, bouleversée par le tableau pathétique qui s'imposait à son regard.

La malade tourna la tête en signe de contestation. « Que veut-elle me faire savoir, au juste ? »

— Souhaitez-vous qu'on aille conduire Jean chez ses grands-parents Taupier ?

L'infirmation était claire. Gaby devait risquer une autre hypothèse.

— Vous craignez de ne pas guérir ?

Des larmes coulèrent sur le visage de la malade et sa main vint chercher celle de son fils.

— Quoi qu'il arrive, Mme Taupier, vous pourrez toujours compter sur nous. Mon frère et ma sœur aiment beaucoup votre fils et ils feront l'impossible pour qu'il soit heureux. Nous lui offrirons ce qu'il y a de meilleur.

D'un battement de cils, la veuve exprima son approbation. Visiblement épuisée, elle ferma les yeux. L'orphelin se tourna vers Gaby, en quête de réconfort.

— On va laisser ta maman se reposer, maintenant. On reviendra demain, lui proposa-t-elle.

— On va revenir demain, maman, promit Jean, après lui avoir fait un gros câlin.

Gaby ne put retenir ses larmes. Jamais encore elle n'avait vu spectacle plus déchirant. «Je ne connais pas pire injustice que la perte des parents pour un si jeune enfant. J'avais sensiblement son âge quand mon père est décédé. Je sais quelles cicatrices cette absence laisse dans la vie...»

Sur le parquet du long corridor de l'hôpital Notre-Dame, ses pas rythmés par la révolte, Gaby forçait Jean à courir pour garder sa main dans la sienne.

— Excuse-moi, mon p'tit homme. On n'est pas si pressés que ça, lui dit-elle, tentant de maîtriser ses émotions.

— On retourne chez toi ?

— Oui.

— Tu vas rester avec moi ?

— Si j'en ai le temps. Mais c'est sûr que Marcelle t'attend avec plein d'idées pour t'occuper cet après-midi.

— Et Donio, lui ?

— Je ne suis pas sûre qu'il passe à la maison avant le souper.

— Je la trouve gentille, Marcelle. Je vais lui demander si on peut aller voir un film.

— Je n'ai pas besoin de t'accompagner jusqu'en haut, comme ça?

— Pas besoin.

La revue des événements de cette journée troubla la quiétude de Gaby. «S'il fallait que la mort emporte la veuve Taupier et que les grands-parents Taupier ne se sentent pas capables de prendre Jean en plus de Charles, je devrai endosser, à trente-quatre ans, les responsabilités d'une mère sans y avoir été préparée. De plus, on dirait que le goût de la maternité n'a été que de passage dans ma vie. Serai-je à la hauteur de cette tâche? Aussi bien que si j'avais porté cet enfant? Mon affection pour lui sera-t-elle à la mesure des difficultés qu'il aura à surmonter? Qu'en sera-t-il de ma liberté, maintenant? De mon quotidien? De ma relation avec Pit?» Gaby déplora l'absence de Séneville. «Tout serait si différent si elle était là, veillant sur lui à son retour de l'école et lors de ses congés scolaires. J'ai absolument besoin du soutien d'Éva et de Donio pour assumer les engagements que j'ai pris envers cet enfant.» La lueur d'une solution lui fit trouver le sommeil.

Le lendemain matin, elle fut la première à rejoindre Marcelle dans la cuisine. Éva fit de même une quinzaine de minutes plus tard. Donio se fit sortir de son lit avec l'ordre de ne pas réveiller l'orphelin. Titubant, la chevelure en broussaille, il s'accouda à la table en maugréant.

— Tu retourneras te coucher si tu le veux, mais moi j'ai besoin qu'on se parle sans que Jean nous entende. J'ai une proposition à vous faire à la suite des promesses que j'ai faites à sa mère hier, leur annonça Gaby.

Ce préambule sortit Donio de sa torpeur.

— Il se pourrait très bien qu'il perde sa mère… Elle veut nous le confier…

— Comment ça, «nous» le confier? demanda Donio. Il a de la famille, cet enfant-là! C'est à ses grands-parents d'y voir.

— À la condition qu'ils le veuillent et qu'ils le puissent bien… J'ai parlé à son grand-père Taupier hier soir. Il ne cherche que le meilleur pour Jean. Il croit que c'est avec nous que cet enfant serait le plus heureux. Il semble qu'il ne cesse de parler de nous quand il est à Chambly.

— Tu as accepté de…

— Non, Donio. J'attendais… Je ne me sens pas mieux outillée que vous deux pour en prendre seule la responsabilité.

Éva écoutait en silence, les mains jointes, le front crispé.

— Tu oublies que j'aurai trente-huit ans, Gaby. Si j'avais voulu fonder une famille, je l'aurais fait bien avant aujourd'hui, riposta Donio.

— Comme c'est exceptionnel ce qui nous arrive avec Jean, on pourrait être plus de deux parents adoptifs.

— Ça ne passera jamais au bureau d'adoption, ça, prédit Donio.

— Il n'est pas nécessaire d'enregistrer officiellement notre entente pour se partager la garde d'un enfant. Toi, Donio, tu te chargerais de l'emmener à l'école et de l'entraîner à différents sports. Toi, Éva, tu l'aiderais à faire ses devoirs et tu le garderais quand je dois m'absenter. Marcelle, tu assurerais une présence assidue comme tu le faisais pour maman. Et moi, je me chargerais de tout le reste.

— De le consoler aussi quand il lui prendra une crise d'ennui? s'inquiéta sa sœur.

— Je crains qu'on ne se sente pas trop de trois ou quatre, dans ces moments-là.

Et, se tournant vers Marcelle, elle la pria de préparer des plats substantiels pour refaire la santé de ce garçonnet qui, en poussée de croissance, mangeait «comme un homme», aux dires de Donio.

Une porte de chambre grinça. Jean apparut en se frottant les yeux, impressionné de trouver les quatre adultes autour de la table.

— Viens manger, mon homme, si tu veux que je t'emmène faire du taxi avec moi aujourd'hui, lança Donio.

Gaby ne retint pas le sourire de satisfaction qui montait sur ses lèvres. Les réticences de son frère n'avaient duré que le temps de la discussion. Il avait suffi que l'orphelin l'approche pour que le plaisir éprouvé en sa présence reprenne ses droits.

— On va commencer par aller chercher ton sac d'école et tes vêtements, leur faire une place dans ma commode, et ensuite on ira t'acheter un lit neuf… suggéra Donio.

— Je ne dormirai plus avec toi?

— Tu vas toujours dormir dans ma chambre, mais tu auras un beau lit neuf qu'on placera tout près du mien.

Gaby poussa un long soupir de soulagement. «Ces deux-là vont devenir de grands complices», pensa-t-elle, rassurée.

La jovialité du gamin, son empressement à mordre dans la tranche de pain qu'Éva venait de tartiner pour lui, donnèrent le ton à cette journée, pourtant commencée avec tracas.

— Donio et Marcelle, vous êtes prêts à vous occuper de Jean le temps qu'Éva et moi travaillerons au Salon?

Leur engagement fut spontané.

— Je peux aller vous voir dans votre Salon? réclama le jeune Taupier.

— Je viendrai te chercher une bonne fois quand toutes mes couturières seront parties. Je te montrerai tes nouveaux vêtements, promit

Gaby, alertée par l'urgence de refaire sa garde-robe, l'orphelin ayant beaucoup grandi ces six derniers mois.

« Cette tâche me revient », se dit-elle, doutant du bon goût d'Éva et de Donio quant à l'habillement d'un garçonnet de cet âge. Le lendemain, elle crut possible de s'absenter une heure ou deux du Salon pour l'emmener se choisir des chaussures chez *Eaton*. Quelle ne fut pas sa surprise, en entrant dans le magasin, d'y croiser son amie Constance.

— Tu as donc l'air très pressée…

— C'est que *Celanese* commandite trois « Thés de mode » au restaurant du 9e étage et je…

— Si je l'avais su, j'aurais présenté certaines de mes créations !

— *Celanese* a choisi une cinquantaine de vêtements, tous créés par ses designers… dévoila Constance, on ne peut plus embarrassée.

— Quelle ouverture d'esprit ! s'exclama Gaby, outrée. Et toi, tu es engagée par eux pour…

— Pour commenter le défilé.

— Ah bon !

— Tu m'excuseras, Gaby, je dois me rendre au 9e sans tarder, le défilé commence dans une heure.

« Soixante minutes, ça me donne le temps d'acheter ce qui manque à Jean et d'aller jeter un coup d'œil au défilé », se dit Gaby, savourant déjà les fruits de son audace.

Au fil de leur magasinage, Jean manifesta un sens de l'observation que Gaby ne lui connaissait pas.

— J'aimerais ça avoir des chaussures et des pantalons comme les garçons qui passent dans les allées, dit-il.

Jean Taupier ne manquait pas de goût. Les enfants qu'il observait venaient de familles visiblement aisées. Gaby ajouta donc à la liste des

achats, des chemises, des chandails, des pantalons et une jolie casquette. « Si Éva trouve que j'ai exagéré, je lui dirai qu'au lieu de mettre
du temps à confectionner des vêtements à Jean, je travaillerai sur des
contrats payants », résolut-elle.

Les achats terminés, Gaby et son jeune compagnon se rendirent
au 9ᵉ étage du magasin.

— On va aller voir des dames habillées comme des riches ; après,
on ira manger au restaurant, juste à côté ; l'un des plus chics de
Montréal.

Jean la suivit avec enthousiasme. Que de nouveautés pour ce
gamin qui découvrait l'existence de l'ascenseur, les garde-corps en
acier satiné, le plancher en linoléum bicolore, les grands espaces
luxueusement meublés du 9ᵉ, les demoiselles qui défilaient avec un
air de m'as-tu-vu sous les applaudissements de leurs aînées assises
confortablement dans des fauteuils profonds en bois noir et recouverts de velour gris ou rose. « Il n'a encore rien vu », pensa Gaby, qui
connaissait le décor du restaurant, réplique de la salle à manger de
l'*Île-de-France*, un paquebot sur lequel elle avait déjà voyagé. Elle prit
place discrètement dans un des fauteuils libres tout près de l'entrée du
salon de thé. Jean fit de même. « Un vrai petit homme ! Je ne serais pas
surprise qu'il s'habitue vite à fréquenter des endroits chics et des gens
de la haute bourgeoisie », anticipait-elle quand elle vit venir, sur la
pointe des pieds, un des designers de *Celanese*.

— C'est un tout petit défilé, dit-il, comme pour se faire pardonner
de n'avoir pas invité Gaby à y participer.

— Si modeste soit-il, un défilé devient grandiose quand il se fait
dans un endroit aussi prestigieux, rétorqua-t-elle avec une pertinence
qui médusa le designer.

Après une dizaine de minutes d'assistance discrète au défilé, Gaby
sentit que Jean ne s'y plaisait plus. Sans s'y attarder, elle prit avec lui la
direction du restaurant. En y mettant le pied, elle eut l'impression d'y
entrer pour la première fois, tant elle fut envoûtée. La nef centrale qui,
avec fierté, affichait noblement plus de trente-trois pieds de hauteur,

le foyer orné de marbre rose et gris, les vases en albâtre illuminés de l'intérieur et les baies juxtaposées en une suite de frises, ressortaient dans toute leur splendeur. Impensable de ne pas s'attarder devant la magnifique table de verre opaque noir supportée par des colonnes lumineuses, placée devant l'entrée du restaurant ! Elle allait oublier la présence de son jeune compagnon quand ce dernier voulut attirer son attention sur les bas-reliefs arborant oiseaux, animaux, fruits et légumes de stuc qui semblaient faire la ronde pour célébrer les plaisirs culinaires.

— Je peux les toucher ?

— Doucement, doucement, lui répondit Gaby, qui partageait son émerveillement.

Fasciné devant cette réplique de la salle à manger d'un navire, Jean demanda :

— Tu m'emmèneras un jour avec toi sur la mer ?

— Tu pourras même y aller sans moi quand tu seras devenu un homme.

— Je ne veux pas attendre si longtemps.

— J'avais plus de vingt ans, moi, quand j'ai fait mon premier voyage en bateau.

Jean hocha la tête, à demi résigné.

Leur repas, servi selon toutes les règles de l'étiquette, fut l'occasion pour Gaby d'initier son protégé à la haute gastronomie.

Revoir les décors de ce restaurant raviva son désir de retourner à Paris à bord de l'*Île-de-France*. La présence de l'orphelin dans leur famille allait-elle lui permettre un mois d'absence ? Et pourtant, elle ne se résignait pas à passer une autre année sans aller voir les boutiques et les salons de haute couture parisiens. De plus, des chroniques traitant de la mode annonçaient l'ouverture imminente d'un atelier de bijouterie Chanel. Ce projet était en grande partie possible grâce à un mécène dont l'identité n'était pas encore dévoilée. Si Gaby ne se croyait pas douée pour les parfums, elle brûlait d'envie de créer ses propres bijoux. Il lui tardait de voir ceux que Coco allait mettre sur le marché.

L'année scolaire terminée, la veuve Taupier n'était toujours pas en mesure de reprendre ses fils. Réfugiée chez ses parents, elle donnait peu de nouvelles et semblait se détacher de plus en plus de ses enfants. De son côté, Jean la réclamait rarement. «Comme si avec nous, il pouvait enfin vivre sa vie d'enfant», observa Gaby, rassurée par la jovialité du gamin et le bonheur qu'il semait autour de lui. Ces constats l'incitèrent à consulter son frère et sa sœur quant à la possibilité de se rendre en Europe en août de cette même année. Donio afficha d'abord une moue de déplaisir, Éva trembla à l'idée qu'il arrive un accident à sa sœur ou à l'enfant et Marcelle écouta sans ouvrir la bouche. Finalement, tous trois affichèrent leurs disponibilités et consentirent à ce que Gaby s'absente tout le mois d'août.

Un événement des plus inopinés et combien bénéfique vint apporter la solution rêvée. Le Dr Jean-Salomon Taupier téléphona chez les Bernier pour les informer de son intention d'emmener son petit-fils à Chambly pour le dernier mois des vacances scolaires.

— Nous lui préparons de belles activités en compagnie de son grand frère, annonça-t-il.

Jean trépignait, souhaitant lui parler. Le grand-père l'entretint de sujets visiblement réjouissants avant de le laisser parler à Charles. Leurs échanges étaient de bon augure.

Témoin de cet heureux dénouement, Éva révéla avoir beaucoup prié Séneville.

— Je lui ai demandé d'intervenir pour que le meilleur arrive pour tout le monde. Je t'avoue, Gaby, que même si c'est plutôt tranquille au Salon en juillet et août, j'appréhendais énormément ton absence.

— Ce n'est pas la première fois que je vais en Europe, pourtant.

— Je le sais, mais c'est la première fois que je devrais te remplacer auprès d'un enfant. Tu imagines s'il lui arrivait de vouloir retourner chez sa mère, de s'aventurer dans la rue à notre insu…

— Tu pourras toujours compter sur Marcelle, elle est exemplaire avec les enfants.

Le lendemain, Gaby réservait une surprise de taille à sa sœur. Le Salon étant fermé les samedis après-midi, elle avait obtenu de son frère qu'il les conduise à une adresse demeurée secrète.

— Veux-tu bien me dire où vous m'emmenez, demanda Éva, amusée de l'intrigue.

Donio s'arrêta juste devant l'entrée du concessionnaire Chrysler, où une décapotable de couleur verte, rutilante de propreté, affichait *Vendue*.

— Qu'il est chanceux, cet acheteur! dit Éva.

— Rien que pour le fun, on va leur demander s'ils en ont d'autres, proposa son frère.

— Elle n'est pas de la couleur que je choisirais, murmura Gaby.

— Ça ne la rend pas moins attrayante, riposta sa sœur.

Contre toute attente, Éva, qui ne savait pas conduire, les devança et se rendit examiner l'intérieur de la voiture au toit ouvert. Un vendeur la rejoignit aussitôt. Gaby et Donio attendaient la suite avec frénésie.

— Elle vous aurait intéressée, madame?

— Je vois qu'elle est malheureusement vendue. Vous en avez d'autres, j'imagine?

— Pour le moment, non, mais je peux en faire venir du fabricant, dit-il, l'invitant à entrer pour en discuter.

D'un signe de tête, Éva, se sentant coincée, pria Donio et Gaby de la suivre à l'intérieur. Des salutations courtoises furent échangées.

— Si vous m'offrez un peu plus que ce que mon acheteur est prêt à me consentir, je pourrais vous arranger quelque chose, dit le représentant, s'adressant toujours à Éva.

Se tournant vers son frère et sa sœur, elle les pria de se prononcer. Ils allaient l'exaucer quand, sous ses yeux, le vendeur plaça le contrat de vente, en pointa le prix de son index, exposant du même coup le nom de l'acheteur : Mlle Gaby Bernier.

— Vous autres, vous allez me payer ça ! s'écria-t-elle en découvrant l'astuce.

Fier de sa performance de comédien improvisé, le vendeur exhiba un trousseau de clés qu'il tendit à… Gaby. Les deux sœurs Bernier quittèrent la place à bord de leur nouvelle voiture. Cheveux au vent, toutes deux reprirent leur refrain des jours heureux :

Frou frou, frou frou par son jupon la femme

Frou frou, frou frou de l'homme trouble l'âme

Frou frou, frou frou certainement la femme

Séduit surtout par son gentil frou frou

Éva déplora de ne pas savoir conduire une automobile.

— Je devrai me contenter de la regarder tout le temps que tu seras en Europe.

— Ça s'apprend ! Donio pourrait te le montrer.

— Je suis bien trop peureuse pour m'aventurer au volant d'une auto… En plus, une voiture neuve qui ne m'appartient pas, hey !

— Dans ce cas, demande-lui de vous emmener faire des balades, toi, Jean et Marcelle.

L'idée plut à Éva, qui s'attribua le privilège d'aller chercher l'orphelin et la servante pour les faire monter avec elles dans la nouvelle voiture. Le soleil et la chaleur étaient au rendez-vous. L'ivresse aussi.

— Il y a longtemps qu'on n'avait pas vécu une si belle fin de semaine, dit Éva en arrivant au travail le lundi matin.

De la bouche des ouvrières et des clientes, les compliments abondèrent devant cette acquisition.

Juillet battait des records de chaleur. Vers midi, une décapotable de grand luxe, de couleur noire, s'immobilisa devant le *Salon Gaby Bernier*.

— La prochaine, elle sera comme celle-là, dit Gaby, qui venait tout juste de mordre dans son sandwich.

— Elle me donne le goût d'apprendre à conduire, répliqua sa sœur, pour la titiller.

— Je te crois, menteuse. Va les accueillir le temps que je finisse de manger, s'il te plaît.

Edith Shaughnessey Redmond, une des clientes les plus fortunées du *Salon Gaby Bernier*, se présenta avec sa fille Margot.

Edith était la petite-fille du légendaire premier Baron Shaughnessey de Montréal, président de la *Canadian Pacific Railway Company*. Chez elle, élégance, fortune et bon goût s'alliaient à une courtoisie exemplaire. De toute évidence, sa fille n'était pas née sous la même étoile. Peu jolie et mesurant à peine cinq pieds, Margot Redmond était la plus petite cliente du Salon. Gaby prit le pari de la rendre séduisante. Elle lui fabriqua une robe de soirée en crêpe d'un rouge sombre à laquelle elle agença des bretelles de velours et une bande du même tissu autour de la taille. La création, simple mais très audacieuse, avantageait la jeune femme et attira de nouvelles clientes au *Salon Gaby Bernier*.

La semaine suivante, Marjorie Caverhill, à peine plus grande que Margot, séduite par la tenue de Mlle Redmond, réclamait une « robe avantageuse ».

— Je comprends ce que vous voulez. Je vous gage qu'on vous trouvera très élégante, Mlle Caverhill.

Les mensurations prises avec doigté et respect, Gaby, consciente de la timidité de sa cliente, la garda dans la salle de coupe tant qu'elle ne put lui permettre d'en ressortir vêtue de sa nouvelle robe. Après avoir causé de la pluie et du beau temps, elle lui posa la question qui lui brûlait les lèvres :

— Caverhill… N'est-ce pas la maison de vos parents qu'on surnomme la maison de l'espoir ?

Marjorie approuva d'un simple sourire.

De fait, sitôt le printemps arrivé, la façade de la luxueuse résidence de George Caverhill, rue Simpson, était décorée des premiers plants de safran sortis de terre.

— Le safran coûte très cher et on n'en trouve pas souvent à Montréal.

— Je sais. Mes parents ont rapporté cette épice d'un de leurs voyages au Cachemire.

Lors de la floraison, les piétons s'arrêtaient pour admirer cette plante aux stigmates d'un mauve éclatant. Héritière de la fortune des Caverhill, réputée pour être la fille la plus riche de Montréal, Marjorie, toujours célibataire, vivait entourée de servantes, dans le somptueux manoir Caverhill. Pour cause, quand elle eut trente-six ans, son père lui interdit d'épouser son plus ardent soupirant, le jugeant d'une classe sociale inférieure à la sienne. Refermée sur son chagrin, Marjorie vieillissait mal. Petite et, avec les années, de plus en plus lourde, elle réclama des couleurs foncées. Comme elle marchait le dos légèrement voûté, Gaby dut faire ses robes un peu plus courtes devant.

On ne peut plus ravie, Mlle Caverhill ne quitta le Salon qu'en fin d'après-midi, vêtue d'une tenue griffée *Gaby Bernier*.

Toutes les clientes du *Salon Gaby Bernier* s'entendaient pour dire que leur couturière avait le don de faire paraître plus minces les femmes grasses, plus grandes les femmes petites, gracieuses les femmes ordinaires, plus jeunes les femmes âgées.

— Mais comment y arrivez-vous ? lui demanda l'une d'elles.

— Simplement en levant la couture de l'épaule d'un demi-pouce pour les unes, en trichant sur l'emplacement de la taille pour d'autres ou en ajoutant une pince ou deux dans d'autres cas.

Gaby se fit un devoir de veiller à ce que certaines de ses clientes, dont Margot Redmond et Marjorie Caverhill, soient servies avant son départ pour l'Europe. Ainsi lui promirent-elles une fidélité indéfectible. Par contre, les clientes argentées qui ne payaient pas leurs factures furent vite découragées de revenir. Sans ambages, elle les fit asseoir, le temps de récupérer leurs factures et d'y inscrire la date de leur paiement à une semaine près, sans quoi elles n'étaient plus les bienvenues. Gaby dut aussi user de fermeté avec celles qui n'étaient jamais satisfaites. Plusieurs d'entre elles avaient déjà été clientes de Mlle Jamieson. Après avoir réclamé maintes modifications, téléphonaient-elles pour savoir où en était leur confection que Gaby leur répondait :

— Comme vous ne savez pas ce que vous voulez, je ne peux pas terminer votre robe.

L'avis donné, elle offrait la création à ses ouvrières.

À Éva, qui n'approuvait pas ce procédé, elle répliqua :

— Les perpétuelles insatisfaites ne sont bonnes qu'à semer du trouble autour d'elles. Réservons nos services aux clientes qui savent les apprécier.

— J'aime mieux ne pas être à ta place…

— C'est pour ça que je tiens à régler seule les dossiers des capricieuses.

Contrairement à ce que les journaux avaient laissé entrevoir en 1931, le *Normandie*, le plus luxueux des transatlantiques, avait été mis en service à la fin mai 1935 seulement. Au fait des complications que ce navire avait présentées par le passé, Gaby préférait reprendre l'*Île-de-France*, qu'elle avait particulièrement aimé. Toutefois, de traversée en traversée, elle déplorait de devoir passer plus de temps en train et sur le transatlantique qu'à Paris.

— Je rêve du jour où on pourra voyager dans les airs, confia-t-elle à son frère.

— Dommage que les vols du dirigeable R-100 n'aient pas donné les résultats escomptés.

— Combien de temps prenait-il pour se rendre en Europe ?

— Je ne le sais pas, mais il en prenait sûrement moins qu'un paquebot.

Le regard habité par un rêve qu'elle se promettait de réaliser, Gaby se voyait voler au-dessus des nuages.

— Ça ne te ferait pas peur ? lui demanda Donio.

— Pour l'instant, je n'anticipe que l'ivresse qu'on doit ressentir en s'élevant dans l'espace…

L'allusion la ramena à son amoureux, qu'elle devait revoir avant son départ pour l'Europe.

— On s'en vient trop raisonnables, lui fit-il remarquer, en l'emmenant pique-niquer à l'île Sainte-Hélène.

— On se voit moins, c'est vrai, mais ce n'est pas le goût qui me manque, c'est le temps… qui ne concorde pas toujours avec tes disponibilités.

— Je me trompe ou depuis que l'orphelin vit chez vous…

— Jean Taupier est mon fils adoptif, Pit, corrigea-t-elle, vexée.

— Qu'est-ce que j'ai dit de mal?

— Jean n'est plus un orphelin; il a une mère adoptive et c'est Gaby Bernier.

— D'accord, la maman! badina Pit.

Gaby reprit sa bonne humeur. En empruntant ce pont, jadis pont du Havre, elle s'indigna du fait que, rebaptisé pont Jacques-Cartier l'année précédente, les panneaux routiers n'en indiquent pas le nom.

— *PONT BRIDGE*, voir si ça a de l'allure! Ce n'est pas surprenant que bien des Montréalais pensent que c'est son nom, *Bridge*.

Pit se tourna vers elle, l'air railleur.

— Ma p'tite demoiselle a besoin de beaucoup de caresses aujourd'hui, n'est-ce pas?

— C'est mieux de regarder en avant quand on conduit, lui rappela-t-elle, échouant dans sa tentative d'étouffer un fou rire.

— Oui, mam'zelle! Direction: Pavillon des baigneurs, d'abord.

— C'est plein de monde, le dimanche…

— Justement, je veux que la terre entière voie le plus beau couple d'amants de toute l'Amérique. J'espère que tu as apporté un p'tit maillot de bain. Le plus petit possible, précisa-t-il, moqueur.

« Ou il se prépare à m'annoncer quelque chose ou il s'est vraiment ennuyé pendant les six semaines où on ne s'est pas vus. », pensa Gaby. Or le comportement de son amoureux, tant à l'île qu'à l'hôtel, fit à Gaby l'effet d'une flamme indubitable.

— Tu n'as jamais pensé faire la traversée avec moi ? lui demanda-t-elle avant de rentrer chez elle.

— De un, je ne suis attiré par l'eau que si elle est glacée bien dur. De deux, qu'est-ce que je ferais à Paris, à part attendre que mademoiselle sorte d'une boutique, qu'elle soit prête à manger, qu'elle vienne rejoindre son amoureux à l'hôtel…

— J'ai compris, Pit. On se revoit en septembre ?

— Dès ton retour, ma p'tite perle.

Autant il avait tardé à Gaby de retourner à Paris pour voir de ses yeux tout ce que les magazines publiaient au sujet de son idole et sur le compte des grands couturiers français, autant elle avait brûlé de revenir à Montréal. Comble du bonheur, Éva, Donio et Jean étaient venus l'attendre à la gare.

— Tu n'as pas regretté de l'avoir fait seule, ce voyage ? s'inquiéta Éva.

— Une fois lancée, c'est très agréable d'organiser son horaire à sa guise, en ne tenant compte que de soi, déclara Gaby, sa main enveloppant celle de Jean avec amour.

S'adressant à l'enfant, elle lui déclara :

— Tous les petits garçons que j'ai croisés me faisaient penser à toi. Ils me donnaient envie de te revoir au plus vite.

Le sourire de l'enfant traduisait un immense plaisir.

— Tu ne le savais pas, hein, mais mon grand frère est venu passer toute une semaine avec nous, annonça-t-il avec fierté. Il voulait connaître mon nouveau chez moi.

— Il est déjà reparti ?

— Bien oui! L'école a recommencé, Gaby.

— J'avais oublié ça.

De la gare à la maison, les échanges entre la voyageuse et son protégé ne laissèrent guère de place aux questions qui fourmillaient dans la tête d'Éva et de son frère. «Heureusement qu'il va au lit de bonne heure», se dit Donio, dont l'impatience se manifestait par ses tentatives de s'immiscer dans la conversation. Il dut attendre que Gaby trouve dans ses bagages les souvenirs achetés pour Jean, qu'elle les lui présente et lui accorde le temps de les découvrir.

Autour de la table, le trio Bernier goûtait au plaisir de se retrouver après trente-deux jours d'éloignement.

— Tu as choisi un nouvel hôtel? présuma Donio.

— Vous ne me croirez pas, mais je suis retournée à l'hôtel Cambon et, par bonheur, j'ai pu m'installer dans la chambre 26, la même que lors de mon premier voyage.

Frère et sœur ne cachèrent pas leur étonnement. Marcelle n'en fut pas surprise.

— Comment ne pas se plaire dans un environnement décoré avec goût? C'est comme ici, dit-elle.

Le compliment ravit les Bernier. Gaby expliqua:

— En plus, cet hôtel, en plein cœur de Paris, n'est pas loin du musée du Louvre et du jardin des Tuileries. Je ne pouvais mieux choisir pour me rendre à pied à la place de la Concorde, où j'ai découvert de nombreuses boutiques de prêt-à-porter, et à la place Vendôme… pour admirer les bijoux.

— Les admirer, seulement?

— Tu crois, mon cher Donio, que j'ai fait de folles dépenses, hein? Tu te trompes.

— Je ne te reconnais pas, avoua sa sœur.

Gaby retourna fouiller dans ses malles et revint avec un cahier à la reliure rigide, d'un rouge vif, acheté à Paris. Elle l'ouvrit, en tourna les pages lentement sous des regards émerveillés.

— Je me suis contentée de les redessiner. Il n'est pas loin le jour où je trouverai le temps d'en fabriquer de plus originaux encore. J'ai même pensé que…

Gaby leva les yeux vers sa sœur, hésitant à terminer sa phrase. Elle fut pressée de poursuivre.

— Les bijoux antiques, dans le coffre de maman… Certains valent très cher, tu sais. Tels qu'ils sont là, on n'a pas le goût de les porter. Mais si je les travaillais… Qu'en penses-tu ?

Éva dit vouloir y réfléchir.

— J'ai examiné les créations de Coco Chanel et j'ai pensé qu'on pourrait se fabriquer des bijoux en pierres précieuses, nous aussi.

— Je ne m'y connais pas en joaillerie, mais je peux vous dire que de là-haut, notre mère en serait tout honorée, prédit Donio.

Un silence chargé d'émotion s'installa. Éva le brisa pour annoncer qu'elle prierait Séneville de leur donner un signe de son approbation.

— Je crois que le meilleur signe serait la réussite de Gaby, avança Donio, peu enclin à adopter de telles croyances.

Visiblement contrariée, Éva fit diversion en invitant Gaby à leur parler de son idole.

— La crise a eu un effet désastreux sur la mode en France. Coco me disait d'une voie éteinte qu'en 1925, la haute couture parisienne était la deuxième industrie d'exportation française, mais qu'elle se retrouve maintenant au trentième rang. Elle s'est informée de mon commerce de robes de mariée sur un ton qui m'a laissée si perplexe que je lui ai retourné la question.

— Dis ! la pressa Éva.

— «Je n'ai jamais intégré de robes de mariée dans mes défilés», m'a répondu Coco l'air vexé, comme si elle ne les portait pas dans son cœur. Puis, elle a tempêté contre le retour du corset en France. À vrai dire, elle n'était pas dans son meilleur état et ça m'a fait de la peine. Pour la ragaillardir, je l'ai félicitée sur les bijoux qu'elle portait. C'est alors qu'elle a repris un ton enjoué et m'a dit : «Je fais une collection optimiste. Je travaille dans les fleurs… J'utilise ce que je peux trouver de plus gai pour faire contrepoids à la grisaille de ces années de crise.» C'est alors que j'ai cru le moment propice de lui apprendre qu'un rayon de soleil pas ordinaire brillait sur notre famille depuis quelques mois. Comme elle souhaitait en connaître la nature, j'ai sorti la photo de Jean de mon porte-monnaie pour la lui montrer. Elle a supposé que j'étais ou sa tante, ou sa mère. J'ai annoncé que j'étais sa maman adoptive. «Comme c'est étrange!» a-t-elle riposté.

— Elle t'a dit pourquoi?

— Tiens-toi bien, Éva. Elle voulait me confier un secret. «Moi aussi j'ai adopté un petit garçon devenu orphelin à six ans. Mais à deux conditions: que ça demeure secret et que l'enfant soit placé pensionnaire dans la meilleure école… en Suisse. À sa majorité, il aura assez d'argent pour se débrouiller seul», qu'elle m'a appris. Le cœur m'a serré et j'ai eu du mal à refouler mes larmes.

— Tu lui as dit que notre petit Jean ne subirait pas le même sort? souhaita Éva.

— J'ai repris la photo de Jean et j'ai dit en la fixant: «Nous aussi, nous nous engageons à lui payer ses études non seulement à l'université, mais aussi dans les meilleurs collèges privés de Montréal; par contre, il habitera avec nous tant que ça lui plaira.»

— Elle a dû réagir, la belle Coco, présuma Donio.

— Étonnée d'apprendre que nous étions cinq à résider sous le même toit, elle a sourcillé, puis elle m'a annoncé qu'elle était attendue. J'ai fait de même. Je n'avais plus qu'une idée en tête: me rendre chez Madeleine Vionnet et ensuite chez Mme Lanvin.

Une ambition avait rythmé ses pas vers la boutique de Mlle Vionnet : maîtriser cet art de la coupe en biais et du drapé que seule cette couturière possédait à la perfection. Le parcours de cette créatrice avait ému Gaby.

— Il y a un prix à payer pour connaître le succès, n'est-ce pas, Mlle Bernier ? On vous a dit que j'avais dû quitter les miens et travailler dans un asile d'aliénés pour arriver où j'en suis ?

— Non. J'admire votre courage, Mlle Vionnet !

— Ils ne sont pas rares les couturiers qui viennent à Paris et retournent dans leur pays avec la ferme intention de copier ce qu'ils ont vu dans nos boutiques. C'est votre cas aussi, Mlle Bernier ?

— Pas tout à fait. Je m'inspire de vos créations, mais je tiens à leur ajouter une touche personnelle.

— N'en soyez pas gênée. J'ai déjà travaillé pour une grande couturière britannique qui taillait pour ses clients des modèles copiés sur la mode parisienne.

— J'aime tellement mon métier que je fais confiance à ma passion. Je viens à Paris pour admirer les œuvres de grands créateurs comme vous, Mlle Vionnet.

— J'avoue devoir une grande part de mon succès à celles qu'on appelle les Sœurs Callot.

Puis, sur un ton aigre-doux, elle avait déclaré :

— Peu de temps après, M. Jacques Doucet m'a recrutée. C'était en 1911. Il m'a laissé la liberté de réaliser un rêve : supprimer définitivement l'usage du corset.

— Ce n'est donc pas Paul Poiret qui a mené cette révolution ?

— Vous avez saisi que dans la mode comme dans d'autres milieux, la compétition existe et les contrefacteurs aussi. Ceux-là refusaient de reconnaître que j'étais aussi l'inventrice du biais. L'affaire est allée en cour… et j'ai gagné.

— Je vous en félicite, mademoiselle, avait dit Gaby d'une voix si émue que Madeleine crut l'avoir vexée.

Elle s'était empressée de la rassurer :

— C'est que ma mère aussi a eu ce courage quand mon père a été victime de la négligence de son employeur.

— Elle viendra avec vous à votre prochain voyage ? J'aimerais bien la connaître.

— Elle était plus âgée que vous… On l'a perdue après une très courte maladie.

Un instant de silence imprégné de sympathie avait ponctué leurs échanges. Mlle Vionnet avait repris :

— Depuis ce jour, j'appose ma griffe, un numéro de série et mon empreinte digitale sur chaque modèle sorti de chez moi. Je donne aussi le nom des personnes que j'autorise officiellement à copier mes œuvres à plusieurs exemplaires.

— Oh, mon Dieu ! Je serais incapable de tant de précautions pour protéger mes œuvres, avait reconnu Gaby, qui n'aurait jamais pris congé de cette créatrice sans la complimenter pour sa collection de jupes corolles, de bandeaux, de colliers et de guirlandes de roses, reflets de sa passion pour les fleurs.

Remuée par un tel témoignage, Gaby avait reporté au lendemain sa visite à Mme Lanvin.

Très impressionnée par cette dame lors de sa première visite, elle se rendait à la boutique de la rue du Faubourg-Saint-Honoré lorsqu'une crainte l'envahit. « Rien ne garantit que Mme Lanvin ne soit pas décédée, elle est née en 1867, comme maman. » Debout devant le 15, rue du Faubourg-Saint-Honoré, Gaby avait aperçu une silhouette filiforme derrière les mannequins exposés dans la vitrine. « J'espère que c'est elle. » Une demoiselle était venue l'accueillir.

— Je peux vous aider, madame ?

— Je viens simplement saluer Mme Lanvin. J'aurais peut-être dû prendre un rendez-vous…

— Je gagerais que vous venez du Canada, osa la jeune femme, charmée par son accent québécois.

— De Montréal. Gaby Bernier.

L'enchantement se lisait dans le regard de la jeune femme, qui s'empressa de lui ouvrir la porte et d'annoncer sa visite à sa patronne.

Les décors Art déco, dans les tons d'or, de noir et de blanc, dégageaient une atmosphère féerique. Les mannequins étaient revêtus de robes d'un bleu dont les nuances variaient comme les bleus des vitraux avec l'air du temps.

Élégamment vêtue de noir, la démarche posée mais le regard vif, Jeanne était apparue les bras grand ouverts.

— Quel bonheur, ma chère demoiselle Bernier !

Cet accueil des plus chaleureux avait donné le ton à leur rencontre. Avec une humilité admirable, cette grande dame avait évoqué les souvenirs des années vingt consacrées surtout aux costumes de scène.

— Cécile Sorel, Marie Ventura, Yvonne Printemps, Arletty et combien d'autres partaient en tournée à l'étranger avec une garde-robe complète de mes créations.

Par modestie, elle n'avait ni souligné sa participation à de nombreuses expositions nationales et internationales, ni ses multiples récompenses, dont sa nomination comme Chevalier de la Légion d'honneur.

De leur court entretien, Gaby avait appris que tout au long de sa carrière, Jeanne Lanvin avait développé et maintenu la renommée de son entreprise en sortant de nouvelles lignes et en ajoutant à sa collection la fourrure et les vêtements pour homme.

— Si vous me permettez un conseil, chère Gaby, entourez-vous d'artistes et de jeunes talents. Ils nourriront votre inspiration, vous verrez.

Venant d'une dame qui, exceptionnellement, s'activait à faire la promotion d'autres créateurs de mode, la recommandation valait son pesant d'or.

— En sortant du 15, rue du Faubourg-Saint-Honoré, je serais revenue tout de suite à Montréal tant je me sentais outillée pour aller de l'avant, dit Gaby. Mais je tenais à retourner chez Bianchini pour voir comment il se débrouillait malgré le ralentissement des affaires.

— Et comment ? questionna Donio.

— Comme plusieurs autres grands couturiers, il offre du prêt-à-porter et, vous ne devinerez jamais, la fabrication de cravates. J'avais l'impression que l'avenir venait à ma rencontre.

— Je ne comprends pas, avoua sa sœur.

— M. Killiam !

— Tu ne vas pas commencer à…

— Pourquoi pas, Éva ? Il n'y a rien de plus facile à confectionner qu'une cravate !

— L'embauche d'un tailleur, la fourrure, des vêtements d'homme, tu m'étourdis, Gaby.

— Si tu allais avec elle à Paris, tu en reviendrais peut-être avec autant d'ambition, émit Donio.

Visiblement mal à l'aise, Éva fit mine de ne pas avoir entendu et s'adressa à Gaby :

— J'allais oublier de te prévenir… Hier, Mme Killiam a téléphoné. Elle est hospitalisée et elle veut que tu ailles prendre ses mensurations pour lui confectionner des déshabillés. Elle a précisé qu'elle en voulait quatre. En crêpe de Chine. Deux bleu pâle et deux rose pâle.

Gaby ne détestait pas la pression ressentie en cet automne 1935. «Elle me pousse à plus d'ingéniosité», constatait-elle, débordée par les contrats pour les tenues de soirée et les exigences de certaines clientes. Le couple Killiam et Elsie Duffield se montrait particulièrement capricieux.

Bien que très fortunée et issue de la haute bourgeoise montréalaise, Elsie avait toujours manifesté une grande admiration pour Gaby. Son affabilité ramena un souvenir éprouvant à la mémoire de sa couturière. Même si elle n'avait jamais eu de prétentions par rapport à sa place sur l'échelle sociale, Gaby avait été très vexée quand une cliente l'ayant invitée chez elle pour discuter de la confection de la robe pour le mariage prochain de sa fille, avait demandé à sa bonne d'apporter du thé pour elle et sa fille sans lui en offrir. « Une impolitesse que des gens de la classe moyenne ne se permettraient même pas », avait maugréé Gaby en sortant de cette résidence huppée.

Si certaines clientes mirent du temps à la considérer comme une femme de carrière, la majorité voyait en elle une personne exceptionnellement talentueuse et unique en son genre. Pour les mêmes raisons, Elsie se tourna vers elle pour la confection du «manteau de l'année». Ses attentes étaient à la mesure de son extravagance. Gaby attendit que ses ouvrières aient terminé leur journée pour s'attaquer à cette création. Comme cela lui arrivait de plus en plus souvent, elle ne rentra dormir que vers deux heures du matin, mais combien satisfaite. Sa créativité lui avait inspiré un manteau de soirée de velours rouge rubis éclatant, paré d'un col enveloppant en fourrure foncée, et coupé dans le biais pour qu'il soit légèrement évasé dans le bas. Le dos, coupé dans plusieurs pièces insérées en diagonale, épousait le corps à la taille et au bas du dos à la manière de Vionnet à qui Gaby avait rendu visite sur l'avenue Matignon à Paris.

— C'est la plus belle création que j'ai vue sortir de notre Salon. Les commandes vont arriver de partout! s'était écriée Éva.

Rien ne plaisait plus à sa sœur que son enthousiasme.

Gaby adorait son travail mais, engagée dans sa trente-quatrième année, elle trouva important de s'accorder davantage de loisirs. Profitant rarement du soleil du début septembre jusqu'à la fin juin, elle décida de se réserver du temps pour skier dans les Laurentides et y emmener des touristes français. Le groupe de Bianchini-Férier annonçait sa venue pour décembre. Les routes étant impraticables les mois d'hiver au Québec, Gaby était montée avec le groupe de Français à bord du Petit train du Nord. Pour que le dépaysement en vaille le coup, elle leur avait fait découvrir le chalet Cochand, où le Suisse Émile Cochand avait donné la première leçon de ski officielle des Laurentides en 1911. Confort et gastronomie étaient au rendez-vous. Ses invités s'étaient régalés de fondue et de vin blanc et avaient chanté jusqu'au moment d'aller au lit, et ce, pendant trois jours. L'expérience plut au point de souhaiter une récidive dans un an ou deux.

Ne disposant le samedi que de l'après-midi et de la soirée, Gaby n'hésitait pas à confier Jean à Marcelle et à Éva, le temps de s'adonner à quelques jeux de hasard. Sa préférence allait aux courses de chevaux à l'hippodrome Blue Bonnets. Elle y prit goût, découvrant qu'elle était aussi chanceuse dans ses paris sur les chevaux qu'elle l'avait été dans ses expériences de jeune cavalière.

Ces sorties n'attiraient pas sa sœur. Éva refusait de chausser les skis et elle condamnait toute forme de spéculation.

— Les jeux de hasard sont dangereux pour les personnes comme toi, Gaby.

— Savais-tu que nombre de nos clients passent leurs après-midis aux courses ?

— Ce n'est pas parce que c'est populaire que c'est bon, rétorqua Éva.

Gaby avait découvert un moyen infaillible de couper court aux propos moralisateurs de sa sœur : lui parler des nouveautés qu'elle comptait apporter à ses créations.

— J'ai profité de mes visites chez les Killiam pour examiner les vestons de ce monsieur. J'ai compris comment on arrive à confectionner de jolies manches qui rendent le vêtement confortable.

— Comment ?

— Tu verras lorsque tu porteras le veston de velours que je te prépare pour le temps des fêtes.

— Un veston de velours ! s'écria-t-elle, toute ravie d'en porter un pour la première fois de sa vie.

— De velours et de soie. Juste pour toi, ma précieuse sœurette. J'ai une autre bonne nouvelle à t'annoncer.

Éva trépignait d'impatience.

— En attendant d'engager un tailleur, je vais tester un peu plus mes habiletés.

— Je suis certaine que tu es assez habile pour te lancer dans les vêtements pour homme. Tu parles des économies qu'on va faire !

De plus en plus attirée par les fourrures, Gaby entreprit de confectionner les parures comme les collets et les poignets, coupant la fourrure en suivant le grain de la peau avec des couteaux très bien affilés, achetés chez un fourreur juif.

— Vous donnez des formations ? lui demanda-t-elle, espérant recevoir quelques conseils de cet expert réputé.

De sa bouche, elle entendit des propos fort méprisants. Il prétendait que ce métier ne convenait pas aux femmes et qu'il fallait se rendre à Toronto pour recevoir cette formation. Il alla jusqu'à présumer qu'elle n'avait pas les moyens de se payer quatre ouvriers supplémentaires : un coupeur qui doit avoir appris à couper les peaux sur patron avec un tranchet pointu ; un opérateur pour coudre les pièces les unes aux autres; un brodeur sachant attacher ou agrafer les peaux cousues aux contours du patron; et un finisseur chargé de fermer le manteau et de poser la doublure, les boutons, etc.

— À mon avis, la même personne pourrait faire tout ça.

Les lèvres closes et le regard ombrageux, le maître-tailleur la contredit d'un signe de tête.

«C'est évident qu'il craint la concurrence», se dit Gaby, pressée de payer ses ciseaux et résolue à relever ce défi.

Une opportunité de s'y lancer lui fut offerte par Mme Molson, née Béatrice Stewart, de la famille fortunée des tabacs McDonald. Béatrice avait épousé le président du Conseil d'administration de la Brasserie Molson. Pour cette cliente aux goûts raffinés, Gaby confectionna un manteau orné d'un collet de renard argenté, coupé carré et long dans le dos, tombant sur les épaules en pointes effilées. Par fantaisie, elle lui offrit aussi un manchon assorti. Fascinées, ses ouvrières lui conseillèrent d'en confectionner un autre et de l'exposer dans la salle d'exposition.

— J'aimerais bien, mais je crains d'être rapidement copiée par mes compétiteurs.

— Ils sont rares ceux qui travaillent la fourrure, lui fit remarquer Éva.

— Rien n'empêche qu'ils puissent s'y mettre, tout comme moi. Le meilleur exemple: Raoul-Jean Fouré. Il n'est plus seul à offrir tout l'ensemble des tenues pour un mariage…

— … de la robe de mariée jusqu'au costume de voyage, ajouta l'une de ses ouvrières, une moue sur les lèvres.

— Qui crains-tu le plus, de nos jours?

Gaby déposa sa cigarette, pianota sur la table d'une couturière et déclara:

— Mme Desmarais… Même si elle vend plus cher que moi. Vous saurez que les idées courent vite de notre Salon au sien.

— On s'en est éloignées un peu en quittant le 1327 pour s'installer ici, répliqua sa sœur.

— Huit portes, ce n'est rien quand on pense aux copies de créations européennes qui se retrouvent dans les vitrines de nos Salons de couture montréalais.

— Qu'est-ce qu'on doit faire, alors?

— Ne pas exposer mes toutes dernières créations dans la salle d'exposition. Et si une cliente s'attarde à l'une d'elles, je lui dirai: «J'ai mieux encore» et je l'inviterai à me suivre dans la salle de coupe.

Se tournant vers les employées, Éva formula un souhait:

— Le plus beau n'est pas dans la vitrine, devrions-nous dire pour inciter les dames à entrer dans le magasin.

Le mot d'ordre passé, chacune reprit son travail avec entrain.

Gaby referma la porte derrière elle. Une mélodie, un grand succès de Paul Misraki, mais qui n'avait rien d'un air d'opéra, l'inspira et elle la fredonna à cœur joie:

> *Tout va très bien, Madame la Marquise,*
> *Tout va très bien, tout va très bien.*
> *Pourtant, il faut, il faut que l'on vous dise,*
> *On déplore un tout petit rien:*
> *Un incident, une bêtise,*
> *La mort de votre jument grise,*
> *Mais, à part ça, Madame la Marquise*
> *Tout va très bien, tout va très bien.*

Gaby se revit, alors qu'elle n'avait que onze ans et qu'en fière amazone, elle amenait son cheval à caracoler avec une élégance qu'elle lui enviait. «C'est comme ça que je dois surmonter les obstacles de mon métier», se dit-elle, cessant un instant de se dandiner pour tailler, dans une fourrure de lapin, le col qu'elle s'apprêtait à rattacher au manteau gris argent qu'elle avait confectionné pour sa sœur l'hiver précédent. La coupe réussie, elle porta la fourrure à son visage et la promena sur sa joue avec une volupté qu'Éva lui connaissait bien. « Ce sera l'occasion pour elle d'apprivoiser la jouissance », imagina Gaby.

Sa pensée se dirigea aussitôt vers son amoureux. La saison de hockey étant bien entamée, il était à prévoir qu'un entraînement aurait lieu à Montréal sous peu. Elle abandonna la pièce de fourrure et sortit sa photo de sa cachette. « Elle ne méritait rien de moins que d'être glissée dans un rouleau de velours de soie », pensa-t-elle. Pit lui manquait à bien des égards. Leurs ébats étaient toujours encadrés de taquineries et d'échanges passionnants. Tous deux avaient tant de choses à se raconter. L'intérêt et l'enchantement étaient toujours au rendez-vous.

Ce moment si attendu ne se présenta qu'à une semaine de Noël. Des retrouvailles enflammées dans un décor des plus féeriques. La jeune trentaine allait bien à ce couple adulé.

Le choix de l'établissement ne séduisit pas Gaby.

— Pourquoi aller dans l'Est quand on est entouré de si beaux hôtels ?

— Attends de voir l'intérieur. Tu auras l'impression de te retrouver au Château Frontenac, dit Pit.

— Je reconnais que l'extérieur lui ressemble beaucoup.

— C'est peut-être notre dernière chance d'y mettre les pieds. Des rumeurs prédisent que cet hôtel est sur le point de fermer ses portes.

Prête à gravir les quelques marches de ce bel édifice, Gaby s'arrêta, retira sa main de celle de Pit et tourna les talons.

— Qu'est-ce qu'il y a, Gaby ?

— Je déteste fréquenter des lieux qui en sont à leurs derniers râlements.

— Je ne comprends pas. Explique-toi.

— Tu me dis que les jours de cet hôtel sont comptés ? Qu'on va en faire un squelette ? Allons ailleurs, je t'en prie, Pit.

Jamais le hockeyeur n'avait vu Gaby dans un tel état. Là, devant le prestigieux hôtel place Viger, il la pressa sur sa poitrine, colla sa figure contre la sienne en dodelinant doucement, complice des flocons dodus qui se faisaient caressants.

— Viens, ma petite chérie, je sais où t'emmener, maintenant.

« Ma petite chérie… » Gaby avait bien entendu. Ces mots l'enveloppaient d'une tendresse presque paternelle. Penché sur son berceau, Elzéar Bernier les lui avait sans doute murmurés. Sa première fille arrachée à la mort ! Sa petite Gabrielle, plus forte que toutes celles qu'il avait vues naître, mais qui étaient retournées à la terre avant même de goûter à la vie.

Gaby s'abandonna à cette étreinte qui prit son temps. Le trajet de la rue Saint-Antoine à la rue Saint-Jacques se fit en silence.

Pendant que Pit se faisait offrir une des plus belles chambres de l'hôtel St. James, Gaby était happée par les majestueuses fresques qui habillaient les murs du hall. Sur une table élégamment taillée, elle aperçut un petit livre à la reliure dorée, aux pages remplies d'un texte qui la fascina au point de le reprendre du début. Pit, curieux, la rejoignit. Incapable de lire par-dessus son épaule, il la questionna sur ce récit vraisemblablement captivant.

— On raconte que la rue et cet hôtel porteraient le prénom de Jacques Olier à cause des visions que ce prêtre français avait dans son sommeil.

— Je ne vois pas le lien avec Montréal.

— Il voyait une petite île quelque part dans le Nouveau Monde. Et c'était Montréal.

— Une légende… rétorqua Pit.

— Il semble qu'à la même époque, une religieuse française aurait eu elle aussi des visions qui l'auraient amenée à venir à Montréal. Ce serait Jeanne Mance, celle qui a fondé l'Hôtel-Dieu de Montréal.

— Un conte pour enfants, dit Pit en pressant Gaby de le suivre dans la chambre.

« Il ne faudrait pas qu'Éva lise ça, elle qui croit aux visions. Ce serait assez pour qu'elle retourne au couvent et me laisse seule avec le Salon et le petit Jean. »

En quête de sérénité, Gaby se laissa emporter dans les bras de son amoureux… à en oublier qu'elle était dans sa période dangereuse. De retour chez elle, elle s'empressa de le vérifier sur son calendrier.

— En plein dedans ! S'il existe un bon Dieu, qu'il me protège d'une grossesse que je n'ai pas cherchée et que je…

UNE INDISCRÉTION DE DONIO

J'ai découvert pourquoi ma sœur Gaby avait tout à coup un intérêt si marqué pour les courses de chevaux. Quand elle en revenait, les premières fois, elle disait que ses pertes et ses gains s'équilibraient. Puis, ces derniers temps, elle en a rapporté une somme d'argent impressionnante. Ma curiosité a été marquée au point où je me suis rendu dans les estrades en catimini, juste assez près pour l'observer. Je l'ai vue suivre un jockey jusque dans le box de son cheval et en ressortir quelques minutes plus tard avec une telle assurance ! « Qu'est-ce qui peut bien se passer entre ces trois-là ? » que je me suis demandé. Curieux comme je suis, j'ai fini par aller directement aux sources pour apprendre que Gaby était amie avec un jockey et qu'elle lui avait enseigné comment parler à son cheval pour qu'il gagne. Depuis, la jument Burney arrive toujours première. J'en suis renversé. Est-ce un hasard ou une science que j'ignore ?

Commande Sims

CHAPITRE VII

De tous les apprentissages que j'ai faits dans ma vie, le plus déroutant fut celui de la maternité, même s'il n'est pas physique. À mes dépens, j'ai découvert qu'on ne devient pas mère comme on devient patronne ou créatrice de mode. Je connais bien les fibres de nombre de tissus. Je pense savoir comment toucher celles de mes clientes. Celles de mon amant aussi. Mais j'ai du mal à cerner celles d'une vraie mère. C'est comme si, pour bien protéger cet enfant, je devais avoir peur ou avoir de la peine avant lui. Comme si en chaque circonstance, je devrais penser à lui, à ses émotions, à ses réactions avant de penser à moi. Au lieu de ne penser qu'à moi. Je constate que tant que Jean n'aura pas ses vingt et un ans, je ne serai plus seule au gouvernail de ma vie. Serai-je capable de toujours en tenir compte? Me serais-je trompée en croyant que l'amour que je ressens pour lui suffit à me dicter les bons mots, les bonnes attitudes, les bonnes décisions? Je sens le besoin de prendre des leçons. Mais qui donc pourrait m'enseigner le métier de mère? Maman! Pourquoi êtes-vous partie? Vous auriez pu m'aider, vous qui avez été pour moi la meilleure des mamans! De là-haut, m'entendez-vous?

— Il serait temps que tu poses les deux vestons que tu as portés tout l'hiver, Éva.

— Je me sens tellement à l'aise avec ce genre de manches.

— Dis-moi dans quelle couleur estivale tu aimerais t'habiller et je vais t'en tailler d'autres, lui offrit Gaby, sur le point de partir avec elle et son frère en direction d'Oka.

Au printemps 1936, des rumeurs couraient qu'un riche financier belge, le baron Louis Empain, petit-fils d'Édouard Louis Joseph Empain, constructeur du métro de Paris, était à Oka pour investir des millions dans l'exploitation de certaines terres agricoles.

— Quelles terres? demanda Éva, un peu contrariée de devoir quitter le Salon au milieu de cette matinée du samedi.

— Celles des sulpiciens, répondit Gaby, si préoccupée de l'avenir de ce charmant village qu'elle avait décidé de s'y rendre.

— Quelques milliers d'acres, semble-t-il, d'ajouter Donio.

— Pas l'emplacement du calvaire, j'espère. Les sulpiciens le considèrent comme un lieu de prédilection pour évangéliser les Sauvages! s'écria Éva, indignée.

La réflexion tomba comme un pavé dans la marre.

Le trajet, tout comme ce passage à Oka, fit revivre aux Bernier leur premier voyage dans cette région. Séneville leur manquait.

— J'aimerais qu'on prenne le temps d'aller se recueillir à l'abbaye si ce n'est pas au Calvaire. Une prière pour maman… suggéra Éva.

— Elle n'en a plus besoin, rétorqua Donio.

— Tu ne crois pas en la Communion des Saints?

— C'est loin dans ma mémoire…

— Quand on a la foi, on sait que les morts, comme les vivants, ont le pouvoir de communiquer ensemble, reprit Éva, outrée.

Tous trois s'engagèrent en silence sur le sentier qui menait au calvaire. Ils y croisèrent des citoyens inquiets depuis l'arrivée du baron d'Empain chez eux.

— Parce qu'ils ont été imprudents dans la gestion financière de leurs biens, les sulpiciens doivent céder quelque cinq mille acres de terre à cet étranger belge, dit l'un d'eux.

— Que fera-t-il de notre pinède ? s'inquiétait un autre.

— J'espère qu'il conservera cet élément essentiel du patrimoine de nos Indiens, souhaitait une dame venue prier pour cette cause.

— Il pourra se vanter d'avoir gagné le gros lot, Empain... Pour une bouchée de pain, il a obtenu des dizaines de vergers, les plus belles fermes, et plus encore, notre beau calvaire. Hamon Guen doit se retourner dans sa tombe, reprit le premier informateur.

— Qui est M. Guen ? s'informa Donio.

— Le sulpicien qui l'a construit.

— Mais n'êtes-vous pas heureux que monsieur le baron d'Empain vous fasse bâtir un centre de recherche agronomique ? lui demanda Gaby, qui avait appris la nouvelle par les journaux.

— Ce n'est pas pour nous qu'il fait ça. C'est pour les agriculteurs belges récemment immigrés dans notre région. Pendant qu'on en arrache pour nourrir nos familles depuis les débuts de la crise, le baron s'amène avec sa fortune pour secourir qui ? Les siens.

Donio et Gaby ne se résignaient pas à quitter Oka sans obtenir l'opinion d'élus municipaux. L'un d'eux était prêt à les recevoir.

— Pas un habitant de la région n'a parlé avec autant d'enthousiasme de nos champs et de nos forêts que ce riche Belge. Il faudrait être fou pour refuser ses millions de francs quand on est en pleine crise économique ! Jamais on ne se fera offrir un pareil capital d'investissement. Le baron d'Empain est un chic type et un homme d'affaires sensé. Dommage qu'il soit à Sainte-Marguerite aujourd'hui, je vous l'aurais présenté, dit le conseiller municipal.

— Il s'est installé là ? demanda Donio.

— Non, mais il investit dans un domaine… L'Estérel, je crois. Du grand luxe. Vous devriez aller voir ça. C'est un complexe de villégiature Art déco, qu'il m'a dit.

Faute de rencontrer ce riche passionné d'expériences agricoles et touristiques, Éva et Donio résolurent de dépouiller les journaux à la recherche d'articles portant sur les réalisations du baron Louis Empain.

Bien que sa première visite à Oka ait donné à Gaby le goût de s'y faire bâtir un pied-à-terre, ses priorités étaient ailleurs en cette fin de journée : la préparation de sa traversée sur le *Normandie*, le contrat de *Wabasso* et celui des trousseaux de mariage la préoccupaient. La crise financière ne privait pas les familles bourgeoises, toujours entichées de l'aristocratie européenne, de célébrer les mariages avec faste. Les contrats de robes de mariée affluaient. Certains exigeaient plus d'ingéniosité que d'autres. Ainsi en était-il de Margaret Sims, élégante et richissime Anglaise, qui avait feuilleté tous les croquis confectionnés au *Salon Gaby Bernier* sans y trouver un modèle à son goût.

— Je voudrais la plus belle de toutes celles que vous avez vendues ces dernières années, mais avec un petit quelque chose de plus, avait-elle dit.

— Avez-vous choisi votre couleur ?

— Pâle, mais pas blanc.

— Votre tissu ?

— Un des plus chics.

Gaby avait noté les mensurations de Miss Sims et lui avait promis une robe personnalisée. Cette soirée du dimanche s'annonçant trop tranquille en l'absence de Pit, elle descendit dans sa salle de coupe, s'alluma une cigarette et porta son regard sur les rouleaux de tissu cordés sur les étagères. « À cette robe, je vais apporter beaucoup de finesse, de détails, d'originalité. Elle sera en satin ivoire », conçut-elle. La cérémonie ayant lieu à la fin juin, la mariée pouvait porter des manches longues et renoncer au décolleté plongeant.

Avant qu'elle n'ait grillé sa troisième cigarette, Gaby sut qu'elle avait trouvé le modèle exclusif que souhaitait sa cliente. Son assurance lui fit sauter l'étape de la confection en coton brut. Le lendemain, elle en présenta le croquis à ses couturières, avouant qu'elle était consciente d'imposer une lourde tâche aux petites mains.

— La dextérité des demoiselles Landreville en fera un chef-d'œuvre, clama Mme Landry, une des plus expertes en la matière.

Moins d'une semaine après le mariage, les journaux de Montréal rapportèrent : *La mariée, donnée en mariage par son père, portait un modèle Bernier de satin ivoire. Le corsage, avec de longues manches serrées, a été confectionné avec un petit col roulé duquel de petits plis formaient un empiècement, et était attaché dans le dos avec une petite rangée de boutons recouverts de satin.*

Ce défi relevé avec brio, les ouvrières furent aussitôt informées de la nouvelle tâche qui les attendait : parvenir en deux mois à préparer la collection de vêtements de coton commandée par *Wabasso Cotton Company Ltd.* Toutes s'y attaquèrent avec entrain. Ennoblir ce tissu considéré de basse qualité faisait appel à une bonne dose de créativité et de fantaisie de la part de la créatrice de mode. À celles qui s'en inquiétaient, elle répondit :

— Sur un coton blanc, il suffit de poser un fin ruban de satin, une lisière d'organdi ou des boutons scintillants. Des jupes à volants cousus sur un corsage ajusté conviendraient pour les robes de coton imprimé. Vous verrez ! Ensemble, nous allons en faire de petits bijoux, leur prédit Gaby avant de retourner dans sa salle de coupe.

Comme il s'agissait d'une collection de prêt-à-porter, des tenues de toutes tailles étaient exigées. Que de précautions à prendre ! Ainsi, pour les dames plus enveloppées, il ne fallait pas oublier d'allonger la jupe en arrière et de raccourcir le corsage en avant. Un décolleté plus prononcé s'imposait pour allonger le cou de celles qui en avaient peu. Gaby chercha ses mannequins. La taille moyenne devait convenir à son amie Molly, la petite taille, à sa plus jeune couturière, et la plus grande, à une de ses ouvrières qui avait le gabarit de Séneville. Pour respecter l'engagement de *Wabasso Cotton Company Ltd*, les défilés terminés, toutes ces confections devaient être données à la *Ligue de la jeunesse féminine* pour soutenir leurs œuvres auprès des pauvres.

— Aide-moi donc, Éva.

Gaby, fascinée par un grand succès de Tino Rossi, voulait en écrire toutes les paroles pour les ajouter à son carnet de chansons, en prévision de sa traversée sur le *Normandie*.

— Il ne me manque que deux lignes, fit-elle croire, interprétant le tout début de la chanson pour s'arrêter après la douzième ligne :

> *Marinella*
> *Ah, reste encore dans mes bras*
> *Avec toi je veux jusqu'au jour*
> *Danser cette rumba d'amour*
> *Son rythme doux*
> *Nous emporte bien loin de tout*
> *Vers un pays mystérieux*
> *Le beau pays des rêves bleus*
> *Blottie contre mon épaule*
> *Tandis que nos mains se frôlent*
> *Je vois tes yeux qui m'enjôlent*
> *D'un regard plein de douceur*
> ....
> ....

Puis, pour la énième fois, Gaby allait replacer le disque sur la table tournante, prête à transcrire ce qu'Éva devait lui dicter.

— Ne me fais pas croire que tu ne l'as pas bien entendu, ce passage-là, Gaby Bernier. Il m'est resté collé sur le tympan une semaine de temps.

— C'est la dernière fois que je te demande ce genre de service, Éva. Vas-y! Je t'écoute.

— Que tu m'énerves avec tes chansonnettes! Bon! Allons-y!

Reprise du début, *Marinella* envahissait le domicile des Bernier de ses notes mélancoliques.

— *Et quand nos cœurs se confondent, Je ne connais rien au monde de meilleur*, dit Éva, après l'avoir réécoutée religieusement.

Il en fallut de peu pour que Gaby échappe un éclat de rire qui eût vexé sa sœur. Comme elle aimait la faire étriver, surtout avec des propos langoureux et sensuels!

Son carnet de chansons rempli, elle se projeta avec frénésie sur le paquebot qu'elle allait emprunter pour la première fois. À chaque traversée, elle adorait se retirer sur le pont avec son recueil de chansons et laisser porter sa voix sur les vagues, la plus belle des scènes qu'elle put s'offrir. Le *Normandie*, de par son prestige, la faisait rêver plus encore que l'*Île-de-France*.

— Tes papiers sont en règle? Ton testament est fait? lui demanda Éva.

Un frisson traversa le dos de Gaby. Tant de projets s'étaient entassés dans sa tête que la perspective de mourir en mer ne l'avait pas effleurée.

— Ça ne fait pas mourir de faire son testament… S'il fallait… Tu imagines un peu dans quels troubles tu nous laisserais?

Presque gagnée à la recommandation de sa sœur, Gaby hocha la tête, refusant toutefois de laisser la peur assombrir ce voyage tant attendu.

— Si le bateau faisait naufrage, chanceuse comme je suis, je ne me retrouverais pas au fond de l'océan, mais dans un cercueil que pas un millionnaire ne pourrait se payer, répliqua Gaby pour dissimuler son inconfort.

Une tablette de papier et une plume à la main, Éva, vouée à la prévention, les tendit à sa sœur.

— Arrête de faire la fraîche, puis écris-moi tes dernières volontés, lui ordonna-t-elle.

— Ce ne sera pas très compliqué. Vous vendez tout et vous vous séparez les profits en trois parties égales.

— Trois parties ?

— Toi, Donio et Jean.

— Jean ? Il n'a que onze ans !

— Tu géreras sa part jusqu'à sa majorité.

— C'est toi qui décides, hein ! Écris tout ça bien clairement, puis quand tu auras fini, on fera signer Marcelle comme témoin.

Son testament rédigé, Gaby se dirigea vers sa chambre pour mettre la dernière main à ses préparatifs de voyage. À la confection de pantalons, de chemisiers et de chapeaux s'ajoutait celle d'une dizaine de bijoux créés à partir de ceux de Séneville. Deux en or, un autre serti d'un diamant et les autres en platine. « On ne pourra pas me soupçonner d'avoir copié ceux de mon amie Coco, tant ils sont uniques », pensa-t-elle, en les enchâssant dans un coffret rigide au centre de sa grande valise.

Que de temps et de soucis pour préparer sa garde-robe ! Gaby la voulait au dernier cri de la mode dans le but d'élargir son réseau social et de s'attirer une nouvelle clientèle ! Mais pour cela, elle devait s'imposer un régime de plusieurs semaines. Aux dires de ses proches, sa bonne humeur fondait au rythme des kilos en trop. Pit l'invita-t-il au restaurant qu'elle s'y opposa, souhaitant plutôt s'épuiser sur une piste de danse.

— Puis, dans une chambre d'hôtel, pour compléter ta cure d'amaigrissement, suggéra-t-il.

— Pas ces temps-ci, Pit, répondit-elle, contrainte par sa « période dangereuse ».

Cinq jours avant que Gaby monte sur le majestueux *Normandie,* toutes les commandes des clientes étaient faites et les livraisons effectuées. Au *Salon Gaby Bernier,* il ne restait plus que quelques ouvrières pour répondre aux divers besoins des clientes, et Éva, pour gérer l'entreprise et recevoir de nouveaux contrats pour l'automne. Jean était parti à Chambly avec son grand-père pour le mois d'août. Gaby pouvait quitter Montréal l'esprit libre.

À ce bonheur vint s'ajouter inopinément une offre des plus alléchantes. Donio proposait de la conduire à New York.

— Avant que je prenne la quarantaine, il serait temps que je voie cette ville et le plus impressionnant des navires, dit-il.

— Tu en as parlé à Éva ? s'inquiéta Gaby.

— Pour être honnête, c'est elle qui me l'a demandé.

— Incroyable !

— Elle a mis une condition, quand même. Elle tient à ce qu'elle et le petit soient du voyage.

— Malgré les dépenses que ça occasionne ?

— Eh oui ! Sa décision vient du fait qu'elle est au courant des problèmes que ce navire a rencontrés. Elle a l'impression que ça la

rassurerait de le voir. Tu sais, Gaby, il a beau être le plus grand paquebot au monde, il n'est pas à l'abri de tous les dangers; d'autant plus
qu'il a été fini en toute vitesse l'an passé. Tu te souviens de la panne
électrique survenue le jour même de son départ du Havre?

— Les journaux ont rapporté que le problème a été résolu facilement.

Donio décida de taire l'avarie qui avait suivi peu de temps après,
forçant l'arrêt d'un des moteurs.

— Ce n'est pas pour rien que ce navire a gagné le Ruban bleu. Il
est réputé pour sa rapidité, mais aussi pour sa solidité et ses protections contre tout incendie. Question confort, on aurait réglé le
problème de vibrations, ajouta Gaby pour faire diversion.

— Je ne pense pas que les passagers de première classe en étaient
embarrassés.

— Les chanceux! Dommage, mais je ne serai pas de ceux-là, cette
année. Ça me coûterait trop cher. J'avais le choix: voyager à bord du
Normandie et me contenter de billets en classe touriste ou retourner
sur l'*Île-de-France* à moindres frais. Par contre, le *Normandie* ne
prend que cinq jours à atteindre le Havre.

Par le passé, Gaby avait pu voyager en première classe, mais en ces
années de crise, les rabais consentis à nombre de clientes de son Salon
et les confections destinées à la classe moyenne n'avaient augmenté
que ses heures de travail. Aussi, le budget consacré aux études de Jean
avait rogné son compte de banque.

Tôt ce matin de la mi-juillet 1936, les trois Bernier et Jean Taupier
prirent la route pour New York à bord de la luxueuse voiture décapotable de Gaby. Donio y avait consenti, eu égard à son peu d'usure
en comparaison de sa voiture taxi. Des victuailles et des boissons
préparées la veille permettraient de réduire le nombre d'arrêts. Le
choix de l'hôtel où passer la nuit fut rapide: «Pas trop cher et pas trop
loin du port. Une chambre à deux lits: un pour les gars et un pour ma
sœur et moi», décréta Éva. Gaby vint tout près de contester cette

décision, mais la facture assumée par Éva le lui interdit. Il va sans dire qu'un réveille-matin était superflu. Le jeune Taupier les sortit du lit dès l'aube, alors que le *Normandie* ne devait lever l'ancre qu'à neuf heures trente. Donio s'en réjouit, anticipant le privilège de visiter ce joyau aux cheminées rouges et blanches avant que les passagers s'y entassent.

Il était à peine huit heures quand, escorté par les adultes Bernier qui l'y avaient préparé, Jean courut vers le quai 88 et s'adressa à un agent de sécurité, devant qui il retira sa casquette :

— Est-ce que je pourrais visiter le *Normandie* que ma maman va prendre tantôt ?

« Ma maman ! Ai-je bien entendu ? » se demanda Gaby, non moins ravie qu'étonnée.

— Il t'appelle maman ? Depuis quand ? questionna Éva.

— Depuis deux minutes, murmura Gaby, radieuse.

Donio vint les rejoindre et les échanges se poursuivirent tantôt en français, tantôt en anglais, laissant le jeune homme quelque peu déconcerté. Un large sourire de Gaby, une poignée de main cordiale accordée à l'officier le rassurèrent. Grâce à la candeur de Jean, les quatre Montréalais furent autorisés à une visite ne dépassant pas trente minutes.

Plus il s'approchait de ce géant à douze ponts, plus l'enfant serrait la main de celle qu'il avait appelée « ma maman » pour la première fois. Gaby en éprouvait une excitation indéfinissable. Le bonheur de se sentir mère, assombri par les appréhensions d'Éva, la faisait osciller de la joie à l'inquiétude, comme les petites barques au gré des vagues qui venaient s'écraser contre les quais. Elle dut presser le pas tant le guide y allait de grandes enjambées. Jean trottait à ses côtés.

Des égards lui furent réservés. La première pièce où le guide l'introduisit lui coupa le souffle : c'était une salle à manger réservée aux enfants et décorée d'éléphants vêtus comme des humains. L'un portait une couronne jaune, une chemise à col blanc, une boucle rouge au cou, une veste et un pantalon d'un vert très cru, et chaussait une paire de souliers rehaussés de guêtres.

— Mais c'est Babar ! s'écria Gaby.

Époustouflée d'apprendre que c'était Jean de Brunhoff, l'auteur même de cette œuvre littéraire, qui avait décoré cette salle, elle ne le fut pas moins quand le guide lui révéla que la véritable auteure de ces contes pour enfants était l'épouse de Jean de Brunhoff. Ses deux fils avaient tellement apprécié ces histoires qu'ils les avaient relatées à leur père, auteur-illustrateur, qui les a ensuite publiées. «Ce n'est pas mieux qu'au Canada», pensa Gaby, au fait du combat de ses conci-toyennes pour obtenir l'égalité des droits entre hommes et femmes. Certaines parmi ses clientes avaient déploré n'avoir pas été admises aux études universitaires, d'autres avaient réclamé, toujours sans suc-cès, le droit de vote pour les femmes et l'aide financière du gouverne-ment pour les mères nécessiteuses. L'indignation la distrayait de ce décor que le jeune visiteur se résignait difficilement à quitter. Le guide l'y contraignit et les dirigea vers la salle à manger des voyageurs de première classe. Devant cette salle déployée sur trois ponts et décorée de statues laquées et de colonnes de verre, les Bernier furent éblouis.

— Je ne vois aucun éclairage et pourtant cette pièce est lumineuse, fit remarquer Donio.

Le guide lui apprit qu'elle en était dispensée grâce aux dalles de verre appuyées sur un fond métallique.

Jean ne manifesta son étonnement qu'en apercevant sur la porte de la chapelle un panneau coulissant en émaux représentant un chevalier.

— Il était beau comme celui-là, le cheval que tu montais à Chambly ? demanda-t-il à Gaby.

— Bien plus beau, s'empressa de répondre Donio.

— Ce n'est pas la modestie qui t'étouffe, le frère, marmonna Éva.

À la vue de la piscine intérieure, Jean figea. Du jamais vu, du jamais imaginé pour cet orphelin élevé dans la plus grande simplicité.

Donio fut impressionné par la présence d'acier inoxydable et de métaux scintillants comme l'argent dans les accessoires et poignées de porte des salles de bain.

— Chaque porte est une leçon d'histoire et de géographie, fit remarquer Gaby à la vue de la dizaine de médaillons illustrant des régions de la Normandie.

— Que j'aime ces décorations ! s'émut Éva.

— C'est de style Art déco, lui apprit le guide.

Jean ne voulait pas quitter le navire avant d'en avoir gravi tous les ponts. Les trente minutes accordées aux visiteurs Bernier s'envolèrent. Pour Donio, Éva et Jean, le temps était venu de saluer Gaby. La fébrilité des adultes n'avait d'égale que le désarroi du gamin. Les deux malles de la voyageuse, qui dut s'arracher aux câlins de Jean, furent déposées sur le navire avant que Gaby disparaisse dans la cohue des passagers. Tous se bousculaient à l'entrée du pont comme si leur place n'était pas assurée. Donio se hâta d'entraîner l'orphelin vers l'hôtel, où ils devaient reprendre leur bagage avant de rentrer à Montréal.

Non loin, le *Normandie* avait hélé ses passagers de trois hurlements sourds et invitants. « Comme un loup affamé », pensa Gaby, surprise par une appréhension soudaine. Une intruse qui méritait d'être chassée sans ménagement. Pour ce faire, fuir la vue de l'océan et se précipiter vers sa cabine lui sembla tout désigné. Un jeune préposé l'y dirigea. Le premier coup d'œil fut si ravissant qu'elle crut qu'une erreur avait été commise… On lui confirma que c'était la sienne et que certaines cabines n'étant pas réservées, celles-ci étaient attribuées à de *nice ladies*. Flattée et ragaillardie, Gaby s'émerveilla devant ces murs habillés de bois clair. « On dirait du merisier », pensa-t-elle en glissant sa main sur les boiseries comme elle le faisait sur un rouleau de soie ou de velours. « C'est à la fois doux et lumineux. » Elle ne fut pas moins charmée par les meubles en sycomore blanc, aux bras moelleux et arrondis. Elle en examina les détails, présumant que les protections étaient confectionnées de lainages enveloppant de très petits ressorts. « Que de soins pour ne pas que les touristes se blessent ! », découvrit-elle, charmée.

Ne sachant pas si elle n'avait que la cabine des voyageurs huppés ou tous les privilèges inhérents, Gaby choisit une tenue simple, mais de bon goût, pour son premier repas à bord. En plaçant dans le placard les vêtements qu'elle avait apportés, tous griffés *Gaby Bernier Montréal*, elle éprouva un sentiment de fierté. « Ils ne sont sûrement pas nombreux les couturiers qui portent leurs créations sur ce bateau. De la classe touriste, je gagerais être la seule. Parmi les passagers de la classe privilégiée, je n'en verrais pas plus de cinq », estima-t-elle, se souvenant que lors de son voyage d'inauguration, le *Normandie* avait accueilli des vedettes du spectacle tel Sacha Guitry, et des gens de lettres dont Colette. L'article que cette grande auteure avait fait paraître dans le *Journal* du 31 mai 1935 avait fait le tour du monde et il avait fait rêver Gaby.

> **Le paquebot lutte contre le record, et la longue et paisible houle océane, qu'il fend sans presque soulever d'eau, lui obéit en silence. Juste au-dessous de mes hublots, se gonfle, s'abaisse, harmonieuse, respire sans fin, une longue bête onctueuse d'un gris vert emplumé d'écume. Tout le reste de l'horizon n'est que brume tiède, traînante, qui lèche et salue la mer.**

Hantée par le goût de s'immiscer dans les rangs des personnalités, la créatrice de mode montréalaise présuma qu'il devait bien y avoir un moyen d'y arriver. Pour avoir voyagé quelques fois à bord d'un grand transatlantique, elle connaissait mieux les catégories de spécialistes dont s'entourait le capitaine. Leur badge l'en informerait lors de la cérémonie d'accueil du capitaine. « Mon instinct devrait me guider vers le bon », espéra-t-elle. Ce fantasme l'incita à revêtir une tenue plus élégante. Un veston rouge sur une robe de mousseline blanche.

Lors de ces événements protocolaires, Gaby s'amusait à imaginer ce que les membres de la garde d'honneur du capitaine pouvaient bien ressentir. Son sens aigu de l'observation s'appliquait à interpréter leurs rictus. L'un prendrait bien la place du capitaine. L'autre s'ennuie. Quelques-uns semblent s'y plaire. Le plus séduisant a été présenté comme l'ingénieur géographe du *Normandie*. « Je me sentirais à l'aise de l'aborder, celui-là. Il me fait penser à mon père. »

Au rythme de la marche militaire interprétée par l'orchestre, les gens d'honneur sortirent de la salle d'accueil en saluant, de petits gestes, les touristes. À celui de l'ingénieur géographe, Gaby répondit de son plus beau sourire. L'ingénieur sembla l'avoir remarquée. « Trop beau pour être vrai », se dit-elle, le cœur battant au rythme de la mélodie. « Mais où le retrouver et comment l'aborder ? se demanda-t-elle. Je ne peux me permettre la moindre gaffe. » Dans le porte-voix, une invitation fut faite aux passagers de gagner leur salle à manger respective. Du coin de l'œil, Gaby vit les touristes de première classe se diriger fièrement vers la luxueuse salle à manger à trois ponts. Elle les envia. Avec une résignation mal assumée, elle suivit la file, plus nombreuse, qui se dirigeait vers l'autre salle aux tables bien dressées, aux murs garnis de quelques tableaux et de banderoles de soie. Un décor teinté de modestie. Des convives exubérants. Des mets de bon goût, mais pas aussi raffinés que ceux présentés aux touristes de première classe sur l'*Île-de-France*. Les services passaient de cinq ou six à trois. « Je serais curieuse de voir ce que l'ingénieur géographe est en train de déguster », pensait-elle quand une dame bien enveloppée mais coquettement vêtue l'accosta.

— Vous ne seriez pas Miss Bernier ? lui demanda-t-elle, d'un français cassé.

— Oui, en effet. Je devrais vous connaître ?

— Pas moi, mais ma fille, Marion Crawford. Elle a marié Geoffrey McDougall, il y a dix ans. En plus de son trousseau de mariée, vous lui avez cousu une magnifique robe de soirée, pour la *St. Andrew*. Je la lui ai empruntée et je la porterai pour le bal du capitaine. Vous allez sans doute la reconnaître…

— Mais c'est tout un honneur pour moi, Mme Crawford.

«Moi qui pensais être la seule à porter des vêtements griffés *Gaby Bernier* sur ce navire.» La possibilité de rencontrer quelqu'un qui connaisse son salon de couture n'avait aucunement effleuré l'esprit de Gaby avant son départ de Montréal.

— Voyagez-vous seule? osa Mme Crawford.

— On n'est jamais seule sur un transatlantique... puis des amis m'attendent à Paris.

— J'imagine bien. Saviez-vous que mon mari et moi faisons cette traversée avec deux couples d'amis. Je crois que ces dames ont déjà fréquenté votre salon.

Se voulant courtoise, Gaby en demanda les noms.

— Mme Gross et Mme Whitley. *Do you know?*

Comment ne pas se souvenir de ces dames, des clientes de Mme Jamieson qui l'avaient suivie après l'ouverture de son salon de couture et qui y demeurèrent fidèles!

— Vous pouvez vous joindre à nous, Miss Bernier.

Gaby lui servit un sourire affable et s'excusa de devoir se rendre à sa cabine.

— À plus tard, Miss Bernier!

Ce soir-là, Gaby sortit de la salle à manger avant le troisième service, prétextant qu'elle n'était pas en appétit. En fait, elle ignorait la véritable cause de son geste. Cette dame s'était pourtant montrée gentille et Mmes Gross et Whitley, venues les rejoindre à l'heure de l'apéritif, ne l'étaient pas moins. Avant de se réfugier dans sa cabine, Gaby s'arrêta au fumoir des touristes pour y fumer une cigarette devant le panorama que déployait cette salle en fer à cheval: vue sur la mer et sur un pont-promenade couvert. Bien campée dans un fauteuil enveloppant, elle comprit que, ce soir, son besoin de solitude primait son désir d'aller chanter sur un pont du navire. Par contre, faire la connaissance de voyageurs inconnus et pouvoir se présenter, au gré de ses fantaisies, comme Gaby Bernier, native de Chambly, ou comme une des grandes créatrices de mode de Montréal, lui plaisaient.

Sur ce paquebot géant et des plus luxueux, le goût du glamour, éprouvé à l'hôtel *Ritz Carlton* seize ans auparavant, refit surface. «Ce n'est pas dans la classe touriste que je pourrai le vivre à plein», reconnut-elle, déplorant quelque peu d'y être confinée. Éblouie par le piano à queue trônant au centre de ce fumoir, elle souhaita qu'un musicien s'y installe et interprète une mélodie qui porte sa rêverie. Ce bonheur ne lui étant pas offert, elle quitta la pièce, passa par sa cabine pour revêtir son ensemble veston et jupe longue, d'un bleu poudre velouté. Le châle de Louise-Zoé sur son bras, elle se dirigea vers les ponts d'un pas assuré. Un grand choix lui était offert. Monter sur le troisième qui donnait sur la salle à manger des passagers de première classe lui apparut à la fois désirable et audacieux. Le souvenir de la fête de fin d'année scolaire, pour laquelle elle avait revêtu sa tenue de cavalière, ressurgit. La fierté qu'elle avait alors éprouvée l'habita et la nourrit d'audace.

De ce pont, il était donné à Gaby d'entendre l'orchestre et de voir les richissimes dames se pavaner au bras d'un galant homme. La présence de son amant lui manquait. «Je n'aurais rien à envier aux autres si tu étais là, près de moi. Tu le sais, Pit, chaque fois que nous apparaissons en public, nous faisons tourner les têtes. Te reprocher de ne pas être attiré par ce genre de voyage serait facile si tu ne respectais pas tant mes goûts. J'aimerais que, où que tu sois ce soir, tu entendes la chanson que je te dédie.» Puis elle entonna ce succès d'Axel Farel:

Un amour comme le nôtre
Il n'en existe pas deux
Ce n'est pas celui des autres,
C'est quelque chose de mieux
Sans me parler
Je sais ce que tu veux me dire...
À mon regard
Tu vois tout ce que je désire...
Pourquoi demander aux autres

Un roman plus merveilleux?
Un amour comme le nôtre
Il n'en existe pas deux.

— Comme il a de la chance, l'homme pour qui vous chantez ces paroles! murmura une voix feutrée qui s'approchait.

Toute à l'ivresse du moment, Gaby ne se retourna pas. Était-ce son instinct ou son souhait qui lui fit croire que l'homme le plus désirable de ce navire était venu vers elle? Qu'il se tenait là derrière elle, l'enveloppant de son aura.

— Je peux rester quelques instants avec vous?

— Ce serait un honneur, monsieur l'ingénieur.

— Vous avez mangé?

Gaby choisit de mentir.

— Désormais, c'est à ma table et en ma compagnie que vous viendrez prendre vos repas. Vous êtes mon invitée, mademoiselle…

— Gaby Bernier.

— Prenez mon bras, Mlle Gaby. Vous me permettez? C'est si joli, Gaby.

L'acquiescement était de mise. Il y avait longtemps que Gaby ne s'était pas sentie sur un nuage. Un peu moins grand que Pit Lépine, à peine plus âgé, l'ingénieur géographe le surpassait en galanterie, crut-elle.

— Oscar Boyer, mon nom.

— Comment vous remercier, M. Boyer?

— En m'accompagnant, Mlle Gaby.

«Tu rêvais de glamour, tu en as plus que souhaité», se dit-elle, éblouie par le faste de cette salle, la richesse de la vaisselle et des meubles. Autour d'elle, il n'y avait que des gens qui respiraient la noblesse et la courtoisie. «Quand je pense que Coco Chanel a été entourée de gens de la haute société dès ses débuts dans la mode, je l'envie. C'est exigeant, mais combien valorisant!»

— Parlez-moi de vous, la pria l'ingénieur Boyer.

Avec une réserve de bon aloi, Gaby lui traça les grandes lignes de sa jeunesse et de sa carrière. Les buts de son voyage à Paris s'ajoutèrent d'eux-mêmes.

— Vous me fascinez, Mlle Gaby! J'ai rarement vu la grâce et la beauté se marier aussi bien à la spontanéité. Vous n'avez pas à prendre ombrage de Coco Chanel si ce n'est la notoriété et… et… la richesse, peut-être.

— La richesse, sûrement, répliqua-t-elle, heureuse d'apporter un peu de légèreté dans cet entretien.

Le repas fut servi selon toutes les exigences protocolaires sans que Gaby en fût ennuyée. La courtoisie avait aussi bon goût que les mets présentés. Elle l'exprima à son compagnon, qui lui apprit que dans cette pièce de plus de deux cents pieds de long, tout près de sept cents convives avaient pu prendre place.

— J'ai peine à imaginer le travail des cuisiniers, rétorqua-t-elle.

— Plus de soixante-dix chefs et une centaine de garçons travaillent dans cette cuisine presque aussi longue que la salle à manger.

— C'est gigantesque!

— Les passagers n'en disent pas moins en entrant dans la bibliothèque. Vous l'avez visitée?

— Pas encore.

— Plus de quatre mille livres pour desservir mille huit cent cinquante passagers.

— Je pense n'avoir pas vu aussi impressionnant à Paris.

— Celle du Louvre vous renversera! Elle compte dix fois plus de livres qu'ici. Ce sont des corridors à perte de vue.

Captifs de leurs réflexions, tous deux mangeaient en silence quand l'ingénieur reprit:

— Ce soir, je vous invite à un spectacle. On y présentera *Pasteur*, le premier film de Sacha Guitry, qui a inauguré notre salle. Il avait composé ces textes pour son père. C'était un passionné d'histoire.

Gaby s'en montra ravie. Elle présuma que ce spectacle devait être présenté assez tard, vu le nombre de services qui étaient offerts aux passagers de première classe. Après avoir apporté les hors-d'œuvre de cantaloup frappé au sherry et le consommé froid rubis, on offrit de la poularde de Bresse à la broche avec des haricots verts et des pommes de terre à l'anglaise. Ces mets délicieux et consistants n'avaient laissé que peu de place pour les fruits et le dessert dans l'estomac de Gaby. Elle se laissa tout de même tenter par le fromage suisse et une glace à l'abricot avant de choisir une infusion à la menthe.

— Si on allait se balader un peu sur le pont avant d'entrer au théâtre? proposa l'ingénieur Boyer.

Le noble Français, qui avait obtenu la permission d'utiliser son prénom dès la première rencontre, réclama de prendre sa main. Gaby ne cacha pas son étonnement.

— Pour le temps de la traversée, nuança-t-il. Ne m'avez-vous pas dit que vous étiez célibataire, comme moi?

La main de la belle Montréalaise se nicha dans celle du séduisant Français. La météo était généreuse et gratifiait les passagers d'une brise rafraîchissante. Les replis argentés de la mer étaient harmonieux et chatoyaient. Gaby n'aurait pas quitté ce pont si elle n'avait accepté l'invitation de M. Boyer. Sitôt entrée dans le théâtre, elle eut l'impression de monter dans une nacelle. La scène, de près de vingt pieds de profondeur, en donnait l'illusion avec son jeu de volets aux couleurs différentes. Au jugement de Gaby, on devait oublier ce décor pour bien se concentrer sur l'histoire de ce grand chercheur. Un extrait du film, où Pasteur recevait la visite d'un enfant qui venait le remercier de l'avoir traité contre la rage, la saisit d'un grand émoi.

Avec discrétion, Gaby tira un mouchoir de son sac à main et s'en épongea les yeux sans que M. Boyer le remarque, du moins le crut-elle.

— Quand mon défunt père interprétait le rôle de Pasteur, ce passage lui demandait un bon contrôle de ses émotions tant il le remuait jusque dans ses tripes, susurra-t-il à son oreille.

Gaby fut si désarmée qu'elle dut se limiter à un simple sourire de convenance.

Le visionnement terminé, l'ingénieur la salua de mots de velours et de gestes soyeux.

— Ce fut une merveilleuse soirée, M. Boyer.

— À quelle heure avez-vous l'habitude de prendre votre petit-déjeuner ?

— Vers les huit heures quand je suis en vacances.

— Vous permettez que je vous attende près de votre cabine ?

— Vous êtes trop gentil. Je préférerais vous rejoindre dans le hall de la salle à manger à l'heure convenue, suggéra-t-elle.

— Comptez sur moi, j'y serai. Bonne nuit, gracieuse Gaby !

Ce compliment lui plut, mais pas au point d'effacer le trouble ressenti lors de ce film. Jamais encore le fait d'être devenue une mère adoptive ne lui était apparu aussi précieux. Donner la vie pouvait se faire de plus d'une façon et pouvait compenser le privilège de porter un enfant. Pour la première fois, Gaby reconnut avoir fait le sacrifice de la maternité sur l'autel de son travail et de ses relations amoureuses. Pit s'était clairement prononcé à ce sujet :

— On met des enfants au monde quand on est sûr de pouvoir s'en occuper convenablement.

« Il a raison, vu son âge et son mode de vie », avait convenu Gaby.

Après une journée de rêve, Gaby s'endormit, un oreiller dans les bras, imaginant étreindre son amoureux.

Le lendemain, reposée et fébrile, la voyageuse Bernier retrouva son bienfaiteur dans le hall de la salle à manger. Dans sa main, un petit carnet de notes.

— Ce sont vos tâches de la journée ? s'enquit-elle.

— Oh non, ma chère Gaby ! J'ai fait la liste des divertissements que nous pourrions vous offrir.

— Je peux voir ?

Casino, club de bridge, piscine, bars, cabarets, ponts, bal du capitaine, etc.

Gaby sourit.

— Un peu de tout cela vous plairait ?

— J'élimine la piscine pour une raison bien personnelle.

— Je peux la connaître ?

— Mes ancêtres ont vécu sur les rives du Saint-Laurent et ils étaient tous marins ou capitaines. Je crois avoir hérité d'eux cet attrait pour les lacs, le fleuve et l'océan… mais pas pour les piscines. Par contre, avec un bon ange gardien, j'aurais un plaisir fou au casino.

M. Boyer fixa le regard de Gaby, en attente de précision.

— J'ai un petit côté *gambler*…

— Comptez sur moi pour vous éviter toute mésaventure, Mlle Gaby.

M. Boyer était un homme de parole. Après avoir joué sur une dizaine de machines, investi une vingtaine de dollars, Gaby consentit à quitter le casino avec quarante-cinq dollars de gains dans son sac à main.

Au troisième jour de la traversée, Oscar Boyer n'était pas dans le hall de la grande salle à manger pour le déjeuner. Un officier s'approcha, un billet à la main.

— Miss Gaby ?

— Oui.

— C'est pour vous.

J'ai réservé pour nous deux la même place que nous occupions à la table. Mes responsabilités me retiennent pour je ne sais combien de temps, mais je vous retrouverai probablement pour le dîner.

Oscar Boyer

Gaby hésita à se rendre à la table. « Sauter un repas ne me ferait que du bien. Mais s'il fallait qu'il se présente à la salle à manger croyant m'y trouver, il s'inquiéterait. »

— Vous pouvez m'attendre quelques minutes ? demanda-t-elle à l'officier.

De sa cabine, Gaby revint avec son châle sur le bras et une missive à livrer à *M. l'Ingénieur-géographe*.

L'esprit tranquille, elle s'engagea vers le premier pont, d'où elle put apercevoir un nuage de brume qui semblait immobiliser le *Normandie*. La sirène se mit à pousser ses gémissements toutes les deux minutes. Sur la passerelle, des passagers inquiets et des membres du personnel anxieux s'étaient attroupés. Gaby comprit le message de l'ingénieur.

— Y a-t-il du danger ? demanda-t-elle à l'un des hommes en uniforme.

— Pas vraiment. On doit seulement user d'une grande prudence pour ne pas heurter un paquebot belge qui doit nous dépasser sous peu à bâbord. Il n'est qu'un nain comparé au *Normandie*. Quand l'un de nous deux quitte l'Europe, l'autre appareille à New York. Nos deux géants se croisent habituellement au milieu de l'Atlantique.

— Lequel est le plus rapide?

— Nous faisons tout pour que le *Normandie* demeure le champion.

— Vous m'en voyez ravie, monsieur.

À son retour à Montréal, une nouvelle de taille l'attendait. Leur servante la rejoignit avant qu'elle ne monte à l'appartement. Il ne fallait pas que Jean en soit informé abruptement. Trois édifices allaient être rasés, dont le 1316, Sherbrooke Ouest. En son absence, Marcelle avait reçu la visite d'un représentant de *Holt Renfrew & Co* lui annonçant avoir obtenu un permis de la Ville de Montréal pour construire son nouveau magasin… Gaby choisit de donner son attention à Jean tout en rangeant ses malles. La réaction de son frère et de sa sœur lui était indispensable pour considérer cette nouvelle, en peser le poids et les perspectives d'avenir pour la famille Bernier. Leur protégé endormi, il leur serait donné d'en discuter plus librement.

— Où ferait-il construire? demanda Donio.

— Sur le coin sud de Sherbrooke et De la Montagne, répondit Marcelle.

— Mais il n'y a pas de place!

— Il va s'en faire…

— Il ne va pas démolir notre maison? protesta Éva, outrée.

— La nôtre comme celles qui l'entourent, déclara Donio.

— Il a sûrement appris que j'avais commencé à travailler la fourrure… murmura Gaby.

Cent ans plus tôt, *Holt Renfrew* avait ouvert une chapellerie à Québec. Le succès l'avait incité à se lancer dans la vente de fourrures. Une vingtaine d'années plus tard, il s'était associé à Henderson pour former *Henderson, Renfrew & Co.* Tous les artisans de la haute couture montréalaise savaient que cette compagnie avait reçu le privilège d'être nommé fourreur officiel de Sa Majesté la reine Victoria, et ce, pour un mandat de cinq générations.

— Il veut rapatrier chez lui tous les amateurs de cette mode, qui n'a pas que des avantages, lança Éva. Nos pauvres petites bêtes… innocentes et si mignonnes.

Gaby avait toujours évité d'aborder ce sujet avec sa sœur. À eux seuls, ses sourcillements et ses grimaces traduisaient son désaccord. Donio s'empressa de les distraire de ce sujet.

— C'est le lot des locataires de se faire mettre dehors, maugréa-t-il.

— On ne pouvait pas faire autrement quand on s'est installés ici, lui rappela Gaby.

— Mais maintenant, on le peut, rétorqua Éva, cabrée comme un cheval fougueux.

L'indignation et l'inquiétude atténuées, Gaby envisagea d'acheter une maison pour le printemps suivant. Sa première maison. Un logis un peu plus grand que celui qu'ils étaient forcés d'abandonner, et qui répondrait à leurs besoins tout en lui permettant d'y tenir le *Salon Gaby Bernier.* Les réticences de sa sœur ne tardèrent pas à se faire entendre. Étaient-elles fondées ? Le comptable en répondrait.

— Demain, je ne serai pas ici. Je vais à la recherche d'une maison à mon goût dans un quartier à mon goût, annonça Gaby, avec une détermination à ne pas défier. Je vais probablement emmener Jean.

Le silence porta leur réflexion avant qu'Éva y aille d'une recommandation :

— Il faudra annoncer cette nouvelle à Jean avec beaucoup de prudence.

Gaby, désireuse d'aller border l'orphelin, se buta à une porte exceptionnellement difficile à ouvrir. Pour cause, caché derrière, le gamin s'y était blotti en petit bonhomme. Il avait tout entendu.

— Je veux y aller avec toi dans ta belle auto, Gaby, réclama-t-il.

Le lendemain matin, Gaby s'inquiéta de ne trouver sa sœur ni dans la maison, ni dans le Salon. Marcelle, en bonne gouvernante, l'oreille tendue vers le moindre bruit, avait cru l'entendre pleurer au cours de la nuit. « Mais qu'est-ce qui pourrait bien en être la cause ? Elle est peut-être malade. » À un appel logé aux trois hôpitaux de la région, les réponses furent unanimes :

— On n'a personne de ce nom ici.

— Je pense savoir où elle est allée… dit Gaby.

— On pourrait téléphoner, suggéra Marcelle.

— Il n'y a pas de téléphone, là… à l'église.

— Je vais aller voir !

— Non. Ça pourrait la choquer. Attendons qu'elle revienne. Elle n'y passera pas l'avant-midi, quand même.

Moins d'une heure plus tard, Éva rentra sur la pointe des pieds, les yeux rivés au sol. Elle était sur le point de s'enfermer dans sa chambre quand sa sœur l'intercepta. Découvrant qu'elle avait pleuré, Gaby suggéra à Marcelle d'emmener Jean faire des courses avec elle.

— Je ne peux pas me faire à cette idée, confia Éva. Je ne veux pas les voir faire ça. Ce sera trop cruel. Déjà que c'est difficile de quitter ce logement, tu imagines la chambre de maman ? Ces murs sont encore tout imprégnés de son âme… Un deuil encore pire que celui qu'on a vécu il y a quatre ans.

— Explique-toi, Éva.

— C'est comme si on la décapitait sous nos yeux, parvint-elle à articuler avant de tomber en sanglotant sur son lit.

Sous le choc, et déjà fort occupée par les exigences d'un éventuel déménagement, Gaby proposa à sa sœur de prendre quelques jours de congé chez sa grande amie, Mme Landry. Les tergiversations d'Éva fondirent sous les arguments de Gaby :

— Comme nous formons deux nouvelles couturières, j'avais justement l'intention de lui donner congé à elle aussi cette semaine. Si le Salon ne s'effondre pas en mon absence, peut-être pourrait-il survivre sans toi, ma chère sœurette… ajouta Gaby, heureuse de voir un sourire se dessiner sur le visage d'Éva.

— Souhaiterais-tu que je t'accompagne pour le choix de notre prochain domicile ?

— Aujourd'hui, je vais seulement zyeuter et prendre des notes tout en amusant mon fils…

« Mon fils. » Ces mots secouèrent Éva, déjà bouleversée par la mauvaise nouvelle reçue la veille. « Je croyais qu'il était à nous trois, cet enfant-là. Pourquoi plus à elle qu'à Donio et à moi ? Je l'aime, ce p'tit homme-là, moi aussi. Je m'en occupe souvent. C'est vrai que ce n'est pas moi qui choisis et paie ses vêtements, son collège, son entraînement aux sports. Faut dire qu'elle est pas mal plus riche que mon frère et moi. Je ne peux pas croire que l'argent prenne le dessus même entre frères et sœurs ! Je te parle d'un matin ! Je reçois un baiser sur une joue et une gifle sur l'autre. Une raison de plus pour que je m'éloigne d'ici quelques jours. »

Éva, qui ne tarda pas à faire le nécessaire en vue du congé offert, se garda bien de réclamer de Gaby qu'elle la conduise chez Mme Landry. L'inconfort créé par cette appropriation fortuite de l'orphelin Taupier glaçait Éva. À cent lieues des ruminations de cette dernière, Jean sautillait de joie à la pensée de monter dans la voiture décapotable de Gaby.

— Oh ! J'avais oublié, s'écria-t-il, en quête d'un torchon.

Puis, avec une minutie exceptionnelle, il dépoussiéra le bout de ses souliers en observant Gaby du coin de l'œil.

— Je vois qu'au collège, M. Taupier a appris les bonnes manières.

— Pas rien que ça! Attends, tu vas voir…

Jean se précipita vers la porte de sortie, pour y laisser passer Gaby.

— Les dames d'abord, qu'on m'a dit.

— Oh! Ça promet, M. Don Juan!

— C'est Jean Taupier, mon nom. Pas Don Juan!

— On ne t'a jamais parlé de Don Juan?

Gaby cherchait les mots qui pouvaient être compris par un enfant de onze ans.

— C'est le nom qu'on donne aux garçons à la fois profiteurs et séducteurs.

— Profiteurs… je sais ce que ce mot veut dire, mais je ne suis pas sûr de bien comprendre l'autre.

— Le séducteur fait tout pour conquérir le cœur des demoiselles qui lui plaisent.

Jean éclata de rire et poussa l'espièglerie jusqu'à faire glisser sa main tout doucement sur le dos de Gaby.

— Amène-toi! On a beaucoup à faire, cet après-midi, mon p'tit Don Juan.

Un coussin sous les fesses pour ne rien manquer du chic paysage du *Golden Square Mile*, Jean s'amusait à choisir une nouvelle maison pour lui et les trois Bernier.

— Celle-là! Elle est super belle!

— Trop chère, Jean! Comme tu as juste assez d'argent pour acheter une cabane à moineaux, tu devrais te contenter de les admirer.

Empruntant un petit air de fanfaron, le garçonnet plongea sa main dans sa poche de pantalon et en sortit un billet de deux dollars et deux pièces de dix sous.

— Où as-tu pris cet argent-là?

— C'est Donio…

« Si je le laisse faire, il va me le gâter sans bon sens, ce garçon-là », craignit-elle. Une idée lui traversa l'esprit.

— Est-ce que tu aimerais jouer au hockey?

— Oh oui! Surtout depuis que Donio m'a amené voir une partie au Forum.

Sa réponse l'enchanta. Du coup, elle entraînerait le jeune homme aux bons investissements et elle lui présenterait une vedette hors du commun. Gaby connaissait l'importance d'avoir une étoile montante comme modèle dans sa vie. « Qui sait si Pit ne deviendra pas l'idole de mon fils adoptif? Quel beau trio nous formerions! Même si Jean ne manifeste pas le goût de jouer au hockey, il est encore assez jeune pour s'y mettre », se dit-elle, happée par la découverte d'une résidence à vendre sur la rue Drummond, juste derrière l'hôtel *Ritz Carlton*. Une superbe maison de quatre étages en pierres écossaises rouges. Sa couleur préférée! Gaby stationna à proximité du 1524, éteignit le moteur de sa voiture et demanda à Jean de l'attendre un moment, juste le temps de voir si des acheteurs s'étaient manifestés avant elle, si le prix était abordable, si… si… À grandes enjambées, sa jupe d'organdi blanc et jaune serin voltigeant comme des épis de blé au passage du vent, Gaby aurait volé sur le trottoir qui la conduisait à la porte de cette magnifique maison. Elle ne s'attarda pas à l'intérieur, empressée de faire signe à Jean de l'y rejoindre. Jamais il n'avait vu Gaby aussi fébrile. Il avait peine à la suivre d'une pièce à l'autre, d'un étage à l'autre, jusqu'à l'escalier du grenier qu'il emprunta avec appréhension… pour faire demi-tour à la troisième marche.

— Tout ce qu'on pourrait faire de ce grand espace ! Un coin de rangement, puis une salle de jeu pour Jean, entendit-il de la bouche de Gaby.

Des mots effrayants qui le propulsèrent au rez-de-chaussée. Gaby ignorait que cet enfant était encore terrorisé par les histoires d'horreur au sujet des greniers où se cachaient des monstres, qui entraînaient leurs victimes dans des immenses toiles d'araignées qui finissaient par les étouffer. Accroupi près de la porte de sortie, Jean n'aspirait plus qu'à s'engouffrer dans la voiture pour échapper à ce funeste sort. Inquiète de sa disparition, Gaby abrégea son exploration du grenier et se précipita à sa recherche.

— Jean, où es-tu ? criait-elle à chaque étage.

L'absence de réponse l'affola. Elle imagina les pires scénarios, avant de retrouver son protégé, en boule, près de la sortie.

— Tu es bien pâle, mon p'tit homme ! Es-tu malade ?

Un hochement de tête et un regard rivé au plancher témoignaient du malaise de l'enfant. Après avoir obtenu du vendeur qu'il reporte leur entretien concernant sa propriété, Gaby tendit la main à son jeune compagnon et tous deux montèrent dans la luxueuse et sécurisante Chrysler qu'un généreux soleil de septembre avait réchauffée. Avant de démarrer la voiture, Gaby questionna son passager. Les réponses furent claires, mais non moins troublantes. « Je manque vraiment d'instinct maternel, se reprocha-t-elle. J'ai tellement peu connu la peur dans ma vie… Avant de l'exposer à des situations qui pourraient lui faire mal, je devrais essayer de me mettre dans la peau de cet enfant. »

— On va le condamner, ce grenier, lui promit-elle.

Jean fronça les sourcils.

— Je veux dire qu'on va toujours tenir cette porte barrée à double tour. Pas un fantôme, pas un monstre ne pourra y entrer ni en sortir.

— Et tu vas bien cacher la clé ?

— Je vais l'enterrer très creux dans le sol, répondit-elle, enjouée.

Jean avait redressé les épaules et levé le menton, en vainqueur. Gaby le confia à Marcelle, qui proposa de l'emmener au cinéma.

— Youpi ! On y va tout de suite !

Ces moments de solitude permirent à la future propriétaire de réfléchir à la transaction qu'elle aimerait faire, à l'organisation de chaque étage et à la décoration de sa salle d'exposition. « Quelle belle coïncidence ! Tout près d'un *Ritz*, comme la boutique de Coco Chanel. Serait-ce le signe, si je réussis à acheter cette maison, que mon entreprise va connaître une ascension semblable à la sienne ? » La dernière page de son carnet de banque lui rappela que, contrairement à son idole, elle n'avait jamais eu de mécène comme Étienne Balsan, Boy Capel ou le duc de Westminster ; pas plus qu'elle n'avait été entourée et soutenue par des célébrités telles que Misia Sert, Stravinsky, Cocteau, Dalí ou Picasso ; lui faisait aussi défaut la vente de parfums qui porteraient son nom.

Certains propos de son idole publiés dans une revue dont elle avait oublié le nom lui revinrent en mémoire : *Je n'étais pas très bien vue dans les milieux de la mode. Les couturiers ne me prenaient pas au sérieux et ils avaient raison. Je ne savais rien de ce métier. Au début, pour mes robes, je faisais travailler mes modistes. J'ignorais qu'il existait des ouvrières spécialisées. Mais c'était très bien, car j'ai tout appris par moi-même.* Elle affirmait aussi : *La couture est un commerce, pas un art.* Gaby se cabra. « Moi je répliquerais encore : la couture est un art avant de devenir un commerce. » Nul besoin de recourir à ses cahiers pour que Gaby se souvienne que dans sa liste de clientes figuraient des noms aussi prestigieux que Frosst, Ogilvie Thomson, Foster, Henderson, Price, McDougall, Caverhill, Allan, toutes des femmes de bon goût qui vantaient les talents artistiques de leur couturière. « Je crois que maintenant, Coco admettrait que de créer un modèle est un art, et plus encore celui de l'exécuter non pas sur un mannequin, mais sur ses clientes. Je le compare aisément à une création musicale. Dans les deux cas, ces ouvrages sont uniques. Si les événements inspirent les musiciens, ce sont mes clientes qui m'inspirent. Il n'en reste pas moins qu'elle a bâti un empire, notre belle Coco, avec ses quatre mille ouvrières et les vingt-huit confections qu'elle vend chaque année. »

Habitée par les réalisations de son idole, Gaby se préparait à présenter une offre d'achat réduite de quelques milliers de dollars qu'elle investirait dans la décoration et le mobilier de son salon. « C'est tout ce que je peux payer. Il faut qu'il l'accepte, sinon, on n'est pas au bout de nos peines. »

De préoccupation en préoccupation, Gaby devait rejoindre Pit. « J'ai autre chose à faire que de passer mon après-midi au téléphone », marmonna-t-elle, après avoir fait quatre appels infructueux.

— Enfin ! Te voilà !

— Mademoiselle aurait envie d'une belle nuit au…

— Je t'arrête, Pit. Je n'ai la tête ni à la dentelle des draps ni à celle des robes de bal.

— T'as l'air d'être dans le trouble… Je peux t'aider si tu m'expliques ce qui t'arrive.

— On perd notre logement, il sera démoli. Mais ce n'est pas de ça que je veux te parler. C'est de Jean.

— Oublie ça, Gaby. Trouve-toi un autre gardien que moi pour ton garçon. Je n'ai aucun don pour m'occuper des enfants.

— S'il était sur la glace…

— Lui montrer à patiner ? Ton frère peut le faire autant que moi.

— Lui montrer à jouer au hockey, Pit.

— Reste à savoir s'il a envie d'apprendre à jouer au hockey, ton orphelin.

— Je t'ai déjà demandé de ne pas l'appeler comme ça…

— Pardonne-moi, Gaby. J'avais oublié.

— Quelques heures d'entraînement sur la glace du Forum suffi-raient probablement à lui donner la piqûre, à ce garçon. Il aime assister aux joutes, c'est prometteur, non ?

— Pas s'il est nul sur ses patins...

— Ça pourrait se travailler d'ici novembre, par exemple, conclut Gaby, déterminée à faire le nécessaire sur ce plan. Il sera libre par la suite de choisir un autre métier... pourvu qu'il soit dégourdi et heureux, conclut-elle.

Pit n'en parut pas convaincu.

UNE INDISCRÉTION DE DONIO

Avant chaque voyage transatlantique, Gaby se fabriquait une éblouissante garde-robe qu'elle allait porter sur le bateau. Obstinément, elle se confectionnait des tenues trop étroites, jurant qu'après un mois de régime draconien, elle les porterait avec élégance. Ces privations la rendaient à ce point exécrable envers nous, ses proches, que nous anticipions son départ avec soulagement. À ceux et celles qui croyaient que j'aurais aimé l'accompagner dans ses voyages outre-mer, je déclare préférer cent fois demeurer à Montréal. Je ne pourrais supporter de la voir se pomponner et tourner en rond devant le miroir pendant des heures pour revenir ensuite vers moi et quêter mes compliments. C'est ce qu'elle fait avec Éva. Moi, Donio Bernier, je n'ai ni la générosité ni la souplesse de ma jeune sœur.

HAUTE COUTURE
FUR GOWNS

CHAPITRE VIII

Sous des dehors de fanfaronne, je cache parfois des peurs bleues. Celle de commettre des erreurs irréparables en amour ou en affaires en fait partie. Et plus j'avance en âge, pire c'est. Comme si, après avoir franchi le cap de mes trente-cinq ans, je risquais d'être moins courtisée. Côté travail, je suis très heureuse dans mon quotidien de créatrice de mode, mais la compétition me semble plus féroce. Serait-ce que je deviens plus consciente de son pouvoir... et de mes limites?

Dommage que ma mère ne soit plus là. Elle se souviendrait de ses états d'âme de la mi-trentaine. Elle venait de me donner la vie. C'est donc dire que si je voulais un enfant, il en serait encore temps. Il m'arrive de penser que je pourrais regretter de ne pas en avoir porté un dans ma chair... surtout depuis que sur le Normandie, Jean m'a appelée maman. Ce mot m'a remuée jusqu'au fond de mes tripes. J'ai tellement souhaité le réentendre. J'en rêve encore.

— Si vous acceptez mon offre d'achat, monsieur, et me libérez l'espace à la date mentionnée, je m'engage à payer vos impôts, en souffrance depuis un an, avait promis Gaby au vendeur du 1524, rue Drummond.

Plus elle visitait cette maison, plus elle en ressortait avec le sentiment qu'elle lui revenait.

— Ce n'est pas une raison pour l'acheter, lui dit Éva, penchée sur une colonne de chiffres.

— Pense à tous les avantages que cette maison nous apporterait. Tu imagines? Je pourrais enfin mettre une enseigne sur la porte de notre Salon.

Donio l'approuvait, prêt à lui donner ses minces économies pour l'aider dans cette acquisition. Cette proposition lui inspira un autre argument:

— Je vais me conformer à la date de vente qu'il a choisie... On n'attendra pas que M. Renfrew nous pousse dans le dos pour partir.

Tous trois y voyaient un avantage, sauf qu'ils avaient signé un bail pour huit autres mois sur la rue Sherbrooke. Parviendraient-ils à y mettre fin?

— Je vais aller rencontrer le propriétaire avec toi, offrit Donio.

En cette première semaine d'octobre 1936, Gaby dut confier nombre de ses responsabilités à sa sœur et aux demoiselles Landreville, entre autres. Tout en maintenant sa tâche de trésorière, Éva devait s'occuper d'accueillir les clientes et de remplir les carnets de rendez-vous. Les deux autres couturières distribuaient le travail aux ouvrières. Il tardait à la créatrice de mode de reprendre ses fonctions. La perspective de pouvoir s'y remettre en novembre compensait les innombrables démarches imposées par la perte de leur logis.

Les commandes pour des robes de bal à l'occasion de Noël commençaient à entrer. Éva vit l'urgence d'en informer sa sœur. Elles organisaient l'agenda du Salon quand un messager vint porter une lettre à *Mlle Gaby Bernier*. Sous ses yeux, Gaby éventra l'enveloppe et en sortit un billet annonçant que le vendeur du 1524 de la rue Drummond acceptait l'offre d'achat, libérait la maison dès le 9 octobre et souhaitait régler les papiers afférents chez le notaire dans les prochains jours. Avec une exubérance à peine contenue, elle pria le messager de l'attendre un instant.

— Je vous serais reconnaissante de rapporter une enveloppe à mon vendeur.

Sur ce même billet, elle écrivit : *Tout est parfait, monsieur! Gaby Bernier*

Sitôt le messager parti, Éva sauta au cou de sa sœur et toutes deux, exaltées, pivotèrent comme des toupies dans la salle d'exposition. Leur tourbillon projeté sur le mur recouvert d'un miroir les encouragea à enchaîner quelques pas de polka.

— Toi, tu informes Donio, et moi, je téléphone à Margot Wait, décréta Gaby.

Donio s'occupa du déménagement, mais laissa à Gaby le soin de faire transporter son piano par des gens qualifiés. Marcelle reçut de l'aide de ses amies pour emballer les biens des Bernier.

— D'ici notre installation sur la rue Drummond, nous ne prendrons plus de repas ici, sauf le petit-déjeuner. Tout sera porté sur la facture du *Salon Gaby Bernier*, décida la nouvelle propriétaire. Je vous recommande le *Café Martin*, un des meilleurs restaurants français de Montréal, situé juste derrière le 1524.

— Ce n'est pas le meilleur marché, rétorqua Éva.

— Non, mais j'ai pris une entente avec le propriétaire pour un spécial, si nous allons prendre la majorité de nos dîners et soupers chez lui. Vous restez libres d'aller ailleurs, mais je choisis celui-ci parce que c'est plus rapide pour moi. Dès que le serveur me voit arriver, il m'indique ma table et ordonne aux cuisiniers de me préparer les mets choisis dans les plus courts délais. Tu gagnerais, Éva, à y aller. Tu n'as qu'à préciser que tu es ma sœur.

Gaby ne put résister à l'envie de dispenser Donio de ramener Jean de l'école, ce jour-là. Le privilège de lui annoncer la bonne nouvelle lui semblait réservé. «Un vendredi taillé sur mesure», se dit-elle, au volant de sa décapotable. Jean eut vite fait de la reconnaître et de se précipiter vers elle.

— Tu m'emmènes au parc? demanda-t-il, surexcité.

— Pas tout de suite. Seulement après t'avoir montré notre nou-velle maison.

— Je l'ai déjà visitée?

— Peut-être, dit Gaby, en bonne comédienne.

Lorsque la voiture s'immobilisa devant le 1524, rue Drummond, Jean parut troublé.

— Tu t'inquiètes pour le grenier? C'est la première chose que j'ai faite: le barrer jusqu'à ce que tu me dises de l'ouvrir.

— D'accord, Gaby! C'est quand même la plus belle de toutes celles qu'on a visitées! Quand est-ce qu'on vient y habiter?

— Dans quelques jours, si tu nous aides à remplir nos boîtes.

— Wow! Je n'ai pas de devoirs ce soir! mentit l'écolier, mis au défi de montrer ses cahiers en arrivant à la maison.

— On les fera dimanche, consentit Gaby.

Son uniforme lancé sur son lit, Jean revêtit short et chandail à manches courtes et courut offrir son aide à Marcelle.

— Ça ne peut pas mieux tomber, Jean. Il nous manquait un homme, lança-t-elle, complice du clin d'œil que Gaby venait de lui faire.

Enfermée dans sa salle de coupe, Gaby téléphona à Margot.

— Ta boutique sera prête à te recevoir dans trois ou quatre jours, le temps de la préparer, lui annonça-t-elle, remerciée par ses éclats de joie.

Fait inusité, sur la porte elle colla un mémo : *S'il vous plaît, ne pas déranger.* Une autre urgence s'imposait. Le changement d'adresse et l'aménagement de la boutique *Etcetera* devraient être publiés dans les journaux de Montréal. « Pourquoi ne pas en profiter pour annoncer une nouvelle appellation de mon entreprise ? » Les perspectives d'avenir fourmillaient dans sa tête, défilant comme un film en accéléré. « Faire entrer un tailleur, offrir des confections de fourrure, accompagner mon affiche d'une illustration invitante. Margot Vilas pourrait peut-être m'aider à trouver un bon tailleur. En attendant, je pourrais me débrouiller. Mon affiche, ce sera mon bébé. Mon deuxième bébé… après Jean. Quitte à passer une partie de la nuit ici, j'y arriverai. »

Le lendemain matin, sur la table de la salle à manger des Bernier, les couverts et les confitures pour le déjeuner avaient été remplacés par un prototype d'affiche… La première à découvrir la pancarte fut Éva, tirée de son lit par le sentiment que quelque chose d'étrange se passait dans la maison. Cachée derrière la porte de sa chambre entrouverte, Gaby s'amusait. La croyant déjà retournée au travail, Éva se précipita vers la chambre de son frère.

— Viens voir ça, Donio !

Le pas alourdi par une longue soirée de travail, la chevelure en broussaille, l'air bougon, le chauffeur de taxi tituba jusqu'à la cuisine.

— Regarde sur quoi Gaby a travaillé cette nuit au lieu de dormir.

En « rouge Bernier » sur un fond blanc apparaissait la silhouette d'une dame élégante dans une robe longue, avec les mots

GABY BERNIER HAUTE COUTURE FUR GOWNS

— Mais c'est un chef-d'œuvre, ça ! s'écria Donio, soudainement sorti des brumes du sommeil.

Éva hocha la tête, visiblement contrariée.

— Je le sentais ! Dernièrement, elle avait manifesté son intention de se lancer dans la confection de fourrure ; elle avait même commencé à en garnir certains vêtements. Mais avec une affiche comme celle-là, ce ne sont pas que de petits cols de lapin qu'elle annonce.

— Et puis?

— Tu n'as pas pensé aux dépenses que ça entraîne? L'achat des fourrures, le salaire d'un tailleur, l'embauche de petites mains expertes dans le domaine... en plus des frais du déménagement.

— Ça m'agace de voir ce mélange d'anglais et de français, émit Donio. Pourquoi ne pas avoir écrit: *GABY BERNIER HAUTE COUTURE FOURRURES-ROBES*?

Gaby sortit de sa cachette.

— Ah! Tu étais là, toi? Bien, tant mieux! Tu sais déjà ce que je pense de ton projet d'affiche, dit Éva.

— Mais ce n'est pas un projet, Éva. Cette annonce sera placée telle quelle sur la façade du 1524 de la rue Drummond.

— Où vas-tu trouver l'argent pour payer les comptes d'ici la fin de l'année?

— Dans la réduction du coût d'achat de notre maison... et dans la pension que Donio va nous verser, le temps que nos finances reprennent du galon, hein grand frère?

— Chose promise! Mais tu n'as pas répondu à ma question, lança Donio.

— Mon commerce s'adresse autant aux anglophones qu'aux francophones et mon affiche va rester comme je l'ai dessinée, décréta Gaby, sur un ton à ne pas défier.

— Veux-tu encore de moi dans ton entreprise?

— Plus que jamais, ma petite sœur! La gérance sera toujours ton domaine... la création et la conception, les miens.

— Voilà qui est clair, conclut Donio. Maintenant, tu nous débarrasses la table, Mme la Créatrice de mode?

Marcelle, recluse dans sa chambre, attendait un retour à la paix pour se manifester. Pour cause, elle avait toujours fui les discussions houleuses entre les Bernier. Les plats pour le petit-déjeuner furent vite servis. Jean ne mit pas de temps à les rejoindre tant les échanges étaient animés, ce matin-là.

— On va gagner beaucoup de sous, présuma-t-il.

— Surtout si tu me donnes un petit coup de main pour ramasser les retailles et les bouts de fil sur les planchers de notre nouveau Salon, renchérit Gaby.

— Il mange tellement qu'il va bientôt me dépasser, craignait Donio, qui avait toujours déploré ne pas mesurer plus de cinq pieds et six pouces.

L'harmonie et la bonne humeur ayant regagné les Bernier, Gaby préféra, pour le moment, ne pas les mettre au parfum de l'entente qu'elle avait conclue avec Margot Wait. La pièce attenante au Salon allait être réservée à la boutique *Etcetera* de Mme Wait, sa partenaire en affaires. Les tenues confectionnées chez *GABY BERNIER HAUTE COUTURE FUR GOWNS* allaient trouver leurs compléments en bijoux et accessoires de toutes sortes chez *Etcetera*, à la porte d'à côté. Cette boutique allait offrir tout ce que l'on pouvait souhaiter pour parer sa tenue : des poudriers uniques en leur genre, des étuis à cigarettes, des foulards, des ceintures, des chandails, des fleurs artificielles, des bracelets, des rangs de perles, des broches, de faux bijoux qui ressembleraient à des vrais, des sacs à main et des sacs de soirée. Les étiquettes et la papeterie du petit commerce *Etcetera* allaient emprunter le «rouge Bernier» et le blanc en harmonie avec les couleurs de Gaby. Les articles les plus chers seraient exposés dans la vitrine. La pièce serait meublée intelligemment et confortablement avec des sofas, des chaises et un bureau. Margot et Gaby avaient convenu que, dans l'attente de l'essayage ou de la livraison de leurs confections, les clientes du Salon de couture seraient invitées à passer chez *Etcetera*. Ce local se prêtait à la détente tout en déployant une diversité d'accessoires alléchants. Autre arrangement, demeuré secret pour quelques semaines, Gaby avait promis à Margot de ne jamais lui réclamer de loyer. La seule redevance exigée serait celle provenant de la vente des bijoux *Gaby Bernier*.

Il tardait à ces deux femmes de passer à l'action.

Le déménagement au 1524 de la rue Drummond s'était déroulé dans la joie et l'optimisme, sauf pour Éva. Son nouveau domicile lui plaisait beaucoup, mais deux obsessions l'habitaient.

— C'est comme si la destruction de notre ancienne maison me replongeait dans le deuil. Je sais qu'on ne devrait pas se sentir orpheline à trente-trois ans, mais ma raison n'arrive pas à prendre le dessus sur ma tristesse, confiait-elle à son frère avant d'aller au lit.

— Je ne comprends pas que ta foi ne vienne pas à ta rescousse. À moins que tu ne croies plus qu'il y a une vie après la mort…

— Je vis dans un brouillard depuis quelques semaines. Puis l'aventure dans laquelle Gaby se lance m'inquiète. Elle a du génie, mais elle m'essouffle.

— N'oublie pas qu'elle est aussi intéressée que toi, sinon plus, à ce que votre Salon de couture vous apporte la richesse.

— La richesse? Quelle ambition mal placée!

— C'est l'argent qui donne le pouvoir. Tu peux presque tout acheter avec de l'argent.

— Comme quoi?

— La santé, le confort, la liberté, le plaisir.

— Il me semblait que tu aboutirais au plaisir. Toujours ce mot sur tes lèvres.

— Il n'y a rien que je te souhaite autant que de rencontrer un homme qui te fera découvrir un coin… un coin… du ciel, Éva.

— N'essaie pas de m'amadouer, Donio. Je vais aller voir sur quoi Gaby travaille pour veiller si tard.

De la grande vitrine qui donnait sur la salle de coupe, Éva vit sa sœur penchée sur un croquis qu'elle n'arrivait pas à distinguer clairement. À la vitesse à laquelle Gaby reprenait sa cigarette pour la replacer aussi vite dans le cendrier, elle put mesurer l'exigence de la création en cours. Sur la pointe des pieds, elle se dirigea vers la porte, qu'elle poussa tout aussi délicatement.

— Tu dois être épuisée, Gaby.

— Ça vaut la peine, pour décrocher des contrats d'une future reine, répondit-elle sans lever la tête de son croquis.

— Une future reine !

Dorothy Killiam, de retour d'Angleterre, l'avait priée par téléphone de se rendre à son domicile « pour une urgence », avait-elle évoqué. « Ce n'est pas une nouveauté », avait ronchonné Gaby.

Sa trousse de couturière remplie à la vitesse de l'éclair, Gaby était montée dans sa voiture, les mains sur le volant mais la tête complètement ailleurs. En son for intérieur, elle s'interrogeait sur la pertinence de se plier aux exigences des Killiam et aux pertes de temps qu'ils lui causaient en l'obligeant à les servir à la maison. « Je n'avais qu'à ne pas commencer ça, me dirait Éva, et avec raison. »

Sitôt stationnée devant leur impressionnante résidence, Gaby avait vu l'homme de service courir vers elle, empressé de lui ouvrir la portière de sa voiture pour aller la garer un peu plus loin.

— Venez, venez ma chère ! lui cria Dorothy.

« Qu'elle m'énerve parfois avec son ton précieux et son français cassé. »

L'air mystérieux à souhait, Mme Killiam s'était finalement résolue à lui annoncer que lors de son passage à Londres, elle avait visité une bonne amie, Wallis Warfield Simpson.

— Ce nom ne vous dit probablement rien, mais attendez, dans quelques mois, il sera sur toutes les lèvres des sujets du Royaume-Uni.

— Elle épousera un membre de la royauté?

— Chut! La belle Américaine est déjà la maîtresse de nul autre qu'Édouard VIII, roi d'Angleterre et prince de Galles.

— Elle côtoie des membres de la famille royale?

— Eh oui! Wallis se prépare à divorcer d'un nommé Simpson qui veille aux affaires de son père en Grande-Bretagne. Vous vous demandez où je veux en venir, n'est-ce pas?

— C'est intéressant, ce que vous me racontez, mais j'ai beaucoup de travail…

— Il y a de grosses chances que vous en ayez encore plus dans les prochains mois.

— Vous voulez refaire votre garde-robe?

— Vous savez bien que non. Je reviens d'Angleterre avec les vêtements que vous m'avez confectionnés pour ce voyage.

Wallis avait été si impressionnée par son élégance qu'elle avait demandé à connaître le nom de sa couturière. Qu'elle soit de Montréal l'avait ébahie.

«Je n'aurais pas cru qu'il y avait une aussi bonne couturière au Québec», lui avait-elle avoué. «Tout ce que j'ai dans mes bagages porte la griffe *Gaby Bernier Montréal*, et ce sera toujours ma seule couturière.»

Dorothy Killiam avait fait un tel éloge de Gaby que Wallis avait souhaité obtenir ses services.

— Mais pour quelles circonstances ?

— Pour un bal d'abord, peut-être même pour son mariage si votre première confection lui plaît.

— Une Américaine qui épouse le roi d'Angleterre, je n'ai aucune idée de la robe qu'elle pourrait porter. Et puis, je ne pourrais pas me rendre dans son pays pour l'habiller.

— Vous n'aurez pas à vous déplacer, elle vous enverrait ses mensurations par la poste et vous feriez de même pour vos confections. Bien entendu, elle paierait tous les frais de transport.

« J'ai habillé une fausse duchesse pour le bal au Château Frontenac, mais jamais je n'aurais pensé coudre pour une reine. La vie nous joue de ces tours ! » Dès lors, les questions avaient abondé : Quelle tenue veut-elle ? Quel est son style ? Ses couleurs préférées ? La curiosité de Gaby s'était ensuite portée sur Wallis elle-même.

Avec fierté, Dorothy lui avait montré quelques photos de la future reine. « Digne, aux traits épurés, au regard hardi, que j'aime ce genre de femme. Elle doit être très grande… », pensa Gaby.

— Nous entrevoyons retourner la visiter l'an prochain pour son anniversaire.

— Pendant quel mois ?

— Juin. Son anniversaire est le 19.

— Vous ne connaissez pas son âge, j'imagine.

— J'en ai une bonne idée. D'après les allusions faites à ce sujet, elle serait née autour des années 1895.

« Presque ma jumelle ! C'est pour ça que, rien qu'en la regardant, je ressens un certain lien de parenté avec elle. Comme c'est bizarre ! Il faut que Donio me déniche plus d'informations à son sujet… »

— Je dois vous dire, ma petite mam'zelle Bernier, que mon amie Wallis…

Puis, portant la main sur sa bouche, Dorothy avait étouffé un éclat de rire.

— Qu'a-t-elle de si drôle?

— Ce serait pendant son deuxième mariage qu'elle serait devenue la maîtresse d'Édouard. On lui a fait une réputation de femme légère et opportuniste… à cause de ses deux divorces. Mais quand on sait que son premier mari était alcoolique et… homosexuel, on la comprend. Je ne l'admire pas moins. Elle a de la classe et elle est très jolie. Je souhaite que vous la rencontriez un jour.

Gaby avait hoché la tête, pressée d'en venir aux demandes de Mme Killiam.

— Mais je n'ai besoin de rien; mon mari non plus. C'était pour vous montrer les photos de la future reine Wallis et avoir votre consentement que je vous faisais venir ici.

— Vous pouvez lui confirmer que je ferai mon possible pour la satisfaire.

Ravaler son agacement et faire preuve de gratitude, voilà ce qui s'était imposé à Gaby avant de quitter la résidence des Killiam.

Informée de cette singulière visite, Éva saisit l'ampleur du défi que sa sœur devait relever.

— J'aimerais t'être utile, Gaby.

— Comme toi, j'ai été placée dans un des meilleurs couvents du Québec pour être instruite, mais plus j'avance en âge et plus je voyage, plus je trouve de trous dans mes connaissances. À moins que je l'aie oublié, je ne crois pas qu'on nous ait montré comment sont vêtus les dignitaires à la tête des différents pays.

Éva l'approuva.

— À part le pape, dit-elle.

— Lui, je pourrais l'habiller à vue d'œil, tellement sa photo tapissait les murs des couloirs…

— Seulement dans le réfectoire, la chapelle et le hall d'entrée, corrigea Éva.

— Un peu plus, il aurait couché avec nous…

— Franchement !

— Je veux dire qu'il aurait trôné dans notre dortoir, reprit Gaby, pressée de corriger sa plaisanterie.

— Quand tu dérapes comme ça, il est temps que tu viennes dormir, Gaby.

— Tu as raison. Je vais attendre que Donio me rapporte des revues sur le couple Windsor pour me replonger dans ce projet.

La nuit écourtée aurait pu jouer sur l'humeur des sœurs Bernier si, à l'heure du dîner, elles n'avaient découvert un article encensant leur boutique dans *The Montrealer*, et ce, sans que cela leur en coûte un sou.

— Traduis-le-moi, s'il te plaît, Gaby, la pria Éva.

— Tu es sûre de ne pas pouvoir le lire ? Ça va être long…

— Je veux être sûre d'avoir bien compris…

— Tu me rends tellement de services que je peux bien faire ça pour toi, Éva.

Puis, Gaby entreprit la traduction à voix haute :

— *Que trouve-t-on dans les boutiques ? Avec une longueur d'avance sur l'arrivée officielle de l'automne a eu lieu l'ouverture officielle d'*Etcetera*, une boutique d'accessoires aussi remplie de nouvelles idées que la saison elle-même, juste à côté du* Ritz Carlton, *sur la rue* Drummond. *Tellement de gens ont convergé vers* Etcetera *que M*^{me}* Wait a eu l'étrange expérience d'être en rupture de stock de certains articles,* *avant même que la collection complète soit arrivée de New York. Cependant, tout est maintenant rentré dans l'ordre et vous pourrez acheter autant que vous le voulez. Ce qui est exactement ce que vous allez faire si vous êtes de celles qui se plaignent de ne pas pouvoir trouver ce qu'elles veulent à Montréal. Prenez les boutons, par exemple. Et vous devrez en acheter cette saison. Si vous êtes fatiguées de chercher quelque chose qui rendra extraordinaire une robe ordinaire, tournez-vous vers Etcetera et trouvez le croissant de lune en verre et bois dont vous aviez besoin. Ou attendez-vous à y dénicher une boucle en carapace de tortue. Et essayez d'en trouver ailleurs! Les sacs sont la spécialité de la maison. Des sacs ingénieusement conçus pour le jour, certains d'allure «distinguée» pour l'après-midi et les «séduisants» pour le soir, voyez les sacs «Mad Money» à partir de 2,95 $ (les prix sont la chose la plus charmante d'Etcetera). Parler de «séduisant» m'amène aux bijoux. De belles épinglettes givrées comme des étoiles de cristal... des pièces de corail qui seront mises sur un vêtement noir... les étonnants nouveaux bijoux en or, aux aspects royaux. Etcetera! En parlant du 1524, rue Drummond, je dois mentionner que Gaby Bernier a une collection qui, si vous ne vous mariez pas cet automne, vous fera rêver de le faire, à moins que vous soyez une de ces personnes richissimes qui achètent chaque saison une garde-robe complète et digne d'un trousseau de noce. Dans son département de vêtements «faits sur commande», Mlle Bernier se spécialise dans les trousseaux, les robes de mariée et les tenues de demoiselles d'honneur.*

Mlle Bernier a des robes flatteuses en taille large, autant pour les mères que pour leurs filles. Et il y en a aussi des noires avec une touche de bleu royal. La collection de soirée met l'accent sur le noir, mais donne aussi sa place à la couleur. Vous aimerez une robe de jour en crêpe, de couleur bronze, un nouveau vert inhabituel, pour 47 $. Et une tenue de soirée en bleu violet Vionnet, une couleur destinée à devenir de plus en plus populaire à l'approche du couronnement. Sa jupe volumineuse est faite d'un épais taffetas avec des bandes de velours. Le décolleté en V profond et une petite cape pour allier le charme et l'utilité, tout cela pour 55 $, furent une agréable surprise!

— Que ça fait du bien à entendre! s'écria Éva.

— Tu vois que notre coopération avec *Canadian Celanese Limited, Garment Retailers of America* et *Wabasso Cotton Company Ltd* était un très bon investissement ?

— T'as oublié de nommer la *Ligue de la jeunesse féminine*.

— Hum ! Ces demoiselles ont récolté plus qu'elles n'ont donné, nuança Gaby.

Éva fit la moue.

L'entrée fracassante de Donio, une enveloppe à la main, mit fin à leur différend.

Il avait trouvé différents articles sur Wallis Simpson dans les journaux et les revues de mode de Montréal, mais aussi des États-Unis et d'Europe. Une récolte impressionnante en quelques heures.

— Je commence à savoir où aller les chercher, dit Donio, non peu fier de son succès.

En examinant les photos d'Anglaises et d'Américaines en robes de soirée, Gaby constata qu'elles se différenciaient peu de celles que portaient les Montréalaises lors d'un grand bal.

— Selon la saison et le pays, je pourrais tout simplement ajouter une écharpe ou une étole.

— Ce n'est pas la même chose ? questionna Donio.

— Pas tout à fait. Une écharpe, c'est une bande de soie, de laine ou d'une autre étoffe, portée autour du cou ou jetée sur les épaules, tandis que lorsqu'on parle d'étole, on réfère à une plus large bande taillée dans la fourrure.

— Ni l'une ni l'autre ne t'est inconnue…

— Sans parler de l'inspiration qui peut venir une fois mon crayon engagé sur le papier, lança Gaby avec l'enthousiasme que son frère lui connaissait.

Mis à part la collecte d'informations, une autre tâche avait été confiée à Donio. Avant de se remettre au travail, Gaby lui rappela l'engagement pris d'amener Jean à l'aréna. Pit Lépine s'était réconcilié avec l'idée de faire de Jean Taupier un « futur hockeyeur montréalais ». Sa première leçon commençait le soir même. Le jeune homme avait attendu ce moment avec une fébrilité prometteuse, aux dires de sa mère adoptive.

— Pourvu que Pit ne l'entraîne pas à patiner comme lui, nuança Donio.

— Si tu doutes de la qualité de ses leçons, tu n'as qu'à y assister, rétorqua Gaby.

— Hum ! Ce serait sûrement moins distrayant pour Pit que si c'était toi qui les regardais aller, osa Éva.

— Je veux que vous veniez tous nous regarder jouer, réclama Jean.

Éva se défila derrière les retards à rattraper en broderie, Gaby hocha la tête puis lança :

— C'est bien parce que c'est toi qui me le demandes, mon p'tit ch'napan.

Dans les estrades du Forum, ce soir-là, il n'y avait qu'une femme… Elle en valait mille pour Jean et peut-être autant pour Pit.

Donio mobilisé au poste de gardien de but, Pit avait recruté trois autres jeunes pour mieux simuler une partie de hockey. Jean avait si bien à cœur de ressembler à son maître qu'à tout moment, il glissait sur un genou, son bâton étiré devant lui. Gaby se tordait de rire.

— Jean ! C'est seulement quand tu veux attraper la rondelle que tu t'y prends de cette manière, lui criait Pit.

— On n'est pas ici pour jouer n'importe comment, lança Donio.

— C'est important d'avoir du plaisir, rétorqua Gaby, à pleine voix.

Pit laissa tomber son bâton sur la glace, enjamba la bande et courut donner une accolade à sa bien-aimée.

— Je passe te prendre ce soir vers huit heures, lui proposa-t-il.

— Destination secrète comme d'habitude ?

— Comme d'habitude !

Pendant que le Salon *GABY BERNIER HAUTE COUTURE FUR GOWNS* et la boutique adjacente *Etcetera* faisaient des affaires d'or, les mensurations de Wallis Simpson mettaient du temps à traverser l'océan. Par contre, les nombreuses soirées de bal de décembre avaient suffisamment occupé Gaby et ses ouvrières pour ne pas qu'elles s'en inquiètent vraiment. Mais l'an 1937 venu, et les priorités de l'année étant déjà inscrites à l'agenda du Salon, Gaby se tourna vers Mme Killiam.

— Vous avez des nouvelles de votre amie Wallis ?

D'une voix affligée, Dorothy lui apprit que les Britanniques avaient été si choqués de voir Édouard VIII paraître officiellement au côté de son amante que ce dernier avait dû abdiquer.

— Donc, pas de couture à faire pour Mme Wallis Simpson ?

— Tout est encore possible pour vous, ma chère Gaby. Vous ne saviez pas qu'Édouard VIII a déclaré : « Je préfère renoncer au royaume et épouser la femme que j'aime. » N'est-ce pas assez émouvant ?

Puis elle ajouta :

— Par condescendance, Georges VI, son frère, l'a nommé duc de Windsor.

— Votre amie ne sera donc pas couronnée reine ?

— Elle en a beaucoup de chagrin.

— Mais ce n'est quand même pas à dédaigner, le titre de duchesse.

— Non, mais elle a tant rêvé s'entendre dénommée Son Altesse Royale.

Gaby marqua une pause dans son échange avec Dorothy avant de poursuivre.

— A-t-elle renoncé à son désir d'être habillée chez nous ?

Les mensurations de la duchesse et ses choix de couleur devaient arriver à Montréal dans les prochaines semaines. Cette nouvelle sema l'excitation chez les employées de Gaby. Elles auraient à travailler sur la robe de bal que porterait la future épouse du duc de Windsor à l'occasion d'une soirée donnée à son intention. Devant l'enthousiasme de sa sœur, Gaby révéla le nom de leur futur tailleur : M. Posner, un expert en fourrure, formé dans les ateliers de Bergdorf Goodman, sur la 5ᵉ avenue à New York.

— Une pointure capable de damer le pion aux experts de *Holt Renfrew & Co.* Aussi, il travaillera pour nous, mais de son appartement, s'empressa-t-elle de préciser pour tuer dans l'œuf la moindre opposition de sa sœur.

— J'ai hâte de voir quand les profits qu'il va apporter couvriront le salaire qu'on lui versera.

— Il ne nous facture rien pour le premier mois. Le temps de s'adapter et de nous donner des preuves de son talent.

— Des preuves de son talent ?

— Il va exposer ses créations dans notre salle d'exposition.

L'indignation empourpra le visage d'Éva.

— On vient juste de s'installer ici et un pur étranger va venir accaparer notre Salon! Adieu créations *Gaby Bernier*! Au point où tu en es, tu aurais pu n'écrire que les deux derniers mots sur ton affiche.

Le ton montait dans la salle de coupe. À deux minutes de prendre congé de leur travail, les ouvrières partirent sur la pointe des pieds. Gaby évoqua la fatigue et les bouleversements émotifs engendrés par les chambardements de l'automne pour excuser l'emportement d'Éva.

— Je n'ai pas pris le temps de te dire que M. Posner est un homme d'une grande délicatesse, assez comparable à M. Louis. Lui et moi allons travailler en complémentarité. Ses fourrures sur mes confections, tu comprends? Nos étiquettes respectives seront appliquées sur chacune de nos créations.

Éva laissa tomber sa tête sur sa poitrine et allait tourner les talons quand elle revint sur ses pas.

— Es-tu sûre d'avoir encore besoin de moi dans ce Salon?

Gaby posa sur elle un regard interrogateur.

— Tu décides de plein de choses sans attendre mon avis. Tu engages du personnel sans mon consentement.

— Éva, je ne peux pas attendre que tu sois prête à te prononcer pour bouger. Je risquerais de perdre de belles occasions. Te souviens-tu du conseil de notre comptable? «Le succès de toute entreprise passe par l'innovation», ou quelque chose du genre.

Plus un mot de chaque côté de la table de coupe. Gaby vint poser ses mains sur les épaules de sa sœur, un sourire sur les lèvres, un regard éloquent d'amour. D'un battement de cils, Éva signifia son approbation. Une nuance s'imposait:

— Je suis capable de courir, Gaby, mais ne me demande pas de galoper à longueur de journée comme tu le fais.

— À moins de monter sur mon cheval! proposa-t-elle, dans un éclat de rire.

— J'aurais trop peur…

— Peur de quoi? De tomber?

— Toute ma vie, j'ai prié pour être épargnée de deux choses: les erreurs et les chutes. Les erreurs, parce que je vise la perfection en tout; les chutes, depuis qu'elles ont failli coûter la vie à grand-maman Louise-Zoé.

«Que de mystères et de secrets chez cette femme que je croyais connaître! Elle me bouleverse. Si profonde! Si différente! Je doute qu'elle soit heureuse. Je vais lui tendre la main.»

— Ne trouves-tu pas que tu as laissé beaucoup de place à la peur dans ta vie? On la dit mauvaise conseillère. Tu pourrais décider aujourd'hui que ce temps est fini et que tu regardes droit devant en te faisant confiance.

— Comment peux-tu affirmer une chose pareille?

— L'amour fait des miracles, Éva.

— Parle pour toi.

— Tu ne fais pas exception. Mais il faut te donner une chance.

Cette chance, Gaby la croyait possible en ce soir de la Saint-Valentin.

— Je t'emmène danser au *Ritz Carlton*.

Le consentement à l'arraché ne serait pas venu si Gaby ne s'était chargée de la tenue de sa sœur: adapter une magnifique robe de bal marine à sa taille, passer à la boutique *Etcetera* où elle trouva une fleur de corsage blanche, des broches de nacre pour ses cheveux et un sac à main de fines paillettes blanches. Il ne manquait plus qu'un soupçon du N° 5 de Chanel.

— Je n'aime pas porter du parfum, tu le sais, Gaby.

— C'est magique, du parfum ! Surtout le N° 5 de Chanel. Tu ne le regretteras pas.

Sur le point d'entrer dans la salle de bal, Éva émit une condition :

— Si ton cavalier vient te rejoindre, je ne veux pas qu'il m'invite à danser.

— Mais pourquoi ?

— J'aurais l'air d'une naine à ses côtés.

Gaby ne put retenir un éclat de rire.

— J'oubliais aussi : ne me surveille pas pendant la soirée. Je veux me sentir libre de mes décisions.

Les sœurs Bernier prirent donc une direction opposée. « Elle serait bien capable de disparaître dans quinze minutes… timide comme elle est », se dit Gaby, tentée de jeter un coup d'œil dans la salle entre chaque invitation à valser. Pas une fois elle ne l'aperçut. Sur le coup de minuit, bien que désireuse de prolonger la soirée, elle se faufila entre les danseurs et, n'y trouvant pas Éva, elle quitta la salle. « Elle a peut-être reçu une invitation à finir la soirée ailleurs… » Comme elle habitait à quelques minutes à pied de l'hôtel, elle se dirigea vers le domicile familial. La lueur d'une chandelle sautillait à la fenêtre de la chambre d'Éva. Gaby présuma que sa sœur venait tout juste de rentrer. « Qui sait si elle n'a pas croisé l'homme de sa vie ? » pensa-t-elle, un air de polka sur les lèvres.

— Je peux entrer, Éva ?

— J'allais me coucher.

— Juste le temps de prendre des nouvelles de ta soirée…

La porte s'entrouvrit. Le dos tourné, Éva, déjà en robe de nuit, poussa un long soupir.

— Tout se résume dans une des chansons que tu aimes fredonner pour m'étriver, laissa-t-elle tomber avec dépit.

— Je ne vois pas.

— Tu devrais le savoir, pourtant.

— Pas celle qui dit : *Vous qui passez sans me voir, sans même me dire bonsoir...*

De courts instants de stoïcisme firent place à des gémissements incontrôlables.

— Tu aurais peut-être dû me permettre de m'occuper de toi. J'avais un chic type à te présenter. Un gars de ton genre...

D'un geste de la main, Éva la supplia de la laisser seule.

La déception fut telle que Gaby hésita entre repartir danser ou descendre travailler à son Salon de couture. La semaine s'annonçant intense, elle troqua sa robe de soirée pour un pyjama de soie rapporté de Paris. «Là, au moins, je ne ferai pas que m'étourdir.» Elle passa plus d'une heure dans sa salle de coupe à préparer un autre défilé offert par la *Ligue de la jeunesse féminine*.

Avant de regagner sa chambre, pour la première fois depuis son déménagement, elle s'allongea sur le sofa de la salle d'exposition, en contemplation devant ses créations. «C'est le meilleur baume que je puisse trouver pour guérir mes bleus au cœur», constata-t-elle.

— Gaby! Gaby! Monte vite déjeuner avant que les employées arrivent.

Courbaturée, le cerveau embrouillé, Gaby mit quelques instants à comprendre qu'elle s'était endormie devant ses mannequins de fibre. Béatement, elle suivit sa sœur, prit le temps de se débarbouiller et de revêtir une de ses robes préférées, toute de mousseline vert pomme. À la table, elle choisit de ne pas se placer dans la mire de sa sœur.

— Même si je n'ai pas le cœur à jaser ce matin, Gaby, je veux au moins admettre que si je mérite ta confiance pour gérer les finances de ton Salon, tu mériterais la mienne pour ce qui concerne ma vie personnelle.

Les mots étaient superflus tant le regard de Gaby était éloquent de reconnaissance.

Toutes deux prirent leur déjeuner en silence.

— As-tu entendu parler de ce qui s'est passé pour un joueur de la LNH hier soir ? lança Donio, si troublé par la nouvelle qui faisait les manchettes, ce 9 mars 1937, qu'il se rendit au salon de coupe de Gaby pour l'en informer.

— Pit a été blessé ? C'est grave ?

— Non, il va bien, lui. C'est son principal adversaire, Morenz. Tu te rappelles qu'il s'est fracturé une jambe à la fin janvier, pendant une joute au Forum ?

— Oui. Il ne pourra plus jouer ?

— Ça c'est sûr… Une crise cardiaque, hier.

— Il venait tout juste de retourner jouer avec le Canadien de Montréal… Il faut que j'appelle Pit, décida Gaby, quittant son Salon pour faire cet appel de son domicile.

— On vient de perdre une de nos plus grandes vedettes. Tu te rends compte, Gaby ? Il est plus jeune que nous deux. Trente-quatre ans, c'est pas un âge pour mourir !

— Ça m'inquiète pour toi, Pit. Vous allez tellement au bout de vos forces sur la patinoire que ce n'est pas étonnant que le cœur lâche.

— Faut croire que son heure était arrivée. N'empêche que ça me fait réfléchir. C'est vrai qu'il me faisait de l'ombre au jeu, mais avant tout, c'était un coéquipier dont j'étais très fier.

— J'imagine qu'il aura des funérailles à sa mesure…

— C'est en train de s'organiser… Je dois te quitter, on m'appelle. Je t'embrasse, ma belle Gaby.

— Fais attention à toi, Pit. Les Canadiens ne peuvent pas se permettre de perdre une deuxième étoile… et moi, l'élu de mon cœur.

Le lendemain soir, un match entre le Canadien et les Maroons était prévu et la LNH proposa de l'annuler.

— Mon mari aurait exigé que le match se joue, avait déclaré Mary Morenz, refusant qu'il soit reporté à une date ultérieure.

Pour honorer la mémoire de ce grand hockeyeur, les joueurs, un brassard noir au bras, gardèrent deux minutes de silence.

Le 11 mars, jour des obsèques dans l'enceinte du Forum, la foule était si dense que plusieurs curieux furent contraints d'y assister de l'extérieur, dans les rues adjacentes.

Depuis les premiers jours de juin 1937, *Holt Renfrew & Co*, fournisseur officiel des fourrures de la reine, avait pignon sur la rue Sherbrooke. Impossible d'oublier que pour ce faire, trois édifices avaient été détruits, dont le domicile des Bernier. Par contre, en déménageant au 1524 de la rue Drummond, Gaby s'était rapprochée du *Ritz Carlton*. Autre avantage, il lui était permis de placer une affiche commerciale d'envergure : *GABY BERNIER HAUTE COUTURE FUR GOWNS*. Aussi comptait-elle sur ses fidèles clientes pour en recruter de nouvelles. Les prix compétitifs des créations Gaby Bernier, la publicité affichée dans *The Montrealer* et les agréments offerts par la boutique *Etcetera* étaient de taille à concurrencer *Holt Renfrew & Co*, croyait Gaby.

— Par curiosité, je suis allée mettre le nez chez *Holt Renfrew & Co* hier, rapporta Simone Landreville, une des couturières les plus matinales.

— Et puis ?

— Vous ne pouvez pas deviner, Mlle Gaby…

— Pourquoi cet air mystérieux ?

— Le magasin était plein à craquer. On sait bien pourquoi…

Refusant d'entendre des propos litigieux, Gaby rétorqua :

— Peu importe ce que les autres couturiers feront, ici nous conti-nuerons à miser sur la qualité, la diversité et des prix abordables.

Et se tournant vers ses ouvrières, elle ajouta :

— La haute couture n'est pas qu'un art, c'est aussi un commerce. Je tiens à vous dire que l'important, pour moi, c'est de viser un chiffre d'affaires qui m'apporte assez de revenus pour en bien vivre et pour offrir à mes employées un salaire digne de leur travail. Bonne journée à vous toutes !

Gaby fila vers la salle de coupe et en referma la porte derrière elle. Ce qu'elle venait d'affirmer devant ses employées, elle devait se le redire, s'en imprégner et en faire son credo quotidien. Les moyens financiers de *Holt Renfrew & Co* dépassant largement les siens et la surface de leur magasin triplant celui de son Salon, il était à prévoir que l'achalandage de cette entreprise serait supérieur à celui du Salon *GABY BERNIER HAUTE COUTURE FUR GOWNS*. « Pourvu que ma liste de clientes ne rétrécisse pas à mesure que la sienne s'allonge », souhaitait-elle, penchée sur les croquis du prochain défilé, amorcés la nuit précédente.

Les réserves de soie artificielle, de coton et d'accessoires décoratifs baissaient. Gaby allait demander à sa sœur d'en faire l'achat quand, exceptionnellement en retard, Éva se présenta sur la pointe des pieds avec une gerbe de fleurs dans les bras et toutes les couturières derrière elle.

— Bonne fête, Gaby ! clamèrent-elles en chœur.

Au nom du groupe d'employées, Mme Landry prit la parole pour souligner aussi le dixième anniversaire du *Salon Gaby Bernier*.

— Vous n'aviez que vingt-six ans, Mlle Gaby, et vous étiez fougueuse comme une jeune jument.

Les cinq couturières, dont Marcelle, qui avaient été engagées dès la première année, l'applaudirent.

— Dix ans plus tard, vous êtes toujours aussi dynamique et plus redoutable encore. Votre créativité sans limites nous épate. Votre délicatesse et votre générosité à notre égard expliquent notre fidélité. Nous aimons ce que vous faites et ce que vous nous demandez de faire. Mais, plus que tout, nous vous aimons, Mlle Gaby.

Une volée de hourras enterra sa voix. Un cadeau magnifiquement emballé de « rouge Gaby » et de blanc lui fut présenté. Émue, Gaby en retira le papier avec soin. Cette attention toucha les donatrices. Ce qu'elle y découvrit la laissa sans mot. Deux bouteilles de champagne accompagnées d'un petit mot : *L'une est pour vos trente-six ans et l'autre pour les dix ans de NOTRE Salon de haute couture.*

Gaby leva les bouteilles au bout de ses bras et clama :

— C'est avec vous toutes que je veux célébrer ces deux anniversaires. Vous avez congé pour le reste de la matinée. Suivez-moi dans le salon de l'entrée.

Éva se chargea de trouver le nombre de coupes requises et toutes sablèrent le champagne avec leur héroïne. Gaby leva une dernière coupe à sa sœur :

— Sans celle qui sait si bien compter, notre entreprise n'aurait pas connu un tel succès.

Sur le coup, Marcelle qui s'était éclipsée, revint, suivie de nul autre que le jeune Jean Taupier, qui se précipita dans les bras de Gaby.

— Bonne fête, maman !

Pour la deuxième fois en un an, l'orphelin la qualifiait ainsi devant témoins. L'émotion fut telle que Gaby dut prolonger son étreinte avant de retrouver la voix.

— Tu es le plus gros cadeau que la vie m'ait donné, déclara-t-elle à l'enfant, aussitôt entouré de dames dont certaines, encore aspirantes à la maternité, rêvaient de mettre au monde une telle beauté.

Il n'était pas onze heures que les échanges avaient emprunté la volatilité des bulles de champagne. Les anecdotes sur ces dix ans de collaboration pleuvaient. Les unes s'alimentaient des charabias d'Éva tentant de parler anglais, les autres rappelaient certaines méprises de Gaby, dont sa facilité à modifier les paroles d'une chanson quand sa mémoire flanchait. Gaby évoquait les travers de clientes si désagréables qu'elle avait dû les « envoyer au diable ». Le seul qui manquait à la fête vint les rejoindre pour clôturer la matinée. Fidèle à sa réputation de clown, Donio entra en clopinant, feignant un état d'ébriété avant de présenter à l'élue du jour un cadeau en tout point emballé comme les précédents : de « rouge Gaby » et de blanc.

— Pas une autre bouteille de champagne ! s'écria Gaby, traitant le papier avec délicatesse.

On s'entassait autour d'elle pour ne rien manquer. La bouteille portait la même étiquette que celles qu'on avait vidées avant l'arrivée de Donio. « Il était de connivence avec Éva », conclut Gaby, à qui fut confié le retrait spectaculaire du bouchon… qui céda au premier effort, sans émettre la moindre bulle. « J'aurais dû m'en douter », se reprocha-t-elle, un tantinet dépitée de découvrir du jus de pommes à la place du savoureux élixir. Jean, qu'elle avait perdu de vue, revint vers elle et lui tendit une vraie bouteille de champagne, don de Donio. Marcelle sortit les amuse-gueules qu'elle avait cachés dans une armoire de la salle des couturières, et la fête continua jusqu'après l'Angélus.

Au déclin de ce deuxième dimanche de juin, il devint difficile pour Gaby de ne se concentrer que sur les bonheurs vécus à l'occasion de ses trente-six ans. Pour cause, depuis plus d'un mois, Pit ne s'était pas manifesté. Il avait annoncé son intention de prendre un mois de vacances du côté de la Californie, la saison terminée, mais il n'avait pas encore signifié son retour. « Depuis qu'on se connaît, il a toujours souligné mon anniversaire. Que se passe-t-il ? Ou il l'a oublié, ou il a des ennuis, ou il m'envoie un message de détachement. » De tout son être, Gaby se cabrait contre l'éventualité d'une amorce de rupture. Le moment lui semblait trop mal choisi. Un jour, peut-être, mais pas maintenant. Il lui fallait du temps pour s'y préparer et, le cas échéant, elle souhaitait en prendre l'initiative.

Prétextant de devoir jeter un coup d'œil à son agenda de la semaine en attendant que le souper soit servi, elle se dirigeait vers son bureau quand elle entendit frapper à la porte. Curieuse de voir qui pouvait bien se présenter à cette heure, elle revint sur ses pas. La surprise fut de taille. Élégamment vêtu, un sourire charmeur sur les lèvres, Pit lui ouvrit les bras.

— C'est à mon tour de te fêter, ma p'tite mam'zelle Gaby.

Blottie sur sa large poitrine, enchaînée dans ses longs bras musclés, la p'tite mam'zelle s'abandonnait. Son bonheur était à la mesure des appréhensions et des doutes qui l'avaient envahie.

— Tu m'attendais ?

— Presque plus, avoua Gaby, au bord des larmes.

L'amant tant désiré resserra son étreinte.

— Je t'emmène manger au *Ritz Carlton*.

Du coup, Gaby comprit que Marcelle avait intentionnellement retardé le souper.

— Elle fait bien les choses, votre ménagère, dit Pit, railleur.

Le temps de se refaire une beauté et de sauter dans la robe de satin noire, celle même que Pit adorait lui voir porter, elle allait accrocher son bras à celui de son amoureux et filer doucement vers l'hôtel.

Dans le Salon Ovale, une table quelque peu en retrait et donnant sur une vitrine leur était réservée. Pour s'y rendre, emboîtant le pas du maître d'hôtel, le couple dut traverser toute la salle sous les regards admiratifs des convives. Gaby en éprouva un certain malaise.

— On se croirait sur la patinoire du Forum, murmura-t-elle. Tu as fait exprès, Pit Lépine. Tu savais qu'à cette heure, la salle à manger serait remplie.

Gaby pouvait distinguer sous sa chemise de soie blanche ses saccades de rires réfrénés. « On dirait bien que tout le monde avait le goût de se payer ma tête, cette année », se dit-elle, prête à entrer dans le jeu. De nouveau, du champagne fut servi en guise d'apéritif. Des bouchées de foie gras, une diversité de fromages et une dégustation de fruits furent suivis d'un plat de résistance consistant en une côte de bœuf, un des mets préférés de Gaby. Sa gourmandise fut comblée. Ce festin, des plus réussis, fut toutefois assombri par les nombreuses allusions de Pit à leur âge et à leurs conditions de vie. Une subtile incitation à réévaluer leur relation.

— La plupart des gens de notre âge ont déjà fondé une famille…

— … ou opté définitivement pour le célibat, enchaîna Gaby. Dans l'ancien temps, ça se passait comme ça, je le sais. Mais moi, je ne me sens pas forcée d'adopter ces modèles.

Un sourcillement d'incompréhension l'amena à expliquer sa position.

— Je choisis de vivre intensément les bonheurs que la vie m'offre sans exiger d'en connaître les orientations. J'exerce mon potentiel de planification à mon travail et ça me suffit amplement.

— Justement ! C'est souvent le travail qui oblige à prendre une direction ou l'autre en amour.

— Pourquoi ne pas choisir le bonheur ?

Cette réplique eut l'effet souhaité, la soirée se termina sur une note légère.

« Je tiens à décider moi-même du moment et de l'endroit pertinents pour aborder une question aussi sérieuse que celle de l'avenir de notre relation », se répéta Gaby, priant le sommeil de l'habiter de rêves enchanteurs.

UNE INDISCRÉTION DE DONIO

Ce n'est pas toujours commode d'attirer les confidences de tout le monde. Surtout pas pour un gars. Mais c'est souvent le lot des chauffeurs de taxi. On ne peut pas se sauver.

Quand c'est une pauvre femme qui me raconte ses misères, je ne sais pas comment la réconforter autrement qu'en répétant: «Pauvre vous! C'est pas drôle!» Quand c'est un homme, ce qui arrive rarement, s'il est porté sur la boisson, je l'emmène prendre une couple de verres, puis je le laisse cuver sa peine dans l'alcool. Ma mère ne m'approuverait pas, c'est sûr! Mais je dois gagner ma vie, moi. Si c'est Éva, j'ai l'impression de devoir me convertir en confesseur pour lui faire plaisir. Ma préférée, c'était Gaby. Mais depuis que Pit m'a confié la mission de la préparer à la nouvelle qu'il s'apprête à lui apprendre, je la fuis. Je n'ai pas d'autres choix, elle a tellement le don de nous tirer les vers du nez ou de lire entre les lignes. Le moindre indice l'allume.

Si Jean Taupier était dans la vingtaine, je pourrais lui en parler, mais il est bien trop jeune. Il ne comprendrait pas, puis il aurait trop de peine pour sa maman adoptive. Je ne sais plus comment m'en sortir.

GRAND DÉFILÉ DE MODE

LES CRÉATIONS DE

Gaby Bernier

les 8 et 9 mars au Ritz Carlton

CHAPITRE IX

Je me rends compte que, peu importe mon âge, je trouve mon épanouissement dans les nouveaux défis. Pousser plus loin, tenter ma chance quitte à emprunter un autre chemin. Je me revois chez grand-maman Louise-Zoé, je n'avais que huit ou neuf ans, et les doigts pleins de colle, je fabriquais mon premier moule à chapeaux. Avec les restes de tissus, j'inventais, pour ma sœur et moi, des tenues de dames riches. Aujourd'hui, je les habille. Grâce à ces dames fortunées qui voyagent à l'étranger, mes créations font le tour du monde. La preuve, la duchesse de Windsor. Je suis quand même loin d'avoir la réputation de Coco. Quand, en Europe comme aux États-Unis, on dit « c'est du Chanel », on comprend que c'est de la qualité. Mes créations sont remarquées, louangées, mais elles ne sont reconnues ni à New York ni à Paris. Je pourrais faire plus et mieux. Entraîner mes employées dans ce même idéal.

Un de mes secrets bien gardés, c'est l'espoir de voir mon nom un jour dans le générique d'un film… Costumes: Gaby Bernier. Peut-être même faire du cinéma, aller vivre à New York maintenant que maman n'est plus avec nous. Mais je sais que mon frère et ma sœur ne m'approuveraient pas et que je leur ferais beaucoup de peine. Ils ne le méritent pas.

Le défilé de mode commandité par la *Ligue de la jeunesse féminine* s'était distingué avantageusement des précédents. D'abord, tous les couturiers participants avaient mis de côté leurs jalousies personnelles et professionnelles et avaient présenté de fabuleuses créations. De plus, nombre de clientes de Gaby s'étaient offertes à parader avec les confections du Salon *GABY BERNIER HAUTE COUTURE FUR GOWNS*. Certaines d'entre elles, fières de leur tenue, avaient proposé d'en faire l'acquisition, une fois le défilé passé. Ce fut le cas de Magali Ducharme, fille de Narcisse Ducharme, président de la compagnie d'assurance La Sauvegarde, et ancienne voisine des Bernier à Chambly. Toutes les personnes présentes avaient clamé que cette robe d'organdi blanc à la jupe bouffante, belle à couper le souffle, était un chef-d'œuvre de création. Les hommages se poursuivirent le lendemain. Le plus étonnant lui vint d'Ida Desmarais, une de ses plus farouches concurrentes.

— Vous êtes la meilleure… après moi, lui dit-elle au téléphone.

Railleuse, Gaby raconta l'anecdote à qui voulait l'entendre.

— Qui sait si, à cinquante ans, je ne me hisserai pas, moi aussi, au sommet du monde de la mode, ajoutait-elle avec humour.

— Compte sur moi pour te ramener sur le plancher des vaches, lui promit Éva, embourbée dans la paperasse des comptes à payer et des factures à expédier.

Un tel événement générait nombre de tâches, dont celle de réclamer les coûts attachés aux confections vendues lors du défilé. Pour ce faire, les sœurs Bernier recouraient aux services de Molly, une de leurs bonnes amies parfaitement bilingue. Gaby devait s'en dégager le plus possible pour mieux se consacrer aux contrats entraînés par le défilé.

Moins de dix jours plus tard, Éva se précipitait à la salle de coupe, complètement chamboulée.

— Gaby, prends l'appel, c'est Mme Ducharme de Chambly…

— Pourquoi tu t'énerves comme ça ? lui demanda-t-elle, une main sur le récepteur.

— Réponds ! Tu le sauras bien assez vite.

Gaby accourut, assurée que Magali tenait à lui présenter ses vœux pour Noël et le Nouvel An 1938.

— Elle a l'air fâché…

Cette mise en garde la fit hésiter.

— Dis-lui que je vais la rappeler dans une demi-heure… pour lui éviter de payer les frais d'un appel interurbain.

« Je veux vérifier mes papiers… »

En toute hâte, Gaby descendit à son bureau. Dans l'enveloppe de factures rédigées au nom de Magali Ducharme, elle retrouva le libellé… conforme au prix fixé avant le défilé de l'automne. Rassurée, elle se demanda si son frère ne se payait pas sa tête. « Une de ses mauvaises blagues », supposa-t-elle, d'autant plus empressée de rappeler son ancienne concitoyenne.

— Magali, bonjour ! C'est Gaby Bernier. Comme c'est gentil de ta part d'avoir pensé m'offrir tes vœux…

— On se reprendra pour les formules de politesse… Tu te souviens de m'avoir posté une facture, dernièrement ?

Avant que Gaby n'ait le temps de répondre, Magali enchaîna :

— Ce n'est pas parce que tu vends aux riches du *Square Mile* que ça te donne le droit de renier ta langue, Gaby Bernier. Je paierai la robe quand tu m'auras adressé une facture écrite en français.

— C'est une tâche que je confie habituellement à une de mes employées et comme elle en a beaucoup à rédiger en anglais, elle s'est tout simplement trompée, riposta Gaby, qui se fit aussitôt fermer la ligne au nez.

Cette brouille l'affecta d'autant plus qu'elle concernait une citoyenne de Chambly. Il était fort à craindre aussi que Magali ne lui offre plus ses services de mannequin. « M'excuser, lui offrir un rabais, vanter ses qualités, lui proposer de porter la plus belle de mes créations lors de mon prochain défilé, serait-ce suffisant pour qu'elle revienne à de meilleures dispositions ? » Gaby n'exclut ni l'un ni l'autre dans une lettre qu'elle lui adressa le lendemain, l'invitant à venir prendre le thé au 1524 de la rue Drummond. La réponse mit trois semaines à venir. Dans l'enveloppe que Gaby éventra avec frénésie, elle ne trouva que l'acquittement de la facture. « Qu'est-ce qui pourrait bien effacer sa rancœur ? Grand-maman Louise-Zoé, un petit coup de main s'il vous plaît. »

Qu'une personne connue depuis plus de trente ans, cliente depuis dix ans, mannequin à l'occasion, la traite cavalièrement pour une simple erreur technique la renversait.

Dans ces circonstances, comme dans nombre d'autres événements de la vie, Gaby considérait le temps comme un bon allié. Toutefois, en cette fin décembre 1937, elle le traitait de fainéant, de monstre même. L'avant-veille de Noël, après cinq jours d'une fièvre galopante, le jeune Jean Taupier dut être hospitalisé. Refusé dans deux hôpitaux de la métropole qui, après un examen sommaire, avaient recommandé des bains glacés au jeune patient, il fut pris en charge avec diligence au *Children's Memorial Hospital*. En tentant de soulager les picotements dans son oreille gauche avec le bout de son crayon, Jean avait provoqué une grave infection.

— Une telle infection peut s'étendre à l'os, puis aux méninges et à toute la boîte crânienne, avait expliqué le médecin traitant.

C'est au chevet de leur protégé que, terrassées, Gaby et Éva passèrent Noël. Pendant des heures, jour et nuit, leur regard ne quitta pas le visage cramoisi du jeune malade. Il était possible que la sulfamidothérapie ait été appliquée trop tard. Éva priait sans arrêt, parfois à genoux, parfois debout, les bras en croix. Gaby s'opposait vertement à informer les Taupier de Chambly de la maladie de Jean.

— Tant que son médecin n'aura pas baissé les bras, nous les épargnerons d'un trop grand chagrin.

« Le mien serait innommable. Un enfant qui n'aurait fait que passer dans ma vie pour me laisser une douleur atroce au cœur, ce serait trop stupide, dépourvu de sens. Rien qui ne ressemble à la vie pour laquelle je suis née. Vaincre. Je n'ai que ce mot en tête. Vaincre la maladie, les obstacles, les doutes. Si la foi de ma sœur est fondée, c'est parce que Jésus a tout vaincu… même la mort. »

Campée dans un fauteuil, tout près du lit de son protégé, Gaby pria avec une ferveur soutenue jusqu'au 29 décembre au matin. Éveillée en sursaut après une lutte acharnée contre le sommeil, elle crut sortir d'un cauchemar en apercevant le visage blafard du jeune malade. Le médecin, appelé en toute urgence, constata la victoire du traitement.

— Après une autre journée en observation, il pourra rejoindre sa famille.

N'eût été la recommandation formelle de laisser son jeune malade dormir, Gaby l'aurait comblé de ses plus tendres câlins.

Conviés à la chambre de Jean, Donio et Marcelle proposèrent à Gaby et Éva de former une chaîne d'amour tout près de son lit. D'une paupière entrouverte, Jean les aperçut. Il se frotta les yeux, comme pour s'assurer de ne pas rêver. Dans une effusion de joie, d'action de grâce, de tendresse et de taquineries, les Bernier célébraient la guérison de leur protégé.

« Le temps, quoi de plus imprévisible, mais combien puissant ! » reconnut Gaby. Alangui en début d'année, il se fait impétueux à l'égard du garçonnet Taupier que les bons soins des médecins du *Children's Memorial Hospital* ont ramené à la santé. « Douze ans, déjà, mon petit homme ! Il grandit magnifiquement à tout égard. Ma crainte ? Qu'il me glisse des mains trop tôt… Je voudrais coller à mon tympan des centaines d'autres "maman" émis de sa bouche. Il met tant d'amour, tant de fierté dans ce petit mot qu'il en fait le plus long de toute la langue française. Sa présence dans ma vie, un printemps perpétuel. Un phare qui m'indique la route à suivre, à poursuivre. Le temps qu'il voudra bien faire partie de la famille des Bernier. Le temps que son lien maternel avec moi s'émousse. Le temps que le goût de la liberté le sorte de son état de chrysalide. Élève exemplaire, doué pour plus d'un sport, amoureux de la mer, on le dirait issu de notre ascendant, Jacques Bernier, dit Jean de Paris. Quelle coïncidence qu'il en porte aussi le prénom ! »

Le bonheur que Jean apportait dans la vie des Bernier compensait quelque peu la zone grise glissée dans l'univers sentimental de Gaby. Le hockeyeur Lépine ne jouait pas sa meilleure saison. Après avoir compté vingt-quatre buts pendant la saison 1929-1930, dix-sept en 1930-1931 et deux de plus l'année suivante, il n'avait enfilé l'aiguille que trois fois depuis le début de la saison 1937-1938. Les commentateurs sportifs qui suivaient sa carrière religieusement ne le ménageaient pas. Ses fans criaient leur déception. Certains prétendaient qu'il avait perdu de l'ambition depuis qu'il tournait des messages publicitaires pour un fabricant de cigarettes. Donio vint en causer avec Gaby, qui terminait une journée harassante au Salon.

— Il n'a manqué aucune partie, à ce que je sache…

— C'est vrai, Gaby, mais peut-être que pour un joueur de hockey, trente-six ans, c'est vieux.

— On devrait le nommer entraîneur des Canadiens. Rien qu'à voir comment il a travaillé avec Jean, c'est sûr qu'il y excellerait.

— Je peux toujours suggérer son nom au grand boss, blagua Donio.

Peu disposée à la badinerie, Gaby sourcilla, taisant les choix douteux de son amoureux. Depuis quelques semaines, Pit profitait de tous ses congés pour se rendre à New York. « Pour affaires », déclarait-il.

— Tu prévois ouvrir un commerce ? lui avait-elle demandé.

— M'associer à un commerçant, plutôt, avait-il répondu, manifestement pressé de faire diversion.

— C'est dommage… C'est la période où Jean aurait le mieux profité de tes leçons, avait-elle repris pour couvrir la véritable raison de son dépit.

— Quand un joueur de hockey court vers la quarantaine, il est à peu près temps qu'il commence à réorganiser sa vie…

« Sans moi ou avec moi », n'avait-elle osé lui faire préciser.

« Si, quand je suis dans ses bras, il n'était pas aussi fougueux qu'avant, je me questionnerais sur notre relation. À moins que pour un homme, le plaisir sexuel ne souffre pas du déclin de l'amour. Donio me dirait-il la vérité ? C'est dans sa voiture que nous avons les meilleurs échanges. Il comprend que je ne prenne pas la mienne sur des rues enneigées. » Avant de lui souhaiter une bonne nuit, elle réserva ses services pour le lendemain. Le besoin d'aller chez M. Louis, en milieu de matinée, pour acheter du tissu avant que les ouvrières se lancent dans les créations printanières, l'en justifiait.

À la question posée sans détour, Donio évoqua un argument inopiné :

— Ça dépend de la personnalité de chacun. Pour les uns, si la fille est sexy, ils n'en demandent pas plus. Pour d'autres, c'est une question d'ensemble… D'après moi, y a rien de plus personnel que ce domaine-là. Si tu sens moins d'attirance pour Pit, c'est à toi d'en jaser avec lui. Tu verras après si tu poursuis ou pas.

Donio venait de se défiler derrière des généralités.

— Je reçois suffisamment de confidences de mes clientes pour savoir que ce sujet fait si peur aux hommes qu'ils se sauvent les pattes aux fesses dès que tu veux l'aborder avec eux. Je sais que ça se passe autrement dans les tavernes. Entre eux, les gars jouent aux petits coqs et font bien croire ce qu'ils veulent. Tu ne peux pas nier ça, Donio.

— Pour les fois que j'y vais…

Gaby comprit qu'il ne servait à rien d'insister, Donio avait décidé de ne pas se mouiller. La question devait être posée à Pit. Mais comment la formuler pour obtenir une réponse claire, sans le froisser ? Cette fois, le temps devenait son allié. Des approches indirectes n'étaient pas à négliger, comme ne pas faire les premiers pas et décliner certaines invitations.

Des soucis amoureux venaient assombrir sa vie pour la première fois. Gaby n'aurait pas cru qu'ils puissent autant rogner son enthousiasme et son sommeil. « Seul un gros défi professionnel pourrait m'en distraire », conçut-elle, à son réveil, en ce 21 janvier au matin. Fait inusité dans sa carrière de créatrice de mode, elle décida sur-le-champ d'organiser un défilé en solo au *Ritz Carlton*, de n'y présenter que sa propre collection, entièrement portée par ses clientes.

— Du *Gaby Bernier* de A à Z, annonça-t-elle à Margot Vilas, une de ses grandes amies de passage à Montréal et qui se vit charger de mener une enquête discrète sur les projets de défilés de ses principaux concurrents, dates et lieux compris.

Gaby ne fut pas surprise d'apprendre que la fête de Pâques ayant lieu le 17 avril, en l'année 1938, les grands couturiers avaient prévu présenter leurs créations dès la mi-mars.

— Nous devons les précéder. Vois avec le directeur du *Ritz Carlton* pour qu'il nous réserve sa plus grande salle les 8 et 9 mars.

Margot adorait ce genre de responsabilités. Ses séjours tant à La Nouvelle-Orléans qu'en Europe et à New York l'outillaient fort bien.

— Il n'y a que toi qui puisses me faire passer les deux pires mois d'hiver au Canada, confia-t-elle à Gaby, lui promettant de l'assister jusqu'au lendemain du deuxième défilé.

Si bien épaulée, la créatrice de mode annonça la grande nouvelle à ses quinze couturières.

— Il manque une vingtaine de costumes pour ce grand événement et c'est pour chacune de nos meilleures clientes que je vais mettre au point des conceptions originales, ajouta-t-elle avec une fierté conta-gieuse. Je veux élargir la gamme de nos confections sans en sacrifier la qualité. Nous présenterons des tenues de sport et des vêtements enri-chis de fourrures en plus de ce que nous offrons déjà. Je peux compter sur vos talents et votre collaboration ?

Une acclamation des plus enthousiastes propulsa Gaby au-delà de ses préoccupations personnelles.

— On n'a pas fini d'entendre parler de votre Salon, Mlle Bernier ! clamèrent les deux sœurs Landreville.

— Et de ses couturières, de renchérir Gaby.

— On ne verra pas passer l'hiver, lança Mme Landry qui, sur un ton blagueur, proposa de dormir au Salon.

Éva la prit au sérieux.

— On aurait de la place à notre étage, n'est-ce pas Gaby ? Mme Landry déteste tellement le froid.

Une dizaine d'autres employées formulèrent le même vœu, met-tant fin aux plaisanteries pour se replonger dans le travail.

Enfermée dans la salle de coupe, Gaby s'appliqua à déterminer les tissus propres à chaque création. Pour les vêtements de sport, rien de mieux que la laine Kasha de Rodier, un tissu doux tissé à partir de laine de moutons élevés dans l'Himalaya, plus léger et luxueux que la laine du Québec. M. Marcel Louis en vendait. Pour la circonstance, la soie artificielle serait mise de côté et les tenues de soirée seraient taillées dans la soie de Ducharme et de Bianchini. Que de nobles tissus importés de France. « C'est sûr que mon ministre des Finances va regimber devant leur prix, mais on dit qu'on n'a qu'une première chance de faire bonne impression… Ce n'est donc pas le temps de lésiner. » Les robes de mariée, la plus grande marque de commerce du *Salon Gaby Bernier,* seraient réservées pour la fin du défilé : « Un succès assuré ! »

Une fantaisie lui traversa l'esprit. « Si je portais moi-même une de ces créations… Je vais m'organiser pour perdre un peu de poids… »

Résolue à n'en parler à personne, Gaby fit les achats de tissus en l'absence d'Éva. « Je devrai la préparer tranquillement au total de la facture. »

La liste de clientes susceptibles de participer au défilé établie, Gaby se chargea elle-même de les contacter pour les y inviter… « En soirée, pour une meilleure confidentialité et pour consacrer le maximum de temps à la création de mes modèles », choisit-elle.

Après avoir partagé un souper à la sauvette avec sa famille, Gaby s'enferma dans son Salon de couture pour faire ses appels téléphoniques. « J'ai vraiment la crème de la société » se dit-elle, en repassant un à un le nom des clientes visées : Mme Allan, Mlles Nora et Patricia Dawes, Mme Hannaford, Mme Lafleur, Mlle Languedoc, Mlle Price, Mme Savoy, Mlle Sicotte, Mme Stewart, Mme McDougall, Mme Thomson, Mme Whitley, Jacqueline Ouimet, Patricia Deakin, Margot Vilas, Molly Ballantyne et une dizaine d'autres. Des instants d'étonnement, des exclamations de joie, puis un emballement explosif.

— C'est ma façon d'honorer votre fidélité, madame, leur disait-elle. Téléphonez demain pour prendre un rendez-vous le plus tôt possible.

— Mais vous avez déjà nos mensurations, lui rappela Mme Lafleur.

— Oui, mais je tiens à recevoir votre avis sur le modèle que je vous ferai porter pour le défilé.

Tant d'égard et de respect les charmèrent.

Les préparatifs d'un tel événement ne concernaient pas que la tenue. Les accessoires, les chapeaux, le maquillage et la musique s'avéraient essentiels. Gaby se félicita d'héberger la boutique *Etcetera*, qui s'engagea à augmenter son stock. Pour la coiffure, elle dut recourir à plusieurs chapelières en raison du court délai de production. La première sollicitée fut Élisa, épouse du richissime comte Jean de Boissieu, puis Alice et Fanny Graddon, qui jouissaient aussi d'une réputation enviable à Montréal. Ces chapelières se montrèrent honorées de travailler pour Gaby Bernier. Une approche s'imposait auprès du *Salon de beauté Elizabeth Arden*, nouvellement installé à Montréal, pour assumer les maquillages à un prix abordable. Gaby s'y fit conduire par Donio.

Cordialement accueillie, elle avait espéré une réponse plus spontanée. Les représentantes devaient soumettre la demande à Mme Florence Nightingale Graham, véritable nom de la propriétaire. En guise d'échange de bons procédés, Gaby s'intéressa à cette entreprise mise sur pied à New York. La responsable de la succursale de Montréal en savait long sur la vie de sa patronne. D'apprendre que cette Ontarienne, de dix ans l'aînée de Séneville, avait d'abord suivi une formation d'infirmière avant d'émigrer à New York, lui tira un commentaire.

— Elle semble avoir eu un parcours intéressant… Elle m'inspire confiance, déclara Gaby.

— Elle a tenu à apprendre les techniques de base des soins de beauté pour parvenir à gérer elle-même ses entreprises. Elle y est arrivée alors qu'elle n'avait que trente et un ans.

Sur un mur du Salon, elle remarqua la photo de celle qui avait désormais emprunté le nom d'Elizabeth Arden. «Elle ressemble un peu à Coco Chanel. Le même port de tête, le même regard lancé vers l'avenir. Les deux connaissent un grand succès avec leur parfum», se souvint Gaby, qui avait acheté le *Blue Grass* d'Arden lors de son passage à Paris en 1935.

— Je suis toujours curieuse de savoir pourquoi certaines femmes d'affaires changent leur nom, dit-elle à la maquilleuse, qui l'observait.

Cette dernière sourit.

— C'est parfois sentimental. Elizabeth est le prénom de sa première associée et Arden est le titre d'un poème qui a été mis en musique par nul autre que Richard Strauss, que ma patronne aime beaucoup.

— Ça lui a porté chance, croyez-vous?

— Oui, si on en juge les célébrités qui ont réclamé ses soins.

Gaby voulut des noms.

— Marlène Dietrich, Mamie Eisenhower, Wallis Simpson…

— Vraiment! Nous avons au moins deux connaissances en commun: Coco Chanel et la duchesse de Windsor! s'écria Gaby.

Les deux femmes échangèrent sur le sujet le temps requis pour que Gaby obtienne la collaboration rêvée.

— Dites à votre patronne que je serais très heureuse d'associer le nom de son entreprise à mon défilé. Vous ai-je dit qu'il se tiendrait à l'hôtel *Ritz Carlton*?

La maquilleuse impressionnée, Gaby fila vers la voiture qui l'attendait. Donio ne cacha pas son impatience.

— Ça valait la peine d'y mettre un peu plus de temps… Je crois avoir frappé à la bonne porte. Maintenant, tu m'emmènes chez *Vogue & Shoe Box*. Si le propriétaire accepte de chausser mes mannequins, il ne nous restera que deux ou trois salons de coiffure à solliciter.

— Tu aurais dû me prévenir du temps que je devais te réserver…

— C'est difficile à évaluer. Tu seras à même de le constater quand tu iras quêter les fleuristes.

— Comment, quêter les fleuristes?

— J'ai besoin d'une gerbe de fleurs pour chaque mannequin, de cinq autres pour mes fournisseurs de services et d'une dizaine pour mes donateurs.

— Je ne vois pas pourquoi ce ne serait pas toi qui irais les commander.

— C'est bien connu qu'un homme qui vient acheter des fleurs impressionne plus les vendeurs que si c'était une femme.

— Tu parles de combien de gerbes?

— Une soixantaine, toutes livrées l'après-midi du 9 mars, mon Donio.

— T'es folle! Je ne connais pas un fleuriste qui pourrait te fournir tout ça en plein mois de mars!

— Chez *The House of Flowers* ça devrait être possible. Je t'ai préparé un papier… Tout est écrit, dit Gaby en lui présentant une enveloppe adressée à cette boutique.

Sa voiture stationnée devant le magasin de chaussures, Donio ouvrit l'enveloppe.

— Même pas d'acompte? s'étonna-t-il.

— Non. Ce sera un don pour le *Children's Memorial Hospital*.

— Tu rêves, Gaby! As-tu une petite idée du total de la facture?

— Les fleurs ne sont pas plus chères que les chaussures…

Donio ne put croire que sa sœur envisageait de ne rien verser à chacun des commerçants sollicités.

— Et tu choisis cet hôpital parce qu'il a sauvé notre petit Jean?

— C'est aussi parce qu'il n'a pas peur d'innover pour sauver des enfants. Il est le premier hôpital bilingue voué aux enfants, le premier au Canada à inaugurer un département de services sociaux, le premier à offrir des soins d'orthophonie. Il a besoin d'argent pour ses recherches…

— L'hôpital Sainte-Justine n'en fait pas autant?

— Peut-être plus même, mais il peut compter sur une longue liste de fidèles bienfaiteurs depuis qu'il est tombé dans les mains de quelques familles bourgeoises.

— Tu es contre ça?

— Je suis contre les abus de pouvoir. Bourgeoisie ne veut pas dire intégrité et réussite assurées. Exemple, je ne suis pas née à Montréal, je ne fais pas partie de la classe bourgeoise et je ne suis pas moins honnête et compétente pour autant.

Soucieuse de ne pas trop retarder son frère, elle quitta la voiture et se dirigea vers le magasin *Vogue & Shoe Box*. Quand elle en ressortit une vingtaine de minutes plus tard, le sourire qu'elle affichait balaya les doutes de Donio. Un clin d'œil tint lieu de félicitations. La visite des salons de coiffure fut reportée au lendemain.

Gaby n'avait pas eu le temps de suspendre son manteau qu'Éva vint la prévenir de la visite de Margot.

— Elle a dit qu'elle était pressée… Elle t'attend dans ta salle de coupe.

— As-tu engagé quelqu'un pour la musique d'ambiance, Gaby ? questionna Margot. À New York, pas un défilé digne de ses créations ne se tient sans prestations musicales.

— Est-ce vraiment nécessaire ?

— Dans la ligne de défilé que tu prépares, oui. Tu veux que je m'en occupe ?

L'acquiescement de Gaby ne tarda pas à venir.

— J'ai connu un *band* à New York… Je pense qu'il vient se produire à Montréal dans quelques semaines. *Rusty Davis et Howard Turner*, ça te dit quelque chose ?

— Non, mais je te fais confiance, Margot.

— Pour le reste, ça va ?

— Je le crois.

— Je me sauve. Si tu as besoin de moi pour autre chose, téléphone-moi.

— Je ne saurais trop te remercier, Margot. Sans toi…

— À chacune ses talents, Gaby.

Accoudée à sa table de coupe, la tête nichée dans ses mains, la créatrice de mode réfléchissait. À cinquante jours de ce grand événement, elle était partagée entre l'enthousiasme et la crainte d'avoir vu trop grand. « Maman avait raison. L'expérience ne s'achète pas, elle se gagne. Je constate qu'elle ne s'acquiert pas sans une certaine dose de tracas et d'humilité. Mes limites sont exposées au grand jour. Mon jugement est mis à l'épreuve. Ai-je bien fait de choisir mes clientes comme mannequins ? Des femmes sans expérience autre que de savoir porter de belles tenues… Molly, qui nous quitte pour New York à la fin février, aura-t-elle suffisamment de temps pour leur montrer comment marcher, comment se tenir, comment mettre sa tenue en valeur ? Chapelières et maquilleuses respecteront-elles leur engagement ? La contribution des commanditaires entrera-t-elle à temps ? Quelqu'un pour les collecter… Qui pourrait le faire avec aisance et courtoisie ? »

— Excuse-moi, dit Éva, un pied dans la porte. J'ai fait un calcul approximatif des coûts du défilé et j'aimerais en discuter avec toi.

— Pas maintenant. J'ai bien d'autres choses à penser.

— Tu aurais intérêt à savoir que…

— Ne t'inquiète pas, Éva. J'aurai de bonnes nouvelles à t'apprendre si tu me laisses un peu de temps.

Gaby se leva, prit son sac à main, y glissa son paquet de cigarettes et la liste de ses clientes, jeta un coup d'œil à sa coiffure, prête à partir.

— Où vas-tu ?

— Au *Café Martin*. L'ambiance de ce restaurant m'aide à mettre de l'ordre dans mon cerveau. Ici, je suis trop dérangée.

— J'ai compris, riposta Éva, vexée.

— C'est dans notre intérêt, p'tite sœur chérie.

Surprise et touchée, Éva lui fit une accolade que de coquines ouvrières applaudirent.

Fidèle cliente du *Café Martin*, Gaby fut chaleureusement accueillie par le propriétaire et obtint une table dans l'aire la plus discrète du restaurant. Sans qu'elle ait à le demander, un café lui fut servi avec une brioche à la cannelle.

— Gracieuseté du patron, dit le serveur, sur un ton espiègle. Il paraît qu'un peu de sucreries fouette le génie.

— Qui vous a dit ça ? lui demanda-t-elle, amusée.

— Un grand restaurateur français. Je vous le présenterai, un jour. Un adagio de Mozart en sourdine, ça vous inspirerait ?

— Oh que oui !

— Maintenant, je vous laisse travailler en paix.

« Je pense que Mme McDougall serait la personne idéale pour faire la cueillette des commandites », pensa Gaby après avoir grillé des cigarettes sans répit tout en examinant sa liste de clientes. Ancienne cliente de Mme Jamieson, elle avait suivi Gaby à l'ouverture de son Salon. De par son mari, elle avait de nombreux contacts au sein de la classe bourgeoise de Westmount et du *Square Mile*. Affable et reconnue pour son engagement dans différentes associations de bienfaisance, cette dame et ses deux filles, fidèles du *Salon Gaby Bernier*, en portaient les créations avec fierté.

L'entretien téléphonique avec Mme McDougall s'était tenu à la résidence de Gaby pour une meilleure concentration. Flattée, cette gentille dame n'avait pas moins exprimé une certaine hésitation.

— Me permettriez-vous de m'adjoindre une associée ?

— Bien sûr ! Je comprends qu'à deux, ce soit plus stimulant.

— La véritable raison est que je verrais bien une francophone se joindre à moi pour approcher nos donateurs.

« J'aurais dû y penser. Deux brioches au lieu d'une, la prochaine fois », se promit Gaby.

— Très bonne idée, Mme McDougall. Vous pensez à quelqu'un en particulier ?

— Mme Thérèse Casgrain… si elle est disponible.

— J'en serais ravie. C'est une personne que ma mère admirait tellement. Elles se sont connues quand maman travaillait à l'hôpital.

Présidente de la *Ligue pour les droits de la femme* depuis 1928, Mme Casgrain, fondatrice de la *Ligue des jeunes francophones*, de la *Ligue de la jeunesse féminine*, des *Charités fédérées francophones* et de la *Société des concerts symphoniques de Montréal*, trouverait-elle le temps d'ajouter un autre volet à son bénévolat ?

— Pour deux mois, j'accepte de vous donner un coup de main. Très jeune, j'ai appris de mon père comment solliciter les gens sans les importuner, a-t-elle répondu à Mme McDougall.

Ex-vice-président de la *Montreal Light, Heat and Power Company*, généreux donateur à l'hôpital Notre-Dame de Montréal, Rodolphe Forget avait été surnommé le jeune Napoléon de la rue Saint-François-Xavier à cause de son implication à la Bourse de Montréal.

Donio, informé de l'intervention de Mme Casgrain, s'en était offusqué.

— La femme d'un millionnaire qui s'est enrichi en dirigeant la compagnie qui nous a enlevé notre père, ça ne te dérange pas, Gaby ?

Éva s'était empressée d'exhorter son frère au pardon avant même que sa sœur lui rappelle que M. Forget était décédé depuis vingt ans et qu'on n'avait pas à nourrir une rancune contre sa fille.

Les répétitions générales du défilé Gaby Bernier avaient donné des sueurs froides à sa conceptrice. Les plus jeunes mannequins improvisées, excitées par les tenues aux manches courtes et au décolleté généreux qu'elles portaient, y allaient de commentaires plus jouissifs que vendus à la cause :

— Il ne faudrait pas que monsieur le curé me voie avec les épaules presque nues. Il exigerait que je me confesse d'avoir manqué à la pudeur et j'écoperais d'une grosse pénitence…

— Ce que je donnerais pour la garder, cette robe ! Je suis sûre qu'elle m'apporterait la demande en mariage que j'attends de mon beau Gérard…

— Ma mère va se tenir après sa chaise pour ne pas venir m'ordonner d'enlever la plus belle des robes que je vais porter. Si transparente qu'on voit presque tout…

Quelques dames, parmi les plus âgées, avaient du mal à marcher élégamment avec leurs souliers à talons hauts. Cet inconfort tirait leurs traits et leur donnait cet air sévère… inconvenant. Il s'avérait urgent de travailler aussi l'expression du visage. Mme Allan, s'étant foulé une cheville, avait dû être remplacée la veille du défilé par une de ses amies. Patricia maugréait contre sa coiffeuse, réclamant celle de Molly. Mme Whitley n'entrait plus dans sa robe tant elle avait pris du poids depuis les essayages.

À quatre reprises à la fin février, Gaby avait chargé son frère de se rendre à l'imprimerie Stella pour voir si les programmes du défilé étaient finis.

— M. Chartrand n'était pas là, mais son fils Michel m'a dit mettre la dernière touche au rouge écarlate que tu exiges. Il m'a juré que tu les aurais pour le 8 mars.

— C'est le seul service que je paie et c'est celui qui me fait le plus damner !

— Si tu t'étais contentée du noir et blanc, tu les aurais déjà, qu'il m'a dit, le jeune Chartrand.

— Ma marque de commerce c'est l'écarlate et le blanc, Donio. L'imprimeur m'avait garanti que le travail serait fini pour le 20 février. Avoir su, j'aurai donné le contrat à l'imprimerie Rolland.

— Ça te ferait du bien de te changer les idées un peu. Ton grand Pit ne se pointe pas souvent, depuis quelque temps…

— C'est moi qui lui ai dit de m'oublier le temps que je prépare mon défilé.

— Puisque c'est comme ça, prépare-toi, je t'emmène souper au restaurant.

Peu enthousiasmée, Gaby avait finalement accepté, mais à une condition : que sa sœur et Jean soient aussi invités.

— Ton choix ?

— *Chez Ernest.*

Donio aurait pu deviner qu'elle opterait pour ce restaurant situé tout près de son salon sur la rue Drummond, et qui se spécialisait en haute cuisine française et italienne.

À peine assis à table, Donio s'excusa de devoir retourner à sa voiture.

— J'ai oublié de barrer mes portes…

— C'est rare qu'il soit distrait au point d'oublier ça, fit remarquer Gaby. Il est tellement précautionneux pour son auto.

Éva se contenta de hocher la tête. Jean, les yeux rivés sur le menu, n'avait d'intérêt que pour le repas qu'il choisirait.

— J'ai une faim de loup, annonça-t-il, sans causer la moindre surprise.

Gaby avait eu le temps de s'inquiéter quand Donio réapparut.

— Quelqu'un a pris quelque chose dans ta voiture ? présuma-t-elle, à son air contrarié.

— Pas tout à fait ça. En réalité, c'est le contraire. Regarde ce que j'ai trouvé dans ma boîte à gants, lança-t-il, un exemplaire du programme à la main.

Il eût suffi de peu pour que Gaby échappe quelques larmes tant elle avait craint ne pas pouvoir distribuer cette publicité aux donateurs avant le 8 mars.

— Dis-moi que tu les as tous, sinon je ne te pardonnerai jamais de m'avoir fait ce coup-là.

Donio courba le dos, colla son menton à sa poitrine et ferma les yeux, apeuré.

— Réponds, au lieu de faire le piteux pitou.

— La caisse est précieusement cachée dans mon coffre d'auto, ma chère p'tite sœur. Maintenant, en tant qu'aîné de cette tablée et payeur de ce repas, j'exige que pour une couple d'heures, on oublie tous nos tracas.

— On peut commander, maintenant ? Je meurs de faim, répéta Jean.

— T'as le goût de manger…

— Des crêpes, Donio. Trois grandes crêpes, avait-il précisé, sollicitant, de son regard le plus enjôleur, l'approbation de Gaby.

Sa «maman adoptive» cligna des yeux et reprit l'examen minutieux de chaque page du programme. «Il a respecté mes choix au niveau de la langue», nota-t-elle avec soulagement. Afin de refléter la pluralité linguistique de ses clients et de ses commanditaires, Gaby avait décidé de faire inscrire la première moitié de chaque page en français et l'autre en anglais.

Ce travail, fort minutieux et conforme à ses attentes, la ravit.

Il était prévisible que, comme la veille, les spectatrices et quelques spectateurs s'entassent dans le *Grand Ballroom* du *Ritz Carlton* bien avant l'ouverture du *Spring Fashion Show* de Gaby Bernier *for the benefit of the Children's Memorial Hospital.*

Le franc succès de ce premier *show* permit aux participantes de mieux dormir que la nuit précédente. Toutefois, sa conceptrice demeura évasive sur le sujet.

— Le pire est passé, lui dit Donio, ce matin du 9 mars, en la voyant aspirer la nicotine à pleins poumons.

— S'il s'agissait d'une rediffusion de film, je te donnerais raison, mais nous devons rejouer chaque scène comme si c'était la première fois. Tout peut arriver. Le meilleur comme le pire.

— Le pire…

— Qu'une mannequin trébuche, qu'une autre soit indisposée pendant qu'elle parade, que l'une d'elles ne se présente pas.

— Je vois. Mais comme je te connais, tu prévois que ce sera un grand succès.

— Comme pour la surprise que je prépare pour la fin du défilé, répliqua Gaby, le sourire malicieux.

— Qu'est-ce que c'est?

— Une surprise.

— C'est pour ça que tu as demandé à Margot Vilas de diriger ton monde aujourd'hui?

— On n'est jamais trop de deux pour de telles activités…

Le mystère fascina tant Donio qu'il planifia de se glisser en secret dans les coulisses au cours de ce deuxième défilé. «Quarante-trois présentations, de une à deux minutes chacune, ça fait bien une heure et demie de spectacle. Je ne prendrai plus de clients à compter de quatre heures et demie, je m'arrêterai au *Ritz Carlton* et me faufilerai derrière la scène en catimini. »

— Éva a congé ? s'étonna-t-il, notant son absence.

Tout bonnement, Donio frappa à sa porte et, n'obtenant pas de réponse, il en tourna la poignée d'un quart de tour pour constater qu'elle était verrouillée. La servante et Gaby semblaient avoir comploté pour ne rien lui révéler.

— Bon ! Je n'ai plus de temps à perdre ici et bien de l'argent à gagner avec mon taxi. Les belles dames ne voudront pas se faire décoiffer par la neige qui tombe à plein ciel. Salut la compagnie !

— J'allais te le conseiller, dit Gaby, impuissante à masquer son contentement.

— Hum ! Ça prendrait trois fois plus d'hommes pour réussir à faire autant de mystère, lança-t-il en enfonçant sa casquette de chauffeur de taxi.

La première rangée de sièges du *Grand Ballroom* était occupée par les dignes donateurs et les représentants de différentes entreprises, dont la *British Consul Cigarettes*, les maisons de tissus *Rodier, Coudurier Fructus, Ducharme*, le *Normandie*, la parfumerie *Coty*, le *Salon Elizabeth Arden, McDougall & McDougall* et *L.J. Forget* de la Bourse de Montréal, *Taxi LaSalle*, la *Banque Canadienne Nationale* et *Belding Corticelli*, manufacturiers de fils. De toute évidence, ils étaient plus nombreux que la veille.

— C'est bon signe, chuchota Margot. Le bouche à oreille s'est fait à notre avantage, dit-elle en exposant la liste des dignitaires qu'elle devait saluer dans les deux langues lors de son petit discours d'ouverture.

Gaby se tourna vers ses mannequins, que la nervosité sclérosait.

— Ayez confiance! N'oubliez pas; aussitôt que vous entendrez votre nom, redressez les épaules, levez le menton, accrochez un sourire détendu sur votre visage et avancez d'un pas sûr et posé, avec une seule idée en tête: «c'est facile comme si j'avais toujours fait ça».

Les tenues sport ouvrant le défilé contribuèrent à décontracter l'ambiance derrière le rideau. Furent exhibés des complets en laine de Lesur et Rodier, parés de la fourrure du Salon *GABY BERNIER HAUTE COUTURE FUR GOWNS*. Suivaient six ensembles manteau et robe portés par des demoiselles habituées aux grandes soirées de bal. Mlle Ouimet, devant revenir pour la collection de robes de soirée, fut la première à exposer un de ces ensembles. Les applaudissements du public étaient de plus en plus fervents.

— Attendez quand Mimi va apparaître en jaquette, dit Margot à celles qui allaient défiler dans la seconde partie du *show*.

La veille, derrière le rideau, on aurait pu entendre la moue du public quand Mlle Mimi était apparue dans cette nuisette pourtant de grande classe. Mais comme les spectateurs ne s'attendaient pas à ce que la demoiselle la retire devant eux... pour dévoiler la petite robe tout-aller qu'elle portait en dessous, l'effet avait été magique.

Une escalade de rires et d'applaudissements vint à nouveau mousser la fierté et l'audace des futures figurantes. Des invités avaient dû répandre la nouvelle, car le lendemain, le public, le programme en main, chuchota après la dernière parade des ensembles manteau-robe. Dans l'attente de Mimi Languedoc, la fébrilité était palpable dans la salle. De nouveau, la fantaisie de Gaby plut. Les ovations fusèrent. «Reste à souhaiter que tout ce beau monde ne soit pas moins enthousiaste devant le dernier numéro, se dit Gaby, un tantinet nerveuse. Mais d'ici là, je dois me concentrer sur les dix-sept présentations de robes. Mlle Desbaillets m'inquiète un peu. Elle est encore plus tendue qu'hier. Elle m'avait pourtant juré qu'elle serait très décontractée aujourd'hui. Celles qui la précéderont dégagent tellement d'aisance que ça devrait lui donner le ton.»

De fait, Mlle Sicotte et Mrs Weir ouvrirent la deuxième partie du défilé avec une élégance inégalée. Mlle Desbaillets, toute menue, s'avança et, semblant leur emboîter le pas, elle réalisa une prestation… impeccable. Cette réussite délesta Gaby d'un poids insoupçonnable.

Les six premières créations de robes devaient ensuite céder la vedette aux robes de soirée. Le public les désirait avec un émoi anticipé. Derrière la scène, la trentaine de mannequins, attendant le moment de revenir faire le grand salut sur la scène, n'avaient d'yeux que pour Gaby qui essayait de rester calme. Ses efforts pour y parvenir la faisaient trembler. L'apparition soudaine de la casquette de Donio la stupéfia.

— Tu n'aurais pas pu si mal tomber. Fous l'camp, Donio Bernier !

Or cette bourde dissipa la nervosité de Gaby, qui devait apparaître au moment où Miss Patricia Dawes exécuterait ses derniers pas et que les spectateurs commenceraient à applaudir, croyant le défilé terminé. La coutume française voulait que la présentation d'une robe de mariée clôture un tel événement. Gaby se fit un honneur de la respecter, portant elle-même une magnifique robe de mousseline Madona, d'un bleu très pâle. Les spectateurs se levèrent pour acclamer la directrice de ce défilé, ses créations et sa générosité. Ainsi vêtue, Gaby appela sur la scène ses mannequins et ses collaboratrices, les remercia chaleureusement, ainsi que les musiciens du *Rusty Davis et Howard Turner band*. Elle fit signe aux fillettes présentes dans la salle que le moment était venu de venir présenter à chacune une gerbe de fleurs, gracieuseté de *The House of Flowers*. Des demoiselles d'honneur vinrent en porter à chacun des généreux donateurs. À tous ces collaborateurs et collaboratrices, ainsi qu'à Donio surgi de nulle part, un thé et des biscuits furent servis par les bénévoles de la *Ligue de la jeunesse féminine*.

La collection s'avéra un succès retentissant pour Gaby, mais la charge de travail et la préparation qu'elle nécessita l'épuisèrent pour les trois jours suivants. Les centaines de dollars amassés furent portés avec fierté au *Children's Memorial Hospital* par Jean Taupier et sa maman adoptive.

«Le plus beau défi que je me suis imposé dans ma vie», se dit Gaby, en glissant sous les couvertures ce soir du 9 mars 1938.

— D'après toi, Donio, c'est normal que je sois sans nouvelles de Pit? s'inquiéta Gaby, venue le trouver dans sa voiture.

— Tu l'as mis de côté en février, tu as eu ton défilé…

— Les 8 et 9 mars, oui. Mais ça fait plus d'un mois de ça. Il a peut-être été blessé au jeu et je ne l'ai pas su…

— Tu as essayé de le joindre?

— Par téléphone, oui. Mais je ne sais même pas où il joue cette semaine. Toi, me rendrais-tu le service…

— De parler au futur *coach* du Canadien? Je peux faire ça pour toi. Pour qu'on retrouve notre Gaby d'avant 1938.

Vexée, elle prit son sac à main, prête à ressortir de la voiture sans être allée acheter du *My-dhou* de Rodier. Ce matériel avait fait fureur au défilé et depuis, les réserves du Salon *GABY BERNIER HAUTE COUTURE FUR GOWNS* étaient épuisées.

— Si tu allais chercher ma commande et me la rapportais au Salon, je redeviendrais peut-être ta Gaby d'avant.

— C'est le silence de Pit qui te met dans un tel état?

— Lui, le congé de Pâques qui arrive, le goût de m'évader un peu pendant deux ou trois jours, avec lui et Jean… à New York, par exemple.

— Avec Jean?

— Oui, avec Jean. Comme sa mère est toujours confinée dans un sanatorium, ça l'empêchera de trop s'ennuyer d'elle. Puis, il est assez vieux pour s'intéresser à New York. Pâques est si animé dans cette ville.

— Bon! Je commence par aller chercher ton tissu, ensuite j'essaierai d'avoir des informations sur ton Pit, dit Donio, maintenant pressé de prendre congé de sa sœur.

« C'est le bouquet! Après l'avoir tenu à l'écart pendant un mois et demi, elle veut lui imposer la présence de l'orphelin à leurs retrouvailles. Ouf! » soupira-t-il.

À peine de retour au Salon, Gaby fut interceptée par sa sœur.

— Marcelle t'attend dans la cuisine, lui annonça-t-elle.

— Pourquoi?

— Je n'en sais rien. Elle n'a rien voulu me dire.

Deux marches à la fois et vlan! la porte du logis des Bernier fit quatre-vingt-dix degrés sur ses gonds.

— Ah! Te voilà enfin! Deux appels interurbains pour toi. C'est le numéro …

— De Pit?

— Je croirais, oui.

Gaby se laissa tomber dans le fauteuil de sa mère. L'anxiété poussait ses doigts sur le bout de papier qu'elle lissait sans arrêt. Elle tirait en silence sur sa cigarette. Ses appréhensions l'incitaient à trouver un scénario qui lui permettrait d'affronter une mauvaise nouvelle sans être trop prise au dépourvu.

— Se pourrait-il qu'il veuille t'inviter à le rejoindre pour le congé de Pâques? osa Marcelle, se voulant apaisante.

Gaby hocha la tête, peu convaincue.

Les minutes s'égrenèrent avec lourdeur avant qu'elle décroche le combiné et compose le numéro à onze chiffres.

— Pit Lépine ?

— Je vais aller le chercher, répondit une voix inconnue.

Ses doigts crispés sur le récepteur, Gaby ressentait les battements de son cœur affolé… jusque sur son tympan.

— Allo !

— C'est Pit Lépine ?

— …

— Je vais très bien. J'étais justement en train de préparer une escapade avec Jean pour le congé qui s'en vient. Et toi ?

— …

— Connecticut ? Mais pourquoi ?

— …

— Je te rappelle en soirée, dit Gaby, sur un ton aigre-doux, avant de se retirer dans sa chambre.

Elle y était encore réfugiée quand Donio, revenu de ses courses, vint frapper à sa porte. Assise sur le bord de son lit, accoudée sur ses cuisses, la tête en chute entre ses mains, elle tentait de remonter le temps pour comprendre ce qu'elle avait entendu au téléphone. Donio vint s'asseoir près d'elle, en quête de gestes et de mots apaisants.

— Tu le savais ? lui demanda-t-elle.

— Comme ci, comme ça. Ça se parlait beaucoup entre fans de hockey depuis quelques semaines.

— C'est ma faute, d'après toi ?

— Il a dû te dire qu'il avait besoin de changement.

— Il n'était pas nécessaire qu'il s'en aille de l'autre côté de la frontière américaine pour avoir du changement.

— Ouais. Là-dessus, t'as raison.

Pit Lépine venait de signer un contrat avec les Eagles de New Haven. Une expérience qui l'intéressait. « Aussi, ça va nous donner le temps de réfléchir à notre relation », avait-il justifié.

— Il t'a invitée à aller le voir ?

— Vaguement. On se redonnera des nouvelles ...

— Qu'est-ce que tu comptes faire ?

— Redescendre travailler.

— Puis, les activités avec Jean pendant le congé de Pâques ?

— Pour l'instant je n'ai pas le cœur aux réjouissances, mais demain, je verrai.

Sur ce, Gaby descendit au rez-de-chaussée, traversa la salle de couture en formulant de sobres salutations sur son passage et elle referma la porte de la salle de coupe derrière elle. Éva était venue déposer sur sa table le *My-dhou* de Rodier que Donio lui avait rapporté. « J'en fais une robe vert pâle pour ma sœur. Sa tenue pascale. Avec des délais serrés comme ça j'aurai moins de temps pour penser à LUI. »

Ses ciseaux allaient se hasarder dans le précieux tissu alors qu'une chanson de Maurice Chevalier venait mettre des mots sur sa douleur :

L'amour est passé près de vous
Un soir dans la rue n'importe où
Mais vous n'avez pas su le voir en chemin
L'amour est un dieu si malin
Prenez bien garde une autre fois
Ne soyez pas si maladroits
Sachez le comprendre et le garder toujours
Si vous voyez passer l'amour.

Vous qui passez l'âme en peine
Si vous soupirez tout bas
C'est que la vie paraît vaine
Quand l'amour n'y rentre pas
Je connais votre mystère
Vous avez peur d'un affront
Et vous restez solitaire
Mais pourtant sachez le donc

Sa voix chevrotante glissait en douceur sous la porte et aurait tiré des larmes à qui avait vécu pareil chagrin. Des murmures scandaient les refrains dans un désordre émouvant. Gaby en reprit-elle l'interprétation une dizaine de fois que pas une n'était parfaitement fidèle à la précédente. Personne n'osa la déranger ce matin-là, même pas Éva. L'heure du dîner venu, elle frappa, mais n'entra pas.

— Veux-tu que Donio aille chercher Jean au collège cet après-midi?

— Oh oui! J'apprécierais beaucoup.

Au fait de la tourmente qui habitait sa sœur, Éva avait emprunté une voix de velours et une disponibilité exemplaire. Quelle ne fut pas sa surprise, le lendemain, au beau milieu de l'après-midi, de voir une de leur couturière se pavaner, vêtue d'une robe à faire rêver les plus coquettes.

— C'est pour toi, Éva, lui apprit sa sœur, avec une tendresse tissée de nostalgie.

— Pour moi! Mais en quel honneur?

— Pour ton dévouement depuis ces quatre derniers mois. Tout Chambly va t'envier.

— Chambly?

— Ça te plairait de venir y passer le dimanche et le lundi de Pâques avec les deux gars?

UNE INSDISCRÉTION DE DONIO

Je ne me suis jamais senti aussi indigne de Gaby que le temps où je recevais les confidences de Pit et qu'il me défendait de lui en parler. Par contre, il me faisait tâter le terrain pour voir jusqu'à quel point ma sœur tenait à lui. Que de fois j'ai dû user d'hypocrisie avec elle! Un vrai Judas! C'est comme ça que je me traitais. Rien ne me fut plus pénible que de la préparer subtilement à ce qui l'attendait. Je m'y suis appliqué dans le seul but de lui épargner une trop grande peine. Depuis cinq ou six mois, je faisais des allusions au manque d'égards de Pit à son endroit, souhaitant qu'elle prenne les devants. Mais elle était si absorbée dans son travail qu'elle ne m'écoutait que d'une oreille. Si elle savait que c'est surtout à cause de son affection pour Jean Taupier et de la place qu'elle lui a fait dans sa vie qu'il renonce à poursuivre leur relation! Ou elle en serait déchirée ou ça l'aiderait à mettre fin à sa relation avec lui. Est-ce que je devrais l'en informer?

Robe de fiançailles Éva

CHAPITRE X

Quand le dépouillement passe dans ta vie, c'est comme une rafale qui t'attrape de tous côtés. Il gifle tous ceux qui se trouvent sur ton chemin, petits ou grands, jeunes ou vieux. Sans prévenir. On dirait qu'il te guette au détour d'un grand succès ou d'une grande joie. Comme une revanche... ou comme un nécessaire équilibre. Faudrait-il croire que l'humain n'est pas fait pour un bonheur constant ? Seulement pour de petits bouts de paradis, en avant-goût de l'après-mort ? Mais que croire de l'après-mort ? Ni maman, ni papa, ni grand-mère ne sont venus nous donner des signes de leur nouvelle vie... si elle existe. Comme ce doit-être pénible de perdre un amoureux... pour toujours ! J'espère qu'aucun de ceux que j'aime ne connaîtra une telle souffrance. J'ai peu consolé ma mère quand elle est devenue veuve ; j'étais trop jeune, mais surtout trop envahie par ma propre peine.

— Non ! Pas lui ! s'était écriée Gaby, la main tremblante sur le récepteur du téléphone.

Son regard s'était posé sur la chaise qu'occupait Jean Taupier lorsqu'il mangeait avec eux. Sa gorge s'était nouée en pensant au chagrin que le jeune éprouverait en apprenant la mort de son grand-père. À peine deux jours s'étaient écoulés depuis que le Dr Taupier, Jean et Charles avaient passé des moments inoubliables à pêcher sur la rivière Richelieu, à rouler dans les rues de Chambly à bord de sa décapotable neuve, à se délecter des bons plats d'Élise Charron, sa dévouée servante. Le 20 avril au matin, le Dr Jean-Salomon Taupier, âgé de quatre-vingt-six ans, était entré en collision avec un train à l'angle des chemins Chambly et Marieville. À ses funérailles, tous les Chamblyens étaient venus signifier leur reconnaissance à ce médecin qui avait mis au monde des centaines d'enfants et traité nombre de malades de la région. Charles, qui allait avoir quinze ans, s'était montré inconsolable. Son jeune frère lui avait apporté une attention de tous les instants. Moins attaché que lui à ce noble vieillard, il avait su trouver les mots et les gestes pour apaiser sa douleur. Toute la communauté chamblyenne avait exprimé sa sympathie à ces deux jeunes garçons éprouvés non seulement par le deuil de leur père et de leur grand-père, mais aussi par la maladie chronique de leur mère. Les Bernier avaient ouvert les portes de leur domicile à Charles pour tous ses congés du collège de Chambly, où il demeurerait pensionnaire jusqu'à la fin de ses études secondaires.

Quant à Jean, on eût dit que ce deuil l'avait propulsé deux ans plus loin. Il était retourné à ses études avec un sérieux et une ambition inégalés. Le projet de vivre leurs vacances scolaires dans un camp de jeunes organisé par les religieux de Saint-Vincent de Paul de la région montréalaise avait enthousiasmé les frères Taupier. Pour la première fois depuis le décès de leur père, ils avaient vécu huit semaines ensemble. Cette expérience avait créé entre eux une amitié fraternelle que l'éloignement n'avait pas rendue possible auparavant. De là était né le besoin de se retrouver à chacun des grands congés scolaires.

Considérant la nouvelle situation des garçons Taupier et plus encore les dépenses occasionnées par le défilé de mars, Gaby avait renoncé à son voyage annuel en Europe. Par bonheur, l'affluence des contrats générés par le défilé avait apporté du travail au Salon des Bernier pour une bonne partie de l'été. Gaby crut se rattraper et demeurer au parfum des dernières révélations de la mode en consultant les magazines français.

De fil en aiguille, les frères Taupier étaient retournés dans leur collège respectif et Gaby à ses créations. Par l'intermédiaire de Donio, des nouvelles des Eagles de New Haven lui arrivaient au compte-gouttes. À l'occasion du jour de l'An 1939, une carte de souhaits lui fut expédiée de la part de Pit Lépine. *Passe de joyeuses fêtes, ma perle montréalaise*, avait-il signé au bas des vœux imprimés sur la carte.

— Qu'est-ce que je devrais comprendre? avait-elle demandé à Donio, qui la regardait dépouiller son courrier avec une appréhension à peine dissimulée avant d'aller dormir.

— À ta place, j'attendrais de voir s'il signe pour une autre année avec les Eagles de New Haven. Tout à coup qu'il n'aurait pas aimé son expérience!

— Il aurait encore le choix de joindre une autre équipe américaine.

— Justement! S'il revient au Québec, ce ne sera pas pour des bagatelles.

— Pour un meilleur salaire?

— Ça, oui. Ou une meilleure position dans l'équipe. Ou une femme…

Gaby s'était emportée.

— Si tu sais des choses que tu ne m'as pas dites, fais-le maintenant, Donio. Pas dans six mois.

— Je te jure que non, Gaby.

La tête pleine d'idées pour ses créations printanières, mais le cœur à la dérive en l'absence de Pit Lépine, Gaby décida de fixer d'ores et déjà la date de sa traversée en Europe et de l'afficher dans la salle d'attente de son Salon de couture.

À PARIS DU 10 AOÛT AU 4 SEPTEMBRE 1939,
PASSEZ VOS COMMANDES DÈS MAINTENANT.
GABY BERNIER

L'affiche eut des retombées inattendues. Étonnamment, le ressac du défilé n'avait pas rendu son dernier souffle. Des confections exhibées lors de cet événement fascinaient encore les Montréalaises et plusieurs d'entre elles en demandèrent pour la saison estivale. D'autre part, certaines clientes souhaitaient se faire rapporter d'Europe, les unes des parfums Chanel, d'autres des foulards de soie ou des dentelles de Bruges. De quoi anticiper ce voyage avec une frénésie renouvelée. Telles n'étaient pas les dispositions d'Éva.

— Si les Landreville sont disponibles, viendras-tu encore m'accompagner jusqu'à New York? lui offrit sa sœur.

De bâillement en bâillement, d'étirement en étirement, Éva, debout devant la fenêtre de la salle à manger, en vint à saisir quelques mots de la question posée.

— Aller à New York? Il fait peut-être aussi mauvais là qu'ici. On ne voit ni ciel, ni terre.

— C'est normal en février. Moi, je te parlais du mois d'août… Mon prochain voyage en Europe.

— Faire la traversée de l'océan, oh non! Mais aller m'asseoir à la table du capitaine, j'irais demain matin! Il paraît qu'on s'y fait servir des mets que je ne saurais nommer, mais que j'aimerais bien déguster.

— Pour ce matin, je n'ai que du pain doré et du sirop d'érable à offrir à Mme Éva Bernier, rétorqua Marcelle, amusée.

— J'ai bien entendu? Mme Bernier? Parti comme c'est là, j'ai bien peur de ne jamais avoir le bonheur de me faire appeler madame.

— Notre beau tailleur avec sa chevelure argentée, sa taille de mannequin et ses belles manières ne t'intéresse pas? blagua sa sœur.

— Il y a une différence entre un homme distingué et un homme efféminé. Je mettrais ma main au feu que ce monsieur n'a aucun attrait pour les femmes.

— Mais toi, tu serais prête, maintenant, pour un grand amour, osa Marcelle, toujours complice de Gaby en matière de badinages.

— Surtout depuis le défilé, lui chuchota Éva.

Le moment des aveux était venu. De fait, Éva avait été séduite par l'élégance et la douceur que dégageait un des donateurs, un homme d'affaires de Laval. Présent lors du premier défilé, il était revenu le lendemain et chaque fois, il avait réservé à Éva Bernier des regards flatteurs, des politesses remarquées et un au revoir chaleureux.

— Et tu ne m'en as rien dit? maugréa Gaby.

— À quoi bon? Ce doit être un homme marié… Il n'y a que ceux-là qui s'intéressent à moi.

— Et si tu te trompais, cette fois-ci?

— J'en serais plus que flattée, avoua Éva, pressée de décrire cet homme et le siège qu'il occupait dans la grande salle du *Ritz Carlton*.

— Laisse-moi faire ma p'tite enquête, offrit sa sœur.

— Et de quoi voulais-tu me parler? relança Éva, que la gêne incitait à la diversion.

— On fermerait le salon au mois d'août… pendant que je suis en Europe.

— Fermer tout le mois d'août, oh non! Les matins, peut-être. Je m'en voudrais de perdre une cliente parce qu'elle s'est cogné le nez sur la porte. On ne sait pas ce que l'avenir nous réserve.

Gaby avait souscrit aux désirs d'Éva.

— Et les garçons, eux?

— J'ai vous ferai la liste des achats nécessaires pour leur rentrée au collège. Donio vous emmènera dans les magasins…

— Ça me donnera l'occasion de leur acheter de petites douceurs, annonça Éva.

Accoudée à sa table de coupe, son regard balayant la liste des donateurs du défilé de mars 1938, Gaby encadra le nom de Paul LeBlanc, Laval. La seule pensée d'aider sa sœur à se trouver un amoureux avait un tant soit peu compensé l'absence de celui qu'elle aimait encore. «Son tour est venu de connaître l'amour. Il est grand temps, elle aura trente-six ans en mai.» Gaby devait toutefois évacuer certains doutes de son esprit quant aux aptitudes de sa sœur pour les relations amoureuses. Sa générosité, sa bonhomie, sa rigueur et son honnêteté allaient-elles éclipser sa grande pudicité, sa tendance au scrupule et son manque d'estime d'elle-même? «Qui de mes collaboratrices pourrait connaître Paul LeBlanc? Comment les questionner adroitement à son sujet?» Mission impossible, constata-t-elle, quand lui vint l'idée de réclamer l'intervention de Donio. Devant, en fin d'après-midi, se rendre chez *Eaton* pour y faire des emplettes, Gaby mit son frère au parfum des sentiments d'Éva.

— Un miracle! s'écria Donio, si excité par cette nouvelle qu'il oublia de s'arrêter devant le magasin *Eaton* et dut faire demi-tour.

— L'important est de savoir s'il est marié. Tu pourrais m'aider?

Au grand enchantement de Gaby, Donio promit sa collaboration avec enthousiasme.

— J'ai mon plan. Je prends l'affaire en main.

Allégée, Gaby, un carnet à la main, entra chez *Eaton* pour y zieuter les promotions de Pâques. Elle parcourut les allées de vêtements, de chapeaux et d'accessoires pour dames, critiquant les uns, empruntant à d'autres des idées novatrices. «Mon Dieu! J'oubliais que Donio m'attend», se dit-elle, si pressée de le rejoindre qu'elle sortit du magasin, une robe non payée sur le bras. «Quelle honte, s'il avait fallu qu'une des femmes-polices déguisées me dénonce!» pensa-t-elle en rebroussant chemin pour aller, en catimini, déposer la robe sur son cintre. Soulagée, elle se dirigea vers la sortie, mais fut interceptée par deux messieurs qui exigèrent qu'elle retire son manteau, son chapeau et ses bottes, qu'elle vide son sac à main sur le comptoir.

— Je n'ai jamais été aussi distraite de ma vie, ne cessait-elle de répéter de peur que certaines clientes soient témoins de la scène.

— C'est bien. Vous pouvez reprendre vos affaires… Mais on vous conseille de ne pas vous réessayer…

— Comme vous êtes rapides à prêter de mauvaises intentions à tout le monde, leur lança-t-elle, en colère, en claquant la porte du magasin.

— Tu ne devineras jamais ce qui vient de m'arriver, dit-elle à Donio, son manteau ouvert, son chapeau en cavale sur la tête.

Au fait de l'incident, Donio s'en amusa allègrement.

— Ça m'a donné le temps de prévoir deux plans au lieu d'un pour obtenir des informations au sujet de Paul LeBlanc, lui apprit-il.

À son retour au Salon, Gaby ne fut pas surprise d'être attendue.

— J'aurai un bébé, enfin ! venait lui annoncer Margot Wait.

Gaby eut peine à l'en féliciter tant elle devinait la suite des choses.

— Mon mari insiste pour que je rentre à la maison. Je dois abandonner la boutique *Etcetera*.

— Tu vas beaucoup me manquer, Margot. Une personne de flair et de bon goût comme toi, ce n'est pas facile à remplacer.

— J'ai quelqu'un à te proposer : la petite-fille de M. Snowball, le fondateur de la *Guarantee Company of North America*. Tu la connais.

— Bien sûr! C'est elle qui m'a demandé de lui confectionner des pantalons au début de l'hiver.

— Une fine mouche, cette Margaret. En plus, elle s'y connaît en affaires. Elle a été élevée là-dedans. Sa grand-mère, Mme Lawrence Hart, est copropriétaire de la *White Motor Company of Canada*, les premiers au Canada dans la construction des gros camions.

— Elle sera appréciée de mes clientes plus fortunées, c'est sûr, mais les autres se sentiront-elles à l'aise avec une personne de son rang?

— Je ne te la recommanderais pas si j'en doutais, affirma Margot. Je pourrais la former la semaine prochaine.

«Un autre deuil», pensa Gaby, reconnaissante toutefois du dévouement de Mme Wait.

Dans le salon des Bernier, des hypothèses rigolotes circulaient au sujet du «monsieur de Laval». Tout pour faire rougir Éva, qui célébrait ses trente-six ans. Marcelle se portait à sa défense, les suppliant de lui laisser le temps d'apprivoiser une telle situation si jamais elle se concrétisait.

À la fin avril, Éva apprit que l'homme d'affaires de Laval était veuf et qu'il avait eu, lui aussi, un béguin pour elle lors des défilés de l'année précédente. Mais comme Mlle Éva Bernier ne lui avait donné aucun signe de réciprocité, il avait travaillé à l'oublier.

— Aimeriez-vous la rencontrer? avait osé Donio, lorsqu'il était allé le rencontrer.

Sur une facture vierge, Paul LeBlanc avait écrit son numéro de téléphone et avait ajouté: *J'attends votre appel avec impatience, Mlle Éva. Vous avez un si joli nom!*

À la lecture de ces quelques mots, l'émotion avait eu raison de la réserve d'Éva.

— C'est si merveilleux et en même temps si inquiétant, expliqua-t-elle dans l'attente de leur première rencontre. Ça me fait penser à l'annonce faite à la Vierge Marie par l'archange Gabriel.

— Moi, un archange ! C'est trop de compliments, s'écria Donio pendant que Gaby étouffait un fou rire.

— Tu comprends bien ce qui fait ton affaire, Donio Bernier.

Et se tournant vers Gaby, Éva murmura :

— J'aurai besoin de tes conseils, ma grande sœur. Je ne sais tellement rien au sujet des fréquentations…, murmura Éva.

Gaby sourit, s'efforçant de cacher son embarras. « Nous sommes si différentes ! C'est maman qui l'aurait conseillée adéquatement. »

Au cours des trois mois suivants, Éva s'absenta de plus en plus souvent en soirée et pendant les fins de semaine. Sa transfiguration n'échappait pas aux regards de ses proches. La compagnie de M. LeBlanc, cet homme galant, attentif, respectueux et si affectueux en faisait une femme plus ouverte et plus coquette. Elle ne cessait d'étonner ses compagnes de travail et les fidèles clientes du Salon. Gaby l'avait longtemps souhaité, mais la pensée de la charger de gérer seule le Salon alors qu'elle vivait sa première histoire d'amour l'inquiéta. Et pourtant, ce voyage en Europe lui importait d'autant plus qu'elle l'avait sacrifié l'année précédente et qu'elle sentait le besoin de se distraire de l'éloignement de Pit. Les amours d'Éva et de Paul le lui rappelaient trop.

— Je n'accepterais jamais que tu renonces à ce voyage, Gaby. Je suis capable de prendre de bons moments avec Paul sans négliger nos clientes. Par contre, si ça ne t'offense pas, je laisserais tomber le dîner à la table du capitaine…

Gaby n'en fut nullement étonnée.

À quelques semaines de son départ, elle se surprit à retracer son itinéraire sur les mêmes centres d'intérêt que lors de son premier voyage, à la différence cette fois qu'elle le ferait sans la compagnie parfois contraignante de M. Louis. Elle ajouta à sa liste une visite chez Elsa Schiaparelli, dont le passé s'apparentait un peu au sien et qui avait aussi habillé Wallis Simpson, peu avant son mariage avec Édouard VIII. Ce détour sur la place Vendôme était prévu le même jour que sa visite sur la rue Cambon. Pour cause, Schiaparelli et Coco Chanel régnaient sur la mode en cette fin des années trente. Principale compétitrice, Coco Chanel avait déclaré dans le magazine *Vogue* : « Schiaparelli est une artiste qui fait des vêtements. » Ces propos l'intriguaient. Aussi, voulut-elle se faire elle-même une idée du travail de cette créatrice qui priorisait une de ses couleurs favorites, le rose fuchsia.

La traversée ne fit vivre que d'heureux moments à Gaby tant la mer était docile et les voyageurs sympathiques. « Un présage de mon séjour à Paris », crut-elle.

De revisiter Bianchini-Férier sur la rue de l'Opéra et d'apprendre que ce commerce n'avait pas souffert de la crise économique la ravit. Tout comme elle, il avait expérimenté d'autres fibres, était entré dans le marché du « prêt-à-porter » et s'était lancé dans la confection de cravates.

Par contre, sur la rue Royale, on se rabattait sur le passé pour atténuer les pertes des dernières années. D'avoir dessiné, cinq ans auparavant, la robe de mariée de la princesse Marina de Grèce, épouse du duc de Kent, dorait le blason de Molyneux, qui se vantait alors d'inspirer nombre de couturiers dont Christian Dior. Ce dernier avait ouvert une galerie d'art dans laquelle il exposait des tableaux de Picasso, de Matisse et de Dalí avant de se mettre à dessiner et à vendre ses premiers croquis de chapeaux et de robes, et d'être engagé en tant que modéliste par Robert Piguet.

À la maison de Jean Patou, décédé trois ans plus tôt, l'ambiance n'était plus la même. Son beau-frère avait pris la relève et se concentrait davantage sur la création de parfums que sur celle des vêtements.

Une visite à Mme Jeanne Lanvin s'imposait. La vitrine témoignait toujours des choix esthétiques de cette créatrice fascinée par la féminité. Sa collaboration avec les artisans en arts semblait se poursuivre. Accueillie par une femme accablée par la maladie, Gaby ne voulut pas la retenir trop longtemps.

— Votre entreprise ne semble pas avoir perdu de son dynamisme… J'ai retrouvé avec un grand intérêt plusieurs illustrations de Lanvin-Décoration Paris dans les magazines de mode, lui dit-elle, admiratrice.

— Et vous, ma belle enfant, comment parvenez-vous à tirer votre épingle du jeu ?

— Plutôt bien, Mme Lanvin. Les épreuves rendent parfois plus inventif. Ce fut mon cas.

Cette déclaration alluma une étincelle de joie dans le regard de Jeanne. Invitée à prendre le thé avec elle, Gaby en fut touchée, mais elle ne s'attarda pas. Au moment de la quitter, le sentiment de lui faire ses adieux l'attrista. La pensée de Pit Lépine lui serrait la gorge. Elle se hâta de rentrer à l'hôtel et, sa porte de chambre verrouillée, elle laissa libre cours à sa peine.

Au programme du lendemain, d'abord une visite à la boutique d'Elsa Schiaparelli. Des similitudes avec sa vie telles que son éducation dans un couvent, son travail comme nurse dans sa jeunesse, son ingéniosité et ses innovations pourraient faciliter leurs échanges. De onze ans son aînée, Elsa, d'origine italo-égyptienne, se distinguait par ses créations trompe-l'œil et par ses collaborations avec des artistes comme Salvador Dalí et Jean Cocteau. Toutes les revues de mode avaient fait l'éloge de son originalité lors de la création d'un chapeau-soulier, d'une robe-homard et de la *Tears Dress*, une robe du soir blanche imprimée avec un dessin de Dalí en trompe-l'œil qui se prolongeait dans une découpe de larmes en voile bordé de rose et de magenta.

Dans sa boutique, Gaby fut accueillie par un personnel des plus distingués, sauf que Mme Schiaparelli était absente. Déçue, elle put toutefois examiner à son aise le chapeau encrier et le fameux chapeau-chaussure, à porter incliné sur le front. Gaby fut émerveillée par la diversité des confections Schiaparelli, qui allaient des vêtements pour dames aux maillots de bain, en passant par les jupes-culottes et les pull-overs près du corps. Toutes se distinguaient par leurs coloris vifs et contrastés, et par différents détails originaux tels un nœud extravagant, un appliqué de marin, un col cravaté… Impossible d'ignorer l'étalage de singuliers bijoux, les uns en forme de sirènes, les autres illustrant une tête de gorgone. Gaby ne quitta pas la boutique sans y acheter des parfums : les *Salut, Souci, Schiap* et *Sleeping*.

Gaby avait prévu passer en après-midi sur la rue Cambon quand elle apprit, foudroyée, que les Allemands venaient d'envahir la Pologne et qu'une menace de guerre circulait. Tous les touristes furent priés de rentrer dans leur pays le plus vite possible. Le 1er septembre, ils se bousculaient pour obtenir une place sur le *Normandie* en direction de New York, pressés de rentrer chez eux pour retrouver leurs proches. Comme tous les passagers entassés sur le pont, Gaby Bernier réclamait une place comme on s'accroche à une bouée de sauvetage. Tous cherchaient à se protéger de possibles attaques de l'Allemagne contre la France. Certains disaient regretter de n'avoir pas fait leur testament. D'autres prêchaient la sérénité et la confiance en la Divine Providence. Mais vingt-cinq ans de progrès technologiques et d'armement rendaient ce conflit plus redoutable. Des passagers échangeaient leurs prédictions. Après les privations imposées par la crise économique, les industries que générerait la guerre risquaient de faire mousser l'appât du gain dans nombre de pays, disaient certains. Le Canada serait-il impliqué ? « La Couronne pourrait bien l'y obliger », craignaient les plus âgés. « Avec Mackenzie King à la tête de notre pays, c'est presque assuré », affirma un professeur d'histoire venu enrichir ses connaissances en Europe. L'appréhension sabotait l'appétit et le sommeil des voyageurs. Saturée de toutes ces prophéties, Gaby se retirait souvent dans sa cabine, se remémorant des récits de la Grande Guerre pour espérer se rendre à Montréal avant que le Canada ne soit mêlé à ces conflits armés. Elle priait Louise-Zoé de la ramener auprès des siens sans encombre.

Le transatlantique avait effectué la moitié de sa trajectoire quand une nouvelle fracassante lui fut communiquée : le 3 septembre, devant le refus d'Hitler de retirer ses troupes de la Pologne, la France et l'Angleterre avaient déclaré la guerre à l'Allemagne. Un vent de panique souffla sur le *Normandie*.

— Dans trente-six heures, nous accosterons à New York sains et saufs, promit le capitaine, dont la voix tonitruante rassurait les plus vulnérables.

« Dormir le plus longtemps possible », souhaita Gaby, réfugiée dans sa cabine dès que le soleil disparut du décor océanique.

Plus aucune dépêche ne fut communiquée aux passagers du *Normandie*. Les plus optimistes y voyaient un signe de bon augure, les alarmistes y voyaient le contraire. On n'entendit la voix du capitaine qu'à quelques nœuds du port de New York. La chorale, supportée par l'orchestre, entonna l'hymne national américain et, à la demande de certains voyageurs, interpréta l'*Ave Maria* de Schubert pour remercier la Vierge Marie de les avoir conduits à bon port.

Dès son arrivée au port de New York, Gaby avait prévenu les siens de son retour.

« Dans moins d'une heure, le train en provenance de New York entrera à la gare Windsor », constata-t-elle avec un immense soupir de soulagement. Déjà, elle imaginait Éva et Donio lui ouvrant grand les bras après avoir tremblé pour elle. Il était à prévoir que Marcelle aussi viendrait l'accueillir à la gare. Jamais son pays et sa ville ne lui étaient apparus aussi enviables. La peur de ne plus les revoir, la crainte que la guerre s'étende jusqu'à l'Amérique, saccage ses biens et vienne chercher ses hommes la tenaillait. « Je comprends les tourments de ma mère et de ma grand-maman Louise-Zoé lors de la Grande Guerre. À treize ans, je n'en mesurais pas la gravité, envahie que j'étais par ma nouvelle vie d'orpheline confiée au Pensionnat Notre-Dame. Elle me semblait si loin de nous ! Aujourd'hui, je la sens à notre porte. Une étincelle pourrait l'enflammer et la pousser au-delà du continent. J'exagère, je crois. Je me sens si fragile depuis l'annonce de cette catastrophe… Il est temps que je reprenne mon travail, que je revoie mes employées, que je retrouve mes jeunes Taupier. »

Les voyageurs commençaient à rassembler leurs bagages. Les cous s'étirèrent dès que les vrombissements s'atténuèrent, le train était sur le point de s'immobiliser. Les gens venus attendre les voyageurs manifestaient une plus grande fébrilité qu'à l'habitude. « Les nouvelles courent vite depuis qu'on a la radio. Tout le monde sait maintenant que la France et l'Angleterre sont sur le pied de guerre. L'atmosphère de notre ville ne doit plus être la même. Les sujets de conversation non plus », pensa Gaby. Elle allait récupérer sa malle quand, derrière elle, une main se posa tout en douceur sur son épaule.

— Je ne voulais pas te faire peur…

— Mais que fais-tu ici ? Tu ne devais pas…

Sa voix se brisa. Blottie entre les bras de Pit Lépine, elle sanglota. De soulagement et de joie, sans doute. Mais pourquoi dans les bras de celui qui avait exprimé son besoin de prendre ses distances ? Venait-il lui exprimer ses regrets ou lui faire ses adieux ? Où étaient ceux qu'elle avait espéré voir sur le quai de cette gare ?

— Qui t'a dit…

— Donio est venu me chercher ici la semaine dernière.

La voix et le regard de Pit trahissaient des sentiments que Gaby avait crus à l'agonie. À la fatigue du voyage s'ajoutait maintenant un trouble d'autant plus envahissant qu'elle ne l'avait pas anticipé. Trop d'événements déstabilisants en une seule semaine. Éva surgit, visiblement contrariée par la présence de Pit Lépine.

— Donio nous attend dehors, dit-elle, prête à faire demi-tour.

Gaby l'attrapa, lui fit une chaude accolade, puis elle emboîta le pas de Pit, sans émettre un son, jusqu'à la voiture de Donio, qui s'empressa de la serrer dans ses bras.

— Tu montes avec nous ou avec lui?

— Je vous la laisse ce midi, annonça Pit, mais j'aimerais la reprendre ce soir… si tu n'es pas trop fatiguée, nuança-t-il en se tournant vers Gaby.

— Demain soir me conviendrait mieux. Où est-il possible de te rejoindre?

— À la chambre 342 du *Ritz Carlton*. J'attendrai ton appel, dit-il d'une voix suave.

«Pour combien de temps?» n'osa lui demander Gaby.

Elle regarda Pit repartir vers sa voiture, stationnée non loin de là, puis vint prendre place à côté de son frère. C'est à lui qu'elle posa la question qui lui brûlait les lèvres.

— J'aime mieux le laisser t'en parler…

— Bon! Est-ce qu'il y a des choses que j'ai le droit de savoir après des semaines d'absence?

— Qu'Éva passe de plus en plus de temps avec son Paul, oui.

— Que tu nous as manqué à la maison encore plus qu'au Salon, reprit Éva pour l'amener ailleurs que sur ses amours.

Trop fatiguée pour quêter des détails, Gaby attendit qu'on nourrisse la conversation. Éva s'en chargea.

— Jean. Pas facile à contenter. D'après lui, on ne fait jamais aussi bien que toi quand vient le temps de lui acheter des vêtements et des chaussures. Par chance, son frère est plus raisonnable.

Cette remarque provoqua un éclat de rire chez Gaby. Le premier depuis son départ de Paris. Un éclat de rire si libérateur qu'elle sentit son dos se délester du stress accumulé depuis la déclaration de la guerre.

— Je suis content de retrouver la Gaby que j'ai toujours connue. J'ai eu peur que tu aies perdu ton beau sourire dans l'océan, lança Donio.

— Tu devrais pourtant savoir qu'elle n'est pas le genre de fille à se replier sur elle-même, rétorqua Éva.

— Puis, toujours amoureuse ? lui demanda Gaby.

— Pas encore, mais presque. J'en suis à chercher les défauts de ce gentilhomme.

— Tu les trouveras bien assez vite, lui prédit son frère.

— J'avais hâte que tu arrives, Gaby. Il ne manque pas une occasion de me faire enrager. Comme si je n'avais pas le droit de…

— De quoi donc ?

Un battement de cils sur cette question et Éva se tourna vers Gaby, réclamant des nouvelles de son voyage.

— Laisse-lui le temps d'en revenir. Elle est morte de fatigue, plaida Donio.

Gaby déposa ses malles au pied de son lit, sur lequel elle s'étendit, réclamant qu'on ne la réveille qu'à l'heure du dîner.

Au domicile des Bernier, le rappel de ce périple fut bref, mais non moins touchant. L'harmonie et l'entraide qui unissaient tous ceux qui vivaient sous ce toit furent soulignées lors de la remise des cadeaux rapportés de Paris. Des parfums Schiaparelli pour les deux femmes ; un *Souci* pour Marcelle et un flacon de *Salut* pour Éva. Donio espérait des cravates Bianchini-Férier et il en reçut trois. Les frères Taupier allaient recevoir des livres à la couverture de cuir et à la tranche dorée lors de leur prochain congé.

La table desservie, Gaby fit un pas vers le Salon et se ravisa.

— Non. Pas aujourd'hui. Demain matin…

Des questionnements en tourbillons et de multiples scénarios assaillirent Gaby dès qu'elle eut posé la tête sur son oreiller. Pit en était l'objet. « Ça lui a pris plus d'un an pour se rendre compte qu'il m'aimait plus que tout ? J'ai failli le croire lorsque nous dansions, hier soir, collés l'un contre l'autre, comme avant. Mais ses baisers m'ont semblé moins passionnés… Qu'il ait décidé, alléguant la fatigue du voyage, qu'il valait mieux que j'aille dormir chez moi me parlait plus de détachement que de délicatesse à mon égard. Je perds mon temps à imaginer qu'il est revenu pour moi. Je ne veux surtout pas revivre mon deuil de l'été 1938… », se jura-t-elle, non moins chagrinée. L'épuisement la plongea dans un sommeil qui l'enveloppa jusqu'au lendemain.

De chaleureuses accolades l'attendaient dans la salle de couture des ouvrières ce matin du 9 septembre. La distribution des souvenirs de voyage fut écourtée lorsqu'une employée lui apprit une nouvelle qui la sidéra : le 6 septembre, au lendemain de sa traversée, la Confédération Générale du Travail des États-Unis avait décidé de désarmer le paquebot *Normandie* à New York. L'équipage passait de 1327 à 500 personnes, ces dernières étant chargées d'en préparer l'immobilisation. Gaby vécut une fois de plus le sentiment d'avoir frôlé un grave danger : mourir en mer, un destin qu'avant elle, sa mère avait répudié au nom de tous ses ancêtres foudroyés par les tempêtes, emportés par les vagues. Figée dans un silence de frayeur, entourée d'une douzaine de dévouées collaboratrices, elle crut renoncer pour toujours à prendre la mer.

— Ça ne veut pas dire que notre pays sera touché par cette guerre, pondéra Mme Landry.

Devant la stupéfaction de leur directrice, nombreuses furent celles qui clamèrent leur confiance en l'avenir.

— Si la peur est mauvaise conseillère, cette fois elle nous aura apporté de bonnes choses, prédit Éva, assurée que nombre de parents décideraient de marier leur fille de crainte que leur amoureux soit forcé d'aller défendre la mère-patrie.

De fait, M. et Mme Ogilvy Hastings furent les premiers à commander des robes de mariée pour leurs filles, Hazel et Joan, fiancées aux frères Eric et Conrad Harrington. M. et Mme McDougall ne tardèrent pas à faire de même pour leur fille. Venus tous deux au Salon *GABY BERNIER HAUTE COUTURE FUR GOWNS*, les McDougall voulaient un mariage tout en blanc : la mariée en satin blanc, les demoiselles d'honneur en crêpe de Chine blanc avec des étoiles de satin blanc, chacune tenant un énorme bouquet blanc et descendant l'allée sur un tapis blanc qui serait déroulé juste avant l'arrivée de la mariée.

Prévoyant que d'autres futures mariées en commanderaient et que le prix du satin risquait d'augmenter, Gaby en fit des provisions. La robe de la mariée taillée dans le pur satin présenterait un aspect brillant et gonflant, tandis que les robes des demoiselles d'honneur allaient contraster par leur légèreté. À sa liste, Gaby ajouta du taffetas de soie. Par expérience, elle savait que les fronces, les drapés et les plissés donnaient à ce tissu toute sa magnificence. Légèrement brillant, il accrochait la lumière de manière unique en produisant de magnifiques reflets. Idéal aussi pour les robes de soirée.

Pour l'essayage, Gaby et Éva durent se rendre à la maison d'été des McDougall à Murray Bay, dans Charlevoix. Parties au lever du soleil ce samedi matin d'octobre, elles roulèrent, un tantinet inquiètes, pendant huit heures, sur des routes inconnues. Par contre, le paysage les charma. Mais quelle ne fut pas leur surprise en pénétrant dans cette somptueuse maison de pierres grises d'apprendre que la cigarette y était interdite. Cette privation, aux limites de la tolérance pour Gaby, précipita leur retour à Montréal. L'essayage terminé, les Bernier n'acceptèrent de prendre que quelques heures de sommeil avant de regagner Montréal.

Jamais il n'y avait eu autant de mariages, même en hiver. Des affaires en or pour le Salon. En saison froide, l'ajout de fourrures aux tenues de noces donna raison à Gaby d'avoir engagé un fourreur pour l'aider dans la confection d'étoles, de manchons, de cols et de manteaux.

Autant il lui était facile de trouver une main-d'œuvre compétente pour son entreprise, autant les conseillers en relation amoureuse se faisaient rares. Pour une raison qui lui échappait, Donio était muet comme une carpe dès qu'il était question de Pit Lépine, et Éva n'en avait plus que pour son Paul. Leurs fréquentations respectaient les commandements de Dieu et de l'Église, au grand bonheur d'Éva qui préparait leurs fiançailles. Dès que Gaby se serait quelque peu dégagée des contrats qui s'étalaient de l'automne 1939 jusqu'en août 1940, elle travaillerait avec elle à déterminer le modèle et la texture de sa robe. La couleur était déjà choisie : un bleu ciel en reconnaissance à la Vierge Marie pour lui avoir trouvé l'homme rêvé.

Seule au gouvernail de sa vie, Gaby en cherchait la bonne direction. Sans autre phare que son flair, elle devait juger des propositions de Pit, récemment promu entraîneur des Canadiens.

— Montréal, c'est vraiment ma ville. Et une femme comme toi, Gaby Bernier, il n'en existe pas ailleurs, lui avait-il déclaré lors de leur rendez-vous au *Ritz Carlton*.

Ce serment, le premier entendu de la bouche de Pit, l'avait fait capituler dans ses bras. Mais l'euphorie des plaisirs charnels balayés par le quotidien, les questionnements resurgissaient.

— Et les garçons Taupier, tu les as oubliés ?

— Ils vieillissent, s'était-il contenté de répondre.

Jean allait avoir quatorze ans et son frère seize. Leur vie de pensionnaires laissait beaucoup plus de liberté à leur protectrice. Or, pour Pit, la carrière d'entraîneur des Canadiens risquait de gober le temps que lui donnait sa vie de joueur de la LNH. Combien d'années comptait-il occuper ce poste ?

— On peut être congédié n'importe quand si on ne fait pas l'affaire, mais je serais très surpris que ça m'arrive, avait-il déclaré.

— Et si ça t'arrivait ?

— Je verrai en temps et lieu.

— Tu resterais quand même à Montréal ?

— Ça dépend de ce qui me serait offert en échange.

Tant de nébulosité rongeait la passion que Gaby vivait pour son hockeyeur. « Le véritable amour passe par un engagement, il me semble. J'aurai trente-neuf ans en juin prochain. Ai-je le goût de passer le reste de ma vie dans des amours constamment menacées par des "Ça dépend" et des "On verra" ? »

Gaby accosta Donio alors qu'il allait gagner sa chambre. Aux tergiversations de sa sœur, il répondit :

— Si tu sais vraiment ce que tu veux, dis-le-lui, et s'il n'embarque pas, retire-toi. C'est tout ! Si tu penses que tu n'as plus de temps à perdre dans le flou, change de voie.

Une telle froideur heurta Gaby qui, dès lors, décida de ne plus discuter de ses problèmes de cœur avec son frère.

— Pries-tu encore ? demanda-t-elle à Éva, dans un tête-à-tête de la première heure de l'an 1940.

— Plus que jamais ! Je ne veux tellement pas me tromper dans mes amours. Tu sais que rien ne m'effraie plus que l'erreur. Tu m'as guidée sur le plan professionnel, mais seuls la Vierge Marie et son fils peuvent nous protéger dans les affaires de cœur.

— Une petite pensée pour moi, de temps en temps, pourrait peut-être m'éclairer…

— Tu peux prier pour toi-même, tu sais. Ce n'est pas défendu.

Gaby hocha la tête, doutant de l'efficacité de ses prières.

— Penses-tu que grand-mère peut nous accorder autant de faveurs que Jésus et la Vierge Marie ?

— Personnellement, non.

— Personnellement, oui, riposta Gaby.

— Alors, prie-la !

Dans un éclat de rire, Gaby enlaça sa sœur et lui présenta des vœux calqués sur ses propres souhaits.

La mode des bas nylon, dit bas en soie synthétique, allait traverser les frontières américaines en ce printemps 1940. L'automne précédent, DuPont avait mis en vente les premiers bas de fibres de nylon à Wilmington, au Delaware. D'abord propriétaire d'une usine de fabrication de poudre à canon, la société DuPont était devenue l'un des plus grands producteurs de produits chimiques au monde. L'Américain Wallace Carothers, un des chimistes qui avait découvert le nylon en 1935, s'inspira du prénom des épouses de chacun de ses cinq collaborateurs pour nommer ce nouveau produit : **N**ancy, **Y**vonne, **L**ouella, **O**livia et **N**ina. Carothers avait d'abord appliqué le nylon à la fabrication de la brosse à dents avant que cette fibre entre dans la garde-robe des dames. Cette firme avait aussi développé des matériaux tels que les polymères, dont le téflon et le lycra.

Grâce à sa grande amie Margot Vilas, qui passait beaucoup de temps à New York et dans les grandes villes américaines, Gaby reçut quelques paires de bas nylon. Séduite par leur aspect soyeux et la finesse de la couture qui devait monter toute droite du talon à la fesse, elle en fit parade devant ses clientes et ses employées, créant un engouement tel que toutes en réclamèrent. Gaby tenta-t-elle de leur en procurer qu'on lui apprit que les fabricants faisaient face à une pénurie de nylon depuis le déclenchement de la guerre, cette matière étant alors réservée à la fabrication des pneus de bombardiers et des parachutes. De fait, le conflit entre l'Allemagne et la Pologne s'étendait à d'autres pays de l'Europe, dont la Russie. Le 16 mai, les armées allemandes de Belgique étaient entrées en France. Joan Ivory, alors mère de sept enfants, était à une séance d'essayage avec sa mère, Mme Fraser, quand la nouvelle arriva au Salon. Terrassée, Gaby fondit en larmes et sanglota sur l'épaule de Mme Fraser.

— Notre belle France, bombardée et écrasée par les chars d'assaut allemands, c'est affreux.

— Pour vous qui l'avez visitée nombre de fois, je comprends que ce soit insupportable, dit Mme Fraser, que ses origines rapprochaient beaucoup plus de l'Angleterre que de la France.

— J'y ai rencontré tant de gens sympathiques… Que deviendront-ils ? Et Coco Chanel… Et Mme Lanvin. Foutus, leurs commerces. Foutues, nos importations.

— New York compenserait peut-être, osa une des couturières.

Gaby se ressaisit.

— Il faudrait que j'y aille avant que les marchands de tissus et d'accessoires soient en rupture de stock.

« En engageant quelques couturières supplémentaires, je pourrais me libérer quatre ou cinq jours », calcula Gaby. La date serait déterminée avec Margot Vilas, selon les disponibilités de cette grande amie souvent partie en voyage. Sa compagnie lui semblait indispensable et était, de surcroît, très agréable. Que de confidences elle lui avait faites ! Que de complicité entre elles ! Que d'empathie !

Le doux temps revenu, les confections n'exigeant plus d'ajouts de fourrure, Gaby donna congé au fourreur pour tout l'été. Une économie qui épongerait les frais de son séjour à New York. Éva, qui portait de mieux en mieux son titre de « ministre des Finances », comme Gaby se plaisait à la désigner, l'en félicita, non moins pressée de lui commander « une robe d'un chic particulier ».

— Es-tu certaine, Gaby, de ne pas manquer de satin bleu ? Tellement de futures mariées en demandent… lui rappela-t-elle au moment de fermer le Salon en cette fin de juin 1940.

— J'irai en acheter, le moment venu.

— C'est que… C'est que… Paul m'a parlé de fiançailles…

Éberluée, Gaby allait oublier de féliciter sa sœur pour ce grand événement.

— Qui aurait dit ça quand je suis allée te chercher au noviciat ? Presque vingt ans plus tard, tu reçois une demande en mariage. Tu ne regrettes rien, n'est-ce pas ?

— Absolument rien.

Adossée au chambranle de la porte, Éva fixait le bout de ses pieds, un sourire timide sur les lèvres.

— Ça fait un bon bout de temps que je ne suis pas allée à confesse, mais ce soir, c'est à toi, Gaby, que je ferai un aveu. Quand tu me parlais de tes plaisirs amoureux, je n'aurais jamais pensé les vivre un jour. J'en étais gênée, même. Dire qu'aujourd'hui je les anticipe avec une hâte folle.

— Tu n'as encore rien fait avec lui ! s'étonna Gaby.

— Tu te trompes. On… Ses baisers et certaines de ses caresses me mettent tout à l'envers.

Gaby retint un fou rire.

— Autrement dit, tu es encore…

— Bien sûr ! Ça ne se fait pas, on n'est même pas fiancés ! Puis, Paul et moi voulons un mariage catholique.

— Sans qu'il vous soit nécessaire de passer au confessionnal la veille ? osa Gaby, malicieuse.

Éva secoua la tête et, sur un ton révérencieux, elle riposta :

— C'est un homme de grand respect, mon Paul.

— Je veux bien !

— M'aiderais-tu à choisir mon modèle et mon tissu ?

— J'allais mettre la clé dans la serrure, mais pour toi, Éva Bernier, j'aurai toujours du temps et de l'énergie.

Il risquait de manquer de satin bleu pour cette robe qu'Éva souhaitait en ligne droite, pour ne pas afficher ses rondeurs, et légèrement décolletée en V, avec des manches longues jusqu'au bout des doigts. Gaby lui proposa de compléter avec de l'organza et du voile.

— Ça conviendrait autant pour l'automne que pour l'été ?

— Pour l'automne, on ajouterait une cape assortie.

— Puis ma robe de mariée ?

— On aura bien le temps d'en reparler. Je suis fourbue.

— Pardonne-moi, Gaby. Je n'avais pas remarqué que tu…

— C'est ça, l'amour, Éva. Ça rend aveugle, dit-elle, avec une bonhomie qui réconforta sa sœur.

Le lendemain, avant même que les couturières se soient toutes mises au travail, Éva attendait qu'une cliente sorte de la salle de coupe pour compléter les arrangements de la veille. Lorsqu'elle l'aperçut, Gaby eut du mal à maîtriser son agacement.

— Il me semble que tu ferais mieux d'attendre au printemps prochain avant de me faire tailler ta robe de noces. Tes mensurations risquent de changer d'ici un an.

— Je suis capable de me contrôler quand j'ai une bonne motivation, tu sauras.

— Justement! Tu pourrais tout autant perdre du poids qu'en gagner.

— Je me sentirais mieux si elle était prête avant la fin de l'été. Tout à coup que mon Paul m'arriverait avec une date... Je vais tout faire pour ne pas prendre une seule once de gras d'ici là.

« C'est si rare qu'elle me demande un service », admit Gaby.

Des rayons, elle tira les deux rouleaux de tissu choisis par Éva ; l'un de soie blanche, l'autre de moiré aux fines rayures bleues. Les deux ballots furent déposés sur la table... encombrée. En poussant retailles, ciseaux et pelotes d'épingles, Gaby, qui venait de déposer sa cigarette, accrocha le cendrier et les flammes s'attaquèrent aux retailles semées sur le plancher. Elle attrapa une bouteille de Coca-Cola laissée sur le bord de la fenêtre et, tout en continuant de bavarder, elle versa de cette boisson gazeuse sur les flammes jusqu'à ce qu'elles agonisent. Avec un aplomb qu'Éva ne s'expliquait pas, Gaby reprit son travail là où elle avait été interrompue comme si rien n'était arrivé.

— Comment fais-tu ?

— Je me mets sur le neutre, comme dirait Donio.

— Qu'est-ce que tu veux dire ?

— J'ai découvert cette technique à Paris, quand j'ai appris... concernant la guerre. J'avais tellement peur de ne plus jamais revenir... plus jamais vous revoir.

Gaby déposa ses ciseaux sur la table et, une main portée au creux de sa poitrine, elle ajouta :

— C'est un exercice qui empêche de paniquer.

Éva lui ouvrit les bras. Pas un mot. Qu'une infinie tendresse.

Informé que Gaby organisait un séjour à New York sans lui, Pit en fut vexé.

— Je croyais que tu n'en aurais ni le temps, ni le goût, se justifia Gaby.

— J'en aurais trouvé le temps… pour toi.

Tous deux reprirent leur balade dans le parc Lafontaine. Leurs échanges se résumaient en soupirs d'insatisfaction et d'incompréhension. Pit s'arrêta devant un banc libre.

— Je ne peux pas dire que l'été passé j'ai retrouvé ma Gaby d'avant, lui reprocha-t-il, l'invitant à s'asseoir près de lui.

— Veux-tu que je fasse comme si tu ne m'avais jamais avoué tes doutes ?

— C'était il y a deux ans. Tu ne peux pas avoir oublié avec quel empressement je suis allé t'accueillir à la gare en septembre dernier ? Puis le plaisir que nous avons eu à danser ensemble… au *Ritz Carlton*, comme avant.

Gaby lui fit l'aumône d'un regard.

Pit l'enlaça et, prenant à témoin le décor et les flâneurs du parc, il lui répéta :

— Une femme comme toi, Gaby Bernier, il n'en existe pas ailleurs. Nous sommes faits pour être ensemble. Tu me l'as dit tant de fois, les premières années.

Les appréhensions d'un nouveau rejet nouaient la gorge de Gaby.

— Je t'emmène à l'hôtel ? proposa-t-il pour fuir la lourdeur de ce silence.

— Pas aujourd'hui, Pit. J'ai trop de choses à faire !

— Demain ?

— Laisse-moi quelques jours, le pria-t-elle, assombrie.

Le baiser de Pit vint de nouveau enflammer ses désirs. Impossible de les lui cacher.

Cette balade qui se voulait délassante avait pris une tournure troublante. « Ma tête me dit de lui résister, mais tout le reste succombe. Lesquelles de mes craintes ou de mes attirances brouillent ainsi mon jugement ? D'une part, il m'ensorcelle, d'autre part, il ne réussit pas à me convaincre de son amour retrouvé. »

Gaby se félicita d'avoir organisé son voyage à New York avec Margot. « Mon tour est venu de ressentir le besoin de m'éloigner un peu… »

Plus d'une raison motivait Gaby à prendre la route de New York en cette journée lumineuse de la mi-août : la quête des tissus, les défilés de mode et les bons restaurants. Mais après avoir confié ses tiraillements à son amie Margot Vilas qui l'y emmenait, les priorités se modifièrent.

— Ce que ça te prend, ma Gaby, c'est de l'évasion. Oublier tout ça pour quelques jours. T'amuser. Danser. Rencontrer des gens agréables. Je connais des places extraordinaires à New York. Tu vas voir.

La conversation prit le chemin des avantages d'habiter cette ville, ne serait-ce que quelques mois par année.

— Tu sais que l'année dernière, j'ai visité la Foire internationale qui se tenait là, à New York. En pleine crise économique, grâce à son maire, cette ville demeurait un modèle de réussite. Un génie que ce M. Fiorello LaGuardia. Le thème qu'il avait choisi pour l'exposition en est une preuve.

— Tu t'en souviens ?

— Oh que oui ! Écoute ça : *Bâtir le monde de demain avec les outils d'aujourd'hui.*

— J'en ferai aussi mon credo, dit Gaby, qui le répéta trois fois.

— À l'occasion de cette exposition, j'ai rencontré un des plus grands cuisiniers de la planète, ma Gaby!

— Un Français, je suppose?

— Bien entendu! C'est que le pavillon de France avait fait appel à la brigade de chez Drouant, à Paris, pour ouvrir une sorte de *showroom* du plus pur style gastronomique français. C'est M. Henri Soulé qui est venu. J'espère le retrouver à Flushing Meadows, dans le Queens. Un homme aussi exquis que ses plats.

— Il est marié?

Margot se tourna vers sa passagère, interloquée.

— Et ton hockeyeur, lui?

— Je blaguais…

— Y a toujours un brin de vérité derrière une blague…

La remarque plongea Gaby dans une longue réflexion. « J'ai toujours cru que le Grand Amour était comparable à un long fleuve tranquille… sans vagues ni ressac. Ce n'est pas ce que je vis avec Pit depuis le début de nos fréquentations. Est-ce que je serais trop idéaliste? Rêveuse? Exigeante? Ou serait-ce le signe que nous ne sommes pas faits pour une relation durable où chacun trouverait sa place? »

— Tu es retombée dans tes jongleries, nota Margot. Dis-moi si tu es déjà allée au Club 21.

— Non. Qu'est-ce que c'est?

— Un bar clandestin à l'ambiance glamour. Il existe depuis une bonne dizaine d'années et il n'a rien perdu de sa popularité… À cause de sa cave secrète.

— Pourquoi une cave secrète?

— La prohibition, Gaby. Tu vas aimer. Les mets et le vin sont d'une finesse sans pareille. Un autre qui n'est pas piqué des vers, c'est le Sherman Billingsley's Stork Club, sur la 53ᵉ, juste à l'est de la 5ᵉ Avenue. Un des clubs de nuit les plus excitants.

— Pourvu que tu ne m'emmènes pas dans Harlem !

Margot sourit, au fait de la crainte viscérale de son amie à l'idée d'approcher ce secteur où, disait-on, dominaient pauvreté et violence.

— Si tu savais le nombre d'artistes et de gens instruits qu'on y trouve maintenant. Je te jure, c'est un nouveau Harlem.

— On a bien d'autres lieux à visiter… cette fois-ci, nuança Gaby, habitée par un soupçon de préjugés contre les Noirs. Si on en a le temps, j'aimerais aller voir un spectacle sur Broadway.

— Le Met, Gaby. Je nous souhaite une comédie musicale. Je consulte leur programmation dès notre arrivée. Tu sais qu'on peut y entendre de grands musiciens et y voir des chefs d'orchestre européens, comme l'italien Arturo Toscanini.

Or le programme du Met mettait à l'affiche *Faust* de Gounod.

— Ce n'est pas une comédie musicale, mais ce chef-d'œuvre en vaut plusieurs, considéra Gaby.

Après trois jours de balade dans les rues de New York, de magasinage dans les boutiques et chez les marchands de tissus, Gaby constata avec bonheur qu'en dépit des conflits armés en Europe et de l'atmosphère de guerre qui planait sur l'Amérique, la mode était demeurée fidèle à l'idéal de beauté, de féminité et de luxe qu'elle incarnait. Une créativité permanente, une recherche de l'élégance étaient stimulées autant par le devoir patriotique que par la nécessité de soutenir le moral du pays en butte aux restrictions, aux normes rigoureuses de fabrication et à l'austérité. Pour preuve, Gaby y trouva des colliers de perles d'onyx à deux rangs, des chaussures aux semelles de bois articulées, des chapeaux extravagants, de grands sacs à bandoulière, des foulards imprimés de multiples couleurs, le tout généralement fabriqué dans des matériaux de récupération. Ces créations révélaient les ressources du système D, la débrouillardise et l'esprit d'invention des modistes ou des bottiers, comme de tous les créateurs de mode.

Fidèle à ses promesses, Margot avait dirigé Gaby dans toutes sortes de restaurants, des cafétérias où chacun pouvait se servir aux établissements plus raffinés comme celui de Henri Soulé. Par Margot Vilas et Soulé, Gaby fit la connaissance d'un autre grand chef et restaurateur de New York, Antoine Gilly, qui avait ouvert le restaurant La Crémaillère dans une maison de ferme en bois blanc, datant du XVIIIe siècle. Après y avoir dégusté la meilleure soupe de moules, les escargots aux cheveux d'ange, le gratin de fruits de mer, le filet de bœuf sauce cognac et une cassolette d'épinards, avec pour terminer un sorbet maison, le tout arrosé de vins français, Gaby promit de ne jamais passer à New York sans venir s'asseoir à sa table.

Pour clôturer ce voyage en beauté, Margot avait le goût de se payer une fantaisie.

— Nous ne prenons pas la route vers Montréal ? s'inquiéta Gaby, à peine sortie d'une nuit écourtée.

— On va faire un tour à la Nouvelle Rochelle. Une petite ville que j'adore.

— Tu blagues. Nouvelle Rochelle aux États-Unis ?

— Tu verras bien.

— C'est loin d'ici ?

— Pas plus d'une demi-heure.

— Tu sais pourquoi elle porte ce nom ?

— Parce qu'elle a été le refuge de protestants français qui ont dû fuir les persécutions. Beaucoup de ces colons étaient des commerçants bourgeois originaires de la ville de La Rochelle. Tu comprends ?

— Et ça s'appelle encore La Rochelle ?

— Malheureusement pas. C'est devenu New Rochelle après la guerre de l'Indépendance, il y a plus de cent cinquante ans de ça. Presque tous les habitants ont perdu leur langue et leurs coutumes…

— C'est triste.

— Oui. Très triste. Il y a deux ans, la ville a célébré son deux cent cinquantième anniversaire. Tu aurais dû voir la parade, ma fille ! Des milliers de marcheurs ! Parmi eux se trouvaient des dignitaires venus de La Rochelle, en France.

— Tu as participé à cette parade ?

— Oui. Fut un temps où j'y venais souvent. J'aimais me retrouver avec ces pionniers de même souche que moi. On dit que depuis que la guerre est déclarée, ce n'est plus la même ambiance dans cette belle ville… Je le croirai quand j'y aurai mis les pieds.

— À quoi serait dû ce changement de mentalité ? Te l'a-t-on dit ?

— Ce serait la faute des autorités américaines, qui y auraient installé une base militaire pour recruter et former de futurs soldats.

— Une base militaire ! Tu en es sûre ? Oh, mon Dieu !

Margot n'avait pas prévu créer un tel émoi chez Gaby.

De fait, juste à l'entrée de la ville, un peloton de soldats s'exerçait à la marche militaire sous les ordres d'un officier de l'armée. Margot ralentit, sur le point d'immobiliser sa voiture.

— *Go away !* leur cria-t-il.

— Non, Margot. Attends ! Approche un peu.

— *Go away ! Go away !* répéta-t-il sur un ton à ne pas défier.

— Avance encore un peu, Margot. Je pense reconnaître cette voix… Je veux voir son visage.

— Pas possible !

Malgré les ordres reçus, Gaby exigea que Margot ferme le moteur de la voiture. Elle en descendit, s'adossa à la portière refermée et attendit que l'homme la regarde…

UNE INDISCRÉTION DE MARGOT VILAS

Je ne comprenais pas ce qui se passait. Gaby était dans tous ses états. Du revers de la main, elle épongeait les larmes qui coulaient sur ses joues alors qu'elle affichait un de ces sourires... Quand je lui demandai de m'expliquer ce qui lui arrivait, elle ne sembla pas m'entendre, obsédée qu'elle était par l'homme qui commandait la petite troupe de soldats. Les fantassins, demeurés immobiles comme des soldats de plomb, attendaient les ordres de leur chef. Lorsque Gaby se résigna enfin à revenir s'asseoir dans la voiture, elle se blottit sur le siège comme un fœtus et elle se mit à sangloter comme un enfant puni. Elle me fit signe de faire demi-tour, sans me préciser si elle souhaitait que nous prenions la direction de Montréal ou de New York. Je demeurai fidèle à notre plan. Nous venions de quitter l'État de New York quand un souvenir me transit: «Mon premier frisson amoureux, je l'ai vécu à dix-huit ans, avec le plus beau et le meilleur danseur américain... un soldat», m'avait confié Gaby lors de notre voyage à Paris.

TRADUCTIONS FRANÇAISES

Page 196.

Il nous fait plaisir d'annoncer l'inauguration d'une petite collection de vêtements prêts-à-porter et d'un département consacré aux débutantes. Des robes et des manteaux fabriqués sur commande y sont disponibles à des prix avantageux.

Page 198, extrait 1.

Garcia a photographié Mademoiselle Ann Foster portant cette jolie robe de mousseline de soie verte à imprimés, signée Gaby Bernier. L'élégance de la robe est amplifiée par la superposition d'un manteau de robe à la polonaise. Celui-ci, doté d'une profonde échancrure à l'avant et tombant en plis gracieux, vient souligner le buste, évoquant la corolle d'une fleur.

Page 198, extrait 2.

D'ailleurs, la jeune couturière Gaby Bernier excelle à la conception de morceaux sur commande distingués et élégants, qui mettront en valeur vos plus beaux atouts. Elle attend d'un jour à l'autre, en provenance de Paris, l'arrivage d'une collection de modèles printemps et été, et d'une sélection exclusive de charmants tissus. Il semble donc que ce concept parisien aurait toutes les chances de plaire ici également.

CAHIER PHOTOS

Filles d'honneur pour le mariage de Barbara Henderson et de Richard Harcourt Price, fils de Sir William et Dame Price de Québec, en 1930. Phaneuf confectionna les chapeaux qui s'attachaient derrière comme ceux des gitans.

Robe de mariée en satin blanc avec une encolure en V et des manches en pointe pour Molly Ballantyne (née Meigs), grande amie de Gaby et qui devint la directrice de mode du magasin *Ogilvy*.

M979.41.1 – © Archives du Musée McCord, Montréal.

Un des plus beaux manteaux de soirée, en velours rouge rubis éclatant, paré d'un col en écureuil foncé et coupé dans le biais pour qu'il
soit légèrement évasé dans le bas. Le dos fut coupé dans un nombre
de pièces insérées en diagonale, épousant le corps à la taille et le bas
du dos à la manière de Madeleine Vionnet, dont Gaby avait visité la
maison de couture sur l'avenue Matignon à Paris.

Archives du Musée McCord, Montréal – © Studio Don Graetz, studiograetz.com.

Robe de mariée de satin ivoire créée pour Margaret Sims et publiée dans les journaux de Montréal en 1936.

Fête de l'élégance tenue au Ritz-Carlton

Les collections printanières de Mlle Gaby Bernier furent présentées hier sur mannequins vivants, au Ritz-Carlton, devant un nombreux public féminin. Les recettes de cette revue de modes, qui avait également eu lieu le jour précédent, seront versées au Children's Memorial Hospital.

Cette collection est superbe. Il faut admirer non seulement la beauté des tissus qui sont signés Rodier, France-Couture, Bianchini-Férier, Ducharme et Coudurier-Fructus, mais l'heureux choix de leur ex-

pression, de lignes sculpturales pour les tissus à belle tombée, drapés et plissés dans les tissus souples. Les tailleurs sont remarquables par le ferme modelé des épaules, la cour..., l'accord parfait et ...au des couleurs. Les ensembles printaniers sont frais; la robe est imprimée de plus souvent de roses, de bleus ou de mauves; à remarquer que ces imprimés ne s'étalent pas sur la robe en toute liberté mais sont groupés sagement en files verticales ou horizontales. Le manteau long de teinte unie, ajoute une note sobre à l'ensemble.

Les drapés des robes d'après-midi semblent s'être cantonnés sur les corsages à qui ils donnent ainsi toute son importance. Les bustes sont bien définis; la taille ainsi dépouillée est longue et fine. Les robes du soir de cette collection sont féminines, le choix des tissus et la façon dont on les travaille concourent à donner cette impression. Mousseline et dentelle semblent tenir le premier rang. Le corsage blouse tente une réapparition sur les robes du soir, les bustes corsetés sont à l'honneur, sans oublier les drapés et les plissés.

Toutes les fourrures qui accompagnent ces divers ensembles sont souples comme des tissus, les manches travaillées par bandes et les capes finies par dents.

Préfet de Chicoutimi

CHICOUTIMI, 10. (P. C.) — M. Antoine Riverin, maire de Chicoutimi, a été réélu préfet du comté.

Pour venir en aide au Children's Memorial Hospital, Mlle GABY BERNIER présentait mardi et mercredi, dans la salle de bal de l'hôtel Ritz-Carlton, ses collections printanières. Voici trois modèles vivement applaudis au cours de cette exposition : (à gauche), robe d'après-midi, adaptation de Chanel, en crêpe "Korrigan" Bianchini-Férier, couleur grège ; des accessoires noirs lui donnent du ton. Modèle porté par Mme Henri Lafleur. (Au centre), Tailleur bleu violine semi-sport en lainage, signé France-Couture, garniture rose chinois. Modèle porté par Mme Harold Savoy. (A droite). Robe du soir en dentelle noire Dognin-Racine, adaptation de Mainbocher. Modèle porté par Mlle Jacqueline Ouimet. (Photos: la "Patrie".

Défilé de l'élégance tenu au Ritz-Carlton, signé Gaby Bernier et dont les profits furent versés au *Children's Memorial Hospital*, mars 1938.

Fête de l'élégance

Mlle GABY BERNIER à qui a été confiée l'organisation de la fête de l'élégance dont les bénéfices seront versés au "Children Memorial Hospital". Cette présentation de la mode printanière aura lieu les 8 et 9 mars, au Ritz Carlton. (Photo Garcia.)

Gaby lors du défilé de l'élégance.

Mariage de Hazel Hastings, fille d'Ogilvie Hastings, à Eric Harrington en novembre 1939. Demoiselles d'honneur : Diana McDougall, Joan Harrington, Marg Stikeman, Kathleen Laing, Janet Harrington.

Cortège nuptial de Diana McDougall.

Archives du Musée McCord, Montréal – ©Studio Don Graetz, studiograetz.com.

Gaby (deuxième à droite) skiant dans les Laurentides avec un groupe de Bianchini-Férier.

Archives familiales.

Gaby et sa grande amie Margot Vilas qui l'amena dans les plus grands restaurants.

Éva Bernier en 1940.

Complet veston/pantalon créé par Gaby.

Restaurant au neuvième étage du magasin *Eaton*. Une réplique de la salle à manger du transatlantique Île-de-France.

102. St NAZAIRE (L.-Inf.) Paquebot "Île-de-France" de la Cⁱᵉ Gⁱᵉ Transatlantique
Construit par le Chantier de St-Nazaire-Penhoët
Longueur totale, 241 m. ; largeur, 28 m. ; creux, 21 m. 50 ; déplacement, 41.000 tonnes ; puissance, 52 000 chevaux. A.B.

Paquebot Île-de-France.

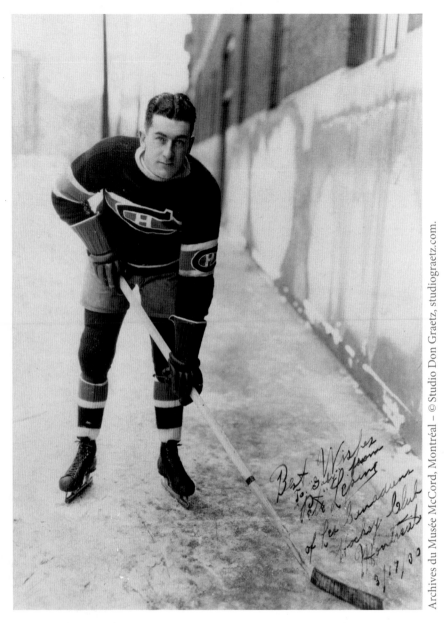

Photo autographiée d'Alfred « Pit » Lépine.